寄港地のない船

ブライアン・オールディス
中村融 訳

竹書房文庫

寄港地のない船

〈ニュー・ワールズ〉と〈サイエンス・ファンタシー〉の編集長であり
『寄港地のない船』を出港させてくれた
テッド・カーネルの
心温まる記憶に寄せて

小説家にとっては、知っているものよりも
感じているものを対象に選ぶほうが安全である。
――L・P・ハートリー

大宇宙においてみずからの占める割合がどれほど些少かを理解できない、あるいは理解しようとしない共同体は、真の文明化をとげているとはいえない。換言すれば、その共同体は致命的な構成要素をはらんでおり、程度の差はあれ、それが不均衡をもたらすのである。これは、そのような共同体の物語だ。

人間の発想する観念（アイデア）は、われわれの宇宙を構成する無数の事物の大部分とは異なり、完璧に均衡がとれていることは稀（まれ）である。必然的に、人間自身の弱点が刻印されているのだ。観念は貧弱なものから壮大なものにまでおよぶだろう。これは壮大な観念の物語だ。

その共同体にとって、それはたんなる観念ではなかった。存在そのものとなったのだ。というのも、その観念は、観念というものが決まってそうなるように、誤った方向へ進み、彼らの現実の生活を呑みつくしたからである。

第一部　〈居住区〉

1

遠くの物体にぶつかって、発信源にはね返ってくるレーダー波のように、ロイ・コンプレインには自分の心拍音が空き地を満たすかと思われた。彼は個室の出入口に片手をかけ、憤怒が動脈を乱打する音に耳をすましていた。

「さあ、出ていくんなら出ていきなさいよ！　出ていくっていったじゃない！」

背後の声、グウェニーの声にこめられたかん高い皮肉が、彼を空き地へ押しだした。彼はふり返らずにドアをたたき閉め、喉の奥でゴロゴロと低いうなり声をたてると、苦労して両手をこすり合わせ、自制心をとりもどそうとした。グウェニーと暮らすというのはこういうことだ。藪から棒に喧嘩がはじまり、こういう気ちがいじみた怒りが炸裂して、全身を病気のように駆けぬける。きれいな怒りであったためしもない。わけのわからない怒りなのだ。そして怒りが洪水のようにあふれだしているときでさえ、そのうち自分が引きかえしてきて、彼女に謝り、自分を辱(はずかし)めることになる――頭の隅ではそれがわかっているのだ。自分には自分の女が必要だ、と。

〈めざめ〉の期間のこれほど早い時間でも、数人の男が外にいた。あとになれば、それぞれの仕事に散っていくだろう。男たちの一団がデッキにすわりこみ、〈上昇の旅〉に興じていた。コンプレインは両手をポケットに突っこんで、彼らのところまで歩いていくと、ぼさぼさ頭の隙間をむっつりと見おろした。デッキに描かれている盤は、人が両腕をのばした長さの二倍ほどの幅がある。模造硬貨とシンボルが散らばっていた。プレイヤーのひとりが身を乗りだし、ひと組のブロックを動かした。

「まわりこんで五へ」彼は勝ち誇った声でいうと、共犯者を見る目つきでコンプレインを見あげて、ウインクした。

コンプレインは無関心に目をそらした。人生の長い期間、このゲームは彼に異常なほどの魅力をふりまいてきた。思春期のころは、ずっとしゃがんでいるせいで手足がおかしくなり、銀色の模造硬貨に目の焦点が合わなくなるまでプレイしたものだ。ほかの者たち——グリーン一族のほぼすべての人間——も〈上昇の旅〉にとり憑かれていた。彼らの生活に欠けている広々とした感じと、力をふるう感じをあたえてくれるからだ。いまコンプレインはその魔力から解放されており、その感覚をなつかしむ気持ちだった。もういちどなにかに夢中になるのはいいことだろう。

彼はむしゃくしゃした気分で空き地を歩いていった。左右のドアにはろくに目もくれず、かわりにすれちがう者たちのあいだに視線を走らせた。まるで合図を探すかのように。バリケードへ急いでいるワンテージが見えた。ゆがんだ顔の左側を本能的に他人の目に触れないようにしている。ワンテージは長い盤ではプレイしない。両側に人がいることに耐えられないのだ。評議会は、なぜ子供のころ彼の命を救ったのだろう？　グリーン一族では多くの奇形児が生まれるが、ふつう彼らを待っているのはナイフだけだ。子供のころ、コンプレインたちはワンテージを〝割れ目顔〟と呼んで、いじめたものだった。しかし、彼は獰猛（どうもう）でたくましいおとなになった。そのためコンプレインたちは、彼に対してもっと寛容な態度で臨むようになった。いまや嘲りは目立たない形で向けられる。

当てもないうろつきから、目的のある歩きに変わったのにも気づかないまま、コンプレインもワンテージのあとを追いバリケードの方角へ向かった。最上の個室は——当然ながら、評議会の使用に供されている——このあたりにあった。ドアのひとつがさっと開き、グリーン中尉その人が、ふたりの士官を引き連れて出てきた。グリーンはいまや老人だが、いまだに怒りっぽく、そのぎくしゃくした歩きぶりは、若いころの性急な歩調のなごりをとどめていた。士官のパッチとジリアクが、これみよがしに麻痺銃（デーザー）をベルトにはさんで、そのわきを威張って歩いていた。

コンプレインには大いに愉快なことに、三人の突然の出現であわてふためいたワンテージが、首長に敬礼した。手を頭へ持っていくのとは逆に、頭を手に持っていくような卑屈な動作になったので、答礼したジリアクが苦笑をもらした。へつらいは広く行きわたった処世術なのだ。人は誇りがあるからその事実を認めないが。

三人組とすれちがうとき、コンプレインは習慣にしたがった。顔をそむけ、渋面を作ったのだ。狩人であるこの自分は、ほかの人間より目下であると考えるいわれはない。〈教え〉にもこうある――「他人に敬意を表す必要を感じないかぎり、何人も他人に劣るものではない」と。

これで気分が回復した彼は、ワンテージに追いつき、その左肩をピシャリとたたいた。ワンテージがくるっと身をひるがえし、柵用の短い杭をコンプレインの下腹部に突きつけた。抜き身の剣にびっしりと囲まれた男のように、無駄のない動きだった。切っ先がコンプレインの臍にきれいに食いこんでいた。

「落ちつけって、色男。友だちにとんだご挨拶じゃないか」コンプレインは杭の先端を横へそらした。

「おれはてっきり……拡張を、狩人よ。なんで肉を追いかけないんだ?」ワンテージがコンプレインから視線をはずしながら訊いた。

「きみといっしょにバリケードまで行くところだからさ。おまけに、ぼくの壺はいっぱいで、納めるべきものは納めてある。肉はいらないんだ」

ふたりは無言で歩いた。コンプレインは相手の左側にまわろうとし、相手はそうさせまいとした。コンプレインはやりすぎないように注意していた。ワンテージが襲いかかってくる場合もあるからだ。〈居住区〉では暴力と死は日常茶飯事であり、それで高い出生率に対して自然とバランスがとれていた。だが、その釣りあいのために喜んで命を捨てる者はいない。

バリケード付近の通廊は混雑していた。ワンテージは、掃除の仕事があるとつぶやいて去っていった。軽く前かがみになって、壁ぎわを歩いていく。その足どりには苦い威厳のようなものがあった。

先頭のバリケードは門の設けられた木製の仕切りであり、通廊を完全にふさいでいた。そこにはふたりの衛士が絶えず配置されている。そこで〈居住区〉が終わり、ポニックの繁みから成る迷路がはじまるのだ。しかし、障壁は一時的な構造物でしかない。位置そのものが変わることを前提としているからだ。

グリーン一族は半放浪民であり、じゅうぶんな量の穀物や家畜を維持できないために、新天地への移動を頻繁に余儀なくされる。これは、先頭のバリケードを前進させ、〈居住区〉の反対側にある最後尾のバリケードを同じ距離だけ移動させることで達成される。いまこの移動が行われていた。前方でとりつくされたポニックの繁みは、〈居住区〉のうしろになれば、また生えてくるだろう。腐りかけたリンゴに穴をうがつ蛆虫（うじむし）のように、部族は果てしない通廊をのろのろと進むのである。

バリケードの向こう側で、男たちが労働にいそしんでいた。背の高いポニックの茎をたたき切ると、食用の樹液——ミルテックス——が刃の上で噴きだす。茎は倒されると、できるだけたくさんの樹液を保存するためにひっくり返される。この樹液をかきだし、空洞の竿を乾燥させたあと、手ごろな長さに切り分けて、最終的に無数の用途に供する。忙しくふるわれる刃物のすぐ近くでは、植物のほかの部分も収穫されていた。葉は医療用、新芽は食卓のいろどり、種子は食料、ボタン、〈居住区〉版のタンバリンのバラスト、〈上昇の旅〉用の模造硬貨、赤ん坊のおもちゃ（なんでも試すその口にも、種子は大きすぎて押しこめない）など、さまざまに用いられる。

ポニックの除去でいちばんたいへんな仕事は、からみあった根の構造を破壊することである。それは鋼鉄の網さながら地中に張りめぐらされており、下のほうの巻きひげは、デッキに深々と食いこんでいる。根が切断されると、踏み鍬（くわ）を持ったほかの男たちが腐植土を袋に入れていく。ここでは腐植土がとりわけ厚く積もっており、デッキを二フィート近くおおっていた。ここが未踏の地域であり、ほかの部族が作業したことのない証拠である。いっぱいになった袋は、荷車で〈居住区〉へ運ばれ、そこで降ろされて、新しい部屋の新しい畑の土となる。

べつの男たちの一団も、バリケードの前で働いていた。コンプレインはこの男たちを格別な興味を持って見まもった。ほかの者たちよりも身分が高い男たち、狩人からしか選抜されない衛士である。コンプレインにもいつの日か、幸運のたまものか、はたまた引き立てがあってか、その羨むべき階級に昇進する可能性が存在するのだ。

隙間なく重なった繁みの壁が切り開かれるにつれ、ドアが姿を現し、見物人たちに黒い顔をさらすようになった。それらのドアの背後にある部屋は、謎をもたらすはずだった。つまり、無数の奇妙な品物が見つかるのだ。役に立つもの、立たないもの、意味のわからないもの。失われた巨人族のかつての持ち物だ。衛士の任務は、こうした古代の墳墓を暴き、内部のものを部族にかわって管理し、その意味を明らかにすることにある。やがて略奪品は分配されるか破壊される。どちらになるかは、評議会の気分しだいだ。こうして〈居住区〉の光のもとに出てきたものは、多くが〈中尉府〉によって危険と宣告され、焼却される。

これらのドアをあける仕事には、危険がつきまとうと考えられていた。〈居住区〉の噂によると、繁みの迷路のなかでやはり必死に生きようとしているほかの小さな部族が、こうしたドアをあけたあと、音もなく消えてしまったという。

働く人を見物するという根強い魅惑にとらわれた者は、いまやコンプレインひとりではなかった。それぞれが子供をぞろぞろと引き連れた女が数人、バリケードのわきに立ち、腐植土とポニックを運ぶ者たちの列を邪魔していた。〈居住区〉のどこへ行っても聞こえる絶え間ない蠅の小さな羽音に、小声のおしゃべりが加わった。このコーラスに合わせて、衛士たちがつぎのドアを破った。一瞬、静寂が降り、作業していた者たちさえ手を休めて、こわごわと開口部を見つめた。

その新しい部屋は失望ものだった。怖いもの見たさをそそる巨人の骸骨さえ内部になかったのだ。小さな倉庫にすぎず、小さな袋をのせた棚が並んでいた。その小さな袋には、さまざまな色の粉末がぎっしり詰まっていた。あざやかな黄色の粉末と真紅の粉末の袋が落ちて破れ、デッキにふたつの扇形を描くいっぽう、二種類の粉が入りまじった雲を空中に生じさせた。子供たちから歓声があがった。たくさんの色を見ることがめったにないのだ。衛士たちがぶっきらぼうに命令を叫び、発見物を運びだしはじめた。バリケードの裏にある荷車まで人間の鎖ができあがった。

なんとなく肩すかしをくらった気分で、コンプレインはぶらぶらと歩み去った。けっきょく、狩りに行くのもいいかもしれない。

「でも、だれにも光がいらないのに、どうして繁みのなかに光があるの？」

その問いは、周囲のざわめきから抜けだしてコンプレインの耳に届いた。ふり向くと、質問したのは、まんなかにしゃがんだ大男を囲んでいる小さな男の子たちのひとりだった。寛大な笑みを浮かべた母親がふたり、けだるげに手で蝿を追い払いながら、わきに立っている。

「ポニックが大きくなるには光がいるんだよ。きみたちが暗闇のなかじゃ生きられないのとまったく同じさ」と少年に答える声。そういったのはボブ・ファーモアーだ、とコンプレインは見てとった。畑部屋で力仕事するしか能のないうすのろ。愛想がよく――〈教え〉が文句なしに認めるよりかなり愛想がよく――したがって、子供たちに人気がある。ファーモアーが語り部として評判をとっているのを思いだし、コンプレインは急に気晴らしをしたくなった。怒りがないと、彼はからっぽだったのだ。

「ポニックが生える前はなにがあったの？」と幼い女の子がたたみかけた。不器用ながら、子供たちはファーモアーにお話をはじめさせようとしているのだ。

「世界のお話をしてやってよ、ボブ！」母親のひとりが助け船をだす。

ファーモアーはもの問いたげにコンプレインをちらっと見あげた。

「気にするな」とコンプレイン。「ぼくにすれば、理論より蠅のほうが一大事だ」

部族の権力者たちは理論、すなわち厳密に実用的な線にそわないような考えを快く思わない。だから、ファーモアーはためらったのだ。

「さて、これから話すのは、たぶんそうだっただろうということだよ。だって、グリーン一族がはじまる前に、世界になにがあったか、記録が残ってないんだから」とファーモアー。「それに記録が見つかっても、意味がよくわからないからだ」おとなの聴衆にさっと視線を走らせてから、すばやくつけ加える。「だって、古いいい伝えを解き明かそうとするよりも大事なことはたくさんあるからね」

「世界のお話ってどういうの、ボブ？　ワクワクする？」ある男の子がしびれを切らして訊いた。

ファーモアーは男の子の前髪を目から払ってやり、勢いこんで話しはじめた。

「これほどワクワクするお話はないよ。だって、ぼくたちみんなにかかわりがある、ぼくたちがどういうふうに生きているかってお話なんだから。さて、世界はすばらしい場所だ。こういうデッキが重なってできていて、このデッキには終わりがない。だって、最後にはぐるっと一周して、元にもどるからだ。だから永久に歩きつづけても、世界の果てにはたどり着けないんだよ。そしてこのデッキの重なりには謎めいた場所がいっぱいある。いい場所もあれば、悪い場所もある。そして、すべての通廊はポニックでふさがれているんだ」

「〈前部〉の人たちは？」と男の子がたずねる。「緑の顔をしてるの？」

「これからその話をするところだった」とファーモアー。声をひそめたので、幼い聴衆がにじり寄った。「いま話したのは、世界の横の通廊から離れなければ、ということだ。でも、主通廊にはいれたら、世界の遠いところへまっすぐ連れていってくれる幹線道路に乗ったことになる。そうしたら、〈前部人〉の領土に着けるかもしれないね」

「本当にみんな頭がふたつあるの？」と幼い女の子。

「もちろん、ちがうよ」とファーモアー。「ぼくたちのような小さな部族より文明が進んでいるんだ」――ふたたびおとなの聴衆をうかがって――「でも、その人たちのことはよくわからない。その人たちの土地とぼくたちの土地とのあいだには障害がたくさんあるからね。世界についてもっといろんなことを見つけるのは、大きくなったきみたちみんなの務めにちがいない。ぼくたちの知らないことがたくさんあるのを忘れちゃいけない。それに、ぼくたちの世界の外側には、いまのぼくたちには想像もできないようなほかの世界があるかもしれないってことを」

子供たちは感銘を受けたようすだったが、母親のひとりが笑い声をあげて、「あるかないのかわからないことを考えたって、腹の足しにはならないよ」といった。

歩み去りながら、コンプレインは内心で彼女に賛同した。いまは理論がたくさん出まわっている。どれも異なっていて、すべてが不安をかき立てる。権威筋が推奨するようなものはひとつもない。ファーモアーを糾弾したら、自分の立場がよくなるだろうか、と彼は思った。しかし、残念なことに、ファーモアーはだれにも相手にされない。のろますぎるのだ。ついこの前の〈めざめ〉にも、畑部屋でなまけた廉で、公開の鞭打ち刑に処されたのだった。

コンプレインにはもっとさし迫った問題があった。狩りに行くべきかどうか、だ。このところ、こんなふうに落ちつきなくバリケードまで往復してばかりだったことが、無意識のうちに思いだされた。彼はこぶしを握った。時間が経ち、機会を逸して、つねになにかをとり逃がす、とり逃がす。またしても――子供のころからそうしてきたように――コンプレインは猛然と頭を回転させ、あるはずなのに、あったためしのない要因を探ろうとした。なんとなく、危機に対して覚悟が――まったく心ならずもだが――できている気がした。熱病のはじまりに似ているが、熱病よりもこのほうが始末が悪い。

彼はいきなり走りだした。長い漆黒の髪が、切れ長の目にかぶさって揺れる。表情がゆがんだ。ふだん彼の若々しい顔の線は、かすかにふくよかだが、力強く、人当たりがよさそうだ。顎の線ははっきりしており、唇は堂々としている。それなのに、全体としての容貌は、やつれて、恨みがましいものだった。このやつれた表情は、部族全体にほぼ共通していた。人は他人とじかに目を合わせてはならない、というのは〈教え〉の賢明な部分である。

コンプレインはやみくもに走った。汗が額に噴きだしてくる。〈眠り〉だろうと〈めざめ〉だろうと、〈居住区〉では年がら年じゅう温暖であり、汗は簡単に出てくるのだ。すれちがった者は、だれひとり彼に興味の目を向けなかった。意味のない走りは、部族内ではしょっちゅう起きる。多くの男が内なる亡霊から逃走するのだ。コンプレインにわかるのは、グウェニーのもとへもどらなければならないということだけ。女は忘却という魔法の膏薬（こうやく）を持っている。

彼が自分たちの個室へ飛びこんだとき、グウェニーはお茶のカップを手にして、身じろぎもせずに立っていた。彼に気づかないふりをしたが、態度全体が変わり、痩せた両頬がこわばった。彼女はがっしりした体つきで、痩せた顔とは対照的に胴体はずんぐりしている。その堅そうな雰囲気が、いまはおのずと強調されて見えた。まるで肉体的な攻撃にそなえて踏ん張っているかのように。

「そんな顔をするなよ、グウェニー。ぼくはおまえの不倶戴天の敵じゃないぞ」そんなことをいうつもりはなかった。なだめる口調でもなかった。しかし、彼女の姿を目にしたとたん、怒りの一部がぶり返してきたのだ。

「いいえ、あんたはあたしの不倶戴天の敵よ」目をそらしたまま、彼女はきっぱりといった。「あんたほど憎い相手はいないわ」

「それなら、そのお茶をひと口飲ませろ。ぼくが毒に当たるのをふたりで祈ろう」

「そうなってほしいものだわ」とカップを渡しながら、彼女が毒づいた。

コンプレインは彼女をよく知っていた。彼女の怒りは自分の怒りとは似ていない。自分の怒りはおさまるまでに時間がかかる。彼女の怒りは、爆発したかと思うと消える。彼の顔を平手打ちしたつぎの瞬間には、彼と愛を交わすだろう。それも、そのとき最高の愛を交わすのだ。

「元気をだせよ」彼はいった。「喧嘩の原因はつまらないことだったじゃないか、いつものように」

「つまらないことですって！　リディアがつまらないことなの？　生まれてすぐに死んだのに……たったひとりの赤ちゃんが。その子をつまらないものだっていうの？」

「ぼくらのあいだの武器として使うよりは、つまらないものというほうがましだろ」

グウェニーがカップをとり返したとき、彼はそのむきだしの腕に手をすべらせ、ブラウスの襟ぐりに器用に指をすべりこませた。

「やめて！」彼女は抵抗しながら絶叫した。「いやらしい！　それしか考えられないの？　話をしてるときだっていうのに。離してよ、このいやらしいけだもの」

だが、彼は離さなかった。かわりに、反対の腕をグウェニーの腰にまわして、彼女を抱きよせた。彼女は蹴ろうとした。コンプレインは膝で彼女の膝の裏を巧みにこづき、ふたりは床に倒れこんだ。彼が顔を近づけると、グウェニーはその鼻を噛もうとした。

「手をどけて！」と彼女があえぎ声でいう。

「グウェニー……グウェニー、いいじゃないか」と猫なで声でコンプレイン。

彼女の態度が急変した。やつれて油断のない顔つきが、夢見るような表情に呑まれていく。

「あとで狩りに連れてってくれる？」

「ああ。なんでもいうとおりにするよ」

しかし、グウェニーがなにをいったにせよ、いわなかったにせよ、つづく出来事は否応なく展開した。グウェニーとの結婚を通じて遠縁に当たるふたりの少女、アンサとデイズが息を切らしてやってきて、グウェニーの父親、オズバート・バーガスの容態が悪化し、彼女を呼んでいるといったのだ。彼は前回の〈眠りとめざめ〉前に生き腐れの病に倒れ、グウェニーはすでにいちど、彼の遠い個室まで見舞いに行っていた。彼は長くは保たないと思われていた。〈居住区〉で病に倒れた人間は、まず長く保たないのだ。

「父さんのところへ行かないと」とグウェニー。子供は親から独立していなければならないという決まりは、こういう危急のさいには斟酌される。掟は病床を訪ねることを許しているのだ。

「彼は部族の偉人だ」と重々しい声でコンプレイン。オズバート・バーガスは、多くの〈眠りとめざめ〉にわたり上級案内者を務めてきた。彼を失うことは痛手になるだろう。にもかかわらず、コンプレインは義理の父を見舞いに行くとはいいださなかった。涙もろさは、グリーン一族が躍起になって撲滅しようとしている弱さのひとつなのだ。グウェニーが行ってしまうと、彼のほうは市場へ出かけた。鑑定人のアーン・ロフリーに会い、現在の肉の値段を訊くためだ。

途中、いくつもの柵囲いを通りすぎた。かつてなかったほどたくさんの動物がいた。

狩人のとらえる野生動物よりも健康でおとなしい家畜が。ロイ・コンプレインは考えこむたちではないが、ここには説明のつかない逆説があるように思えた。部族がこれほど繁栄したこと、あるいは農場がこれほど豊作だったことはない。最底辺の労働者も、四回の〈眠りとめざめ〉から成る一周期のうち、いちどは肉を味わえる。それなのにコンプレイン自身は、以前よりもゆたかではなくなっているのだ。狩りをすればするほど、獲物は見つからなくなり、報酬は減るのである。ほかの狩人のなかには、同じことを経験して、すでに狩りに見切りをつけ、ほかの仕事に鞍替えした者もいる。

この窮状の原因は、鑑定人のロフリーが狩人階級にいだいている悪意にある、とコンプレインは単純にとらえていた。家畜の肉が豊富にあるので、ロフリーが野生の肉に安値をつけても逆らえないのだ。

したがって、彼は市場の人ごみを押しのけて進み、ぶすっとした顔で鑑定人に挨拶した。

「あんたの自我に拡張を」と、しぶしぶ彼はいった。

「あなたのおかげで」鑑定人は愛想よく答え、苦労して作成していた膨大なリストから顔をあげた。「今日は肉の値段が下がってるよ、狩人。かなりの大きさの獲物とパン六つを交換だ」

「ばかいうな！　それにこの前会ったとき、小麦の値段は下がるといったじゃないか、この二枚舌野郎」

「口を慎みたまえ、コンプレイン。きみの獲物は、わたしにとってパンの皮の値打ちもない。だから、小麦の値段は下がるといったんだ。じっさいに下がっている――ただし、肉の値段はもっと下がっている」

鑑定人は立派な口ひげをなでつけ、高笑いをはじめた。近くでぶらぶらしていたほかの数人も笑い声をあげた。そのうちのひとり――チープという名の悪臭を放つ無愛想な男――が、市場での交換を希望する丸い缶を積みあげていた。コンプレインは缶を乱暴に蹴り飛ばした。憤怒の叫びをあげて、チープがあわてて缶の回収にかかり、すでに缶をつかみとった者たちから必死に奪いかえそうとした。これを見てロフリーが笑い声を大きくした。しかし、彼の笑いの矛先は変わっており、もはやコンプレインに向けられてはいなかった。

「〈前部〉で暮らすよりはましだろう」彼はなだめる口調でいった。「彼らは奇跡の人々だ。食用のけものを息から創りだし、空中でつかまえるそうだ。狩人はまったくいらないんだよ」首にとまった蝿をぴしゃりとたたき、「それに呪われた空飛ぶ虫どもにも勝利をおさめたんだ」

「たわごとだ！」近くに立っていた老人がいった。

「わたしに逆らうな、エフ」と鑑定人。「糞より安い耄碌(もうろく)した頭をしてるくせに」

「やっぱりたわごとだ」とコンプレイン。「蠅のいない場所を想像するほどのまぬけがどこにいる?」

「コンプレインのいない場所なら想像できるぞ」とチープが吼えた。缶を回収し終わり、恐ろしい顔でコンプレインの肩のわきに立っている。と、ふたりは向かいあい、もめごとにそなえて身がまえた。

「やっちまえ、そいつをぶちのめせ」と鑑定人がチープに声をかける。「狩人に商売を邪魔されたくないってことを教えてやれ」

「〈居住区〉じゃ、いつから狩人よりブリキ缶を漁るやつのほうが偉くなったんだ?」とエフと呼ばれた老人がだれにともなく訊いた。「いっとくが、悪いときがこの部族にやってくる。わしはそれを見ずにすみそうなのが、せめてもの救いよ」

老人を嘲ったり、その感傷を嫌ったりするうなり声が、四方で湧きおこった。急に人疲れがしたコンプレインは、じりじりとその場を離れて立ち去った。気がつくと、老人があとをついてきたので、用心深くうなずいてみせた。

「わしにはなにもかも見える」とエフがいった。陰気な予言をつづけたくてしかたがないのは一目瞭然だった。「わしらは軟弱になっておる。じきに〈居住区〉を離れたり、ポニックを片づけようとする者はいなくなるだろう。刺激がなくなる。勇敢な男はいなくなる――食べる者と遊ぶ者だけになる。疫病と、死と、ほかの部族の攻撃が降りかかってくるだろう。おまえが見えるのと同じくらいはっきり見えるぞ。じきにグリーン一族のおったところには、繁みしかなくなるだろう」

「〈前部〉の民は優秀だと聞いたことがある」と、この長広舌に割りこんでコンプレイン。「あるのは分別で、魔法ではないそうだ」

「では、あのファーモアーとかいう男の話を聞いたことがあるんだな」とエフが不機嫌そうに答えた。「さもなければ、あいつの同類の話を。わしらの目をくらませ、だれが本当の敵か、わからないようにさせている人間がおる。人間といっても、そいつらは人間じゃない。そいつらは――〈よそ者〉だ。それが正体だ、狩人、〈よそ者〉なんだ。超自然の存在なんだ。方法があれば、そいつらを殺してやるんだが。魔女狩りをするんだが。そう、してやるとも。でも、ここにはもう魔女狩りはない。わしが子供のころは、いつも魔女狩りをしていたもんだ。いいか、部族全体が軟弱に、やわになっておるんだ。方法があれば……」

とめどない声がとぎれた。大量殺戮(さつりく)というおなじみの誇大妄想狂的な光景を目に浮かべて絶句したのかもしれない。コンプレインは気づかれずに老人から離れた。空き地を渡って近づいてくるグウェニーが見えたのだ。

「お父さんは？」と彼はたずねた。

彼女はこれといった意味もなく、片手をすこしだけ動かした。

「生き腐れのことは知ってるでしょ」と生気のない声でいう。「つぎの〈眠りとめざめ〉が終わる前に、〈長い旅〉に出てるでしょう」

「生のさなかに死はある」と彼は重々しい口調でいった。バーガスは名誉ある男だ。

「そして〈長い旅〉はつねにはじまっている」コンプレインにかわって〈連禱(れんとう)〉からの引用を完結させて彼女は答えた。「もう打つ手はないわ。いっぽう、あたしには父さんの心臓と、狩りに行くっていうあんたとの約束がある。いまから行きましょう、ロイ。あたしをポニックのなかへ連れてって——お願い」

「肉の値段は、獲物ひとつでパン六つまで下がってる」コンプレインは彼女に告げた。

「行く値打ちはないよ、グウェニー」

「パンひとつでたくさんのものが買えるわ。たとえば、父さんの頭蓋骨をおさめる壺」

「それは義理のお母さんの務めだ」

「あんたといっしょに狩りに行きたいの」

その声の調子を彼は知っていた。腹立たしげにきびすを返すと、彼はもうひとこともいわずに先頭のバリケードへ向かった。グウェニーがおとなしくついてきた。

2

狩りはグウェニーが情熱をかたむけるものとなっていた。部族の領域をひとりで離れることを許されない女性にとって、〈居住区〉からの解放をもたらし、興奮をあたえてくれるからだ。彼女は殺戮には荷担しなかったが、コンプレインの影さながら、繁みに棲むけもののあとをこっそりと追いかけた。

家畜の数がふえ、結果として野生肉の値打ちが下がったにもかかわらず、〈居住区〉には増大する需要をまかなうだけの肉はなかった。部族はつねに不均衡の状態にあった。それは二世代前、祖父グリーンによって作られたばかりであり、完全な自給自足はまだしばらくは無理だった。それどころか、重大な事故か失敗があれば、部族は散りぢりになり、それを構成していた家族は、どんな形にしろ受け入れてくれる部族を探すはめになるはずだった。

コンプレインとグウェニーは、〈居住区〉の先頭に当たるバリケードを越えて、しばらくのあいだ繁みのなかの小道をたどり、やがて深い藪の奥へはいりこんだ。ひとりかふたりの狩人や罠猟師とすれちがっただけで、寂寥（せきりょう）があたりを支配するようになった。パキパキと音をたてる繁みの寂寥が。コンプレインは先に立ち、足跡が目立たなくなるよう、密生した茎を切り倒すのではなく押しのけながら、小さな昇降階段を登った。登りきったところで足を止めると、グウェニーが彼の肩ごしに、熱心に目をこらした。

　それぞれのポニックは、短命なエネルギーを炸裂させて、光のほうへのびあがり、頭上でかたまりとなっている。あまねく広がる光は結果的に病んだものとなり、その光を浴びたものをじっさいに目にするよりは、想像するほうがましという状態だった。これに加えて蠅と、葉むらのあいだを煙のようにただよっている、ちっぽけなブヨの大群。視界は限定されているうえに、錯覚を起こしやすい。しかし、男が立って、こちらを見ていることに疑問の余地はなかった。黒光りする目と、チョークのように白い額をした男が。

　男はふたりの三歩前にいた。油断なく立っている。その大柄な胴体はむきだしで、ショートパンツしか身に着けていない。ふたりのやや左の一点を見つめているようだ。それなのに、光があまりにも不安定なので、目をこらせばこらすほど、男がそこにいるということ以外、はっきりしたことはわからなくなった。とそのとき、男がいなくなった。

「あれは幽霊だったの？」とグウェニーが声をもらす。

デーザーを手にすべりこませながら、コンプレインは前進した。影の織りなす模様に目をあざむかれたのだ、と自分を納得させられそうだった。それほど音もなく観察者は姿を消したのだ。いまや、男がいた形跡はない。彼が立っていたところで踏みつぶされている若木をのぞいては。

「行くのはやめにしましょう」グウェニーが不安げにささやいた。「いまのが〈前部〉の男だとしたら――さもなければ、〈よそ者〉だとしたら」

「ばかをいうな。頭がイカレて、繁みのなかにひとりぼっちで住んでいる野人がいるのは知ってるだろう。ぼくらに危害を加えない。ぼくらを撃つ気だったら、あのとき撃っていたはずだ」

にもかかわらず、不安のあまり鳥肌が立った。いまこのときも、あの浮浪者が自分たちに狙いを定めているかもしれない、あるいは、まるで疫病であるかのように、確実で目に見えない死をもたらそうと画策しているかもしれないのだ。

「でも、あいつの顔は真っ白だった」とグウェニーが抗議した。

コンプレインは彼女の腕をしっかりとつかみ、彼女を前へ進ませた。この場を離れるのは早ければ早いほどいい。

ふたりはかなりの早足で歩いた。豚の通り道をいちど横切り、側面の通廊へとはいる。ここでコンプレインは背中を壁にあずけてしゃがみこみ、グウェニーにも同じようにさせた。

「耳をすませ。追われているかどうか、たしかめるんだ」

ポニックがガサガサとざわめき、無数の小さな昆虫が静寂をかじりとっていた。それらは合わさって絶え間ない騒音となり、コンプレインには頭が割れそうなほど大きくなるように思われた。その騒音のさなかに、そこにあるはずのない音があった。

グウェニーも耳にしていた。

「べつの部族に近づいてるんだわ」彼女はささやき声でいった。「この小道を行ったところにいるのよ」

彼らに聞こえるのは、赤ん坊が泣き叫ぶ声という部族につきものの音だった。それはバリケードが到達するよりずっと前、においさえしないうちに部族の到来を告げるものだ。ほんの何回かの〈めざめ〉前、この地域は豚の縄張りだった。つまり、ある部族がべつの階層からやってきて、グリーン一族の猟場にゆっくりと近づいているということだ。

「帰ったら報告しよう」コンプレインはそういうと、彼女を連れて反対方向へ向かった。

道ははかどった。迷わないように、進みながら曲がり目を数えていく。左手に低いアーチが現れると、それをくぐり、豚の通り道に出た。ここは〈船尾階段〉として知られる領域であり、大きな丘が下の階層へとつづいている。斜面のへりの向こうでドスンという音があがり、つづいて聞きまちがえようのない金切り声。豚だ！

丘のてっぺんにこのまま残っていろとグウェニーに手ぶりで伝え、コンプレインは肩から器用に弓をはずし、矢をつがえながら、斜面をくだりはじめた。狩人の血が騒ぎ、悩みはすべて忘れられた。彼は生き霊のように動いた。グウェニーの目が励ましのメッセージを彼に送ったが、気づいてはもらえなかった。

下層のポニックはのびられるだけのびる余地があるので、細い木にまで育っており、頭上でアーチを描いていた。コンプレインは崖のへりまですべっていき、背の高いポニックを透かして下をのぞいた。一匹の動物が、満足げに鼻で土をほじくりながら動きまわっていた。小さな生き物たちの叫びらしき金切り声がしたものの、子供の姿はない。

あまねく広がる繁みにやはり呑みこまれた斜面を慎重に降りていくあいだ、自分が奪おうとしている生命を思って、一瞬胸が痛くなった。豚の命だぞ！　彼はただちに痛みを押しつぶした。〈教え〉は〝軟弱さ〟を善しとしない。

雌豚のほかに三頭の子豚がいた。二頭は黒く、一頭は茶色。狼のように毛むくじゃらで、脚の長い生き物だ。ものをつかめる鼻とシャベルのような顎をそなえている。雌豚が、つがえた矢の的になるよう親切にも横腹を向けてくれた。疑わしげに頭をもたげ、小さな目で周囲の茎の隙間を探る。

「ロイ！　ロイ！　助けて――」

その叫び声は、突き刺すように頭上から降ってきた。グウェニーの声だ。うわずって恐怖の金切り声にまで高まる。

豚の家族がたちまち恐れをなし、茎のあいだを全速力で走りだした。子供は母親に置いていかれまいと必死だ。彼らのたてる音も、狩人の頭上でもみ合う音を完全にはかき消さなかった。

コンプレインは躊躇（ちゅうちょ）しなかった。彼はグウェニーの最初の叫びにぎょっとして、矢をとり落としていた。それを拾おうともせずに、弓を肩にさっとかつぐと、デーザーを抜き、〈船尾階段〉の斜面を猛然と駆けあがった。しかし、登り勾配の繁みは、走るのに適した場所ではない。斜面を登りきったときには、グウェニーは消えていた。

左手でドスンという音がしたので、そちらへ走った。できるだけ的にされないように体をふたつ折りにして走ると、その甲斐あって、グウェニーを連れ去ろうとするふたりのひげ面の男が見えてきた。彼女はもがいていなかった。気絶させられたにちがいない。

コンプレインを仕留めようと狙っている第三の男に、彼は気づかなかった。この男はふたりの仲間からわざと遅れ、仲間の撤退を援護しようと繁みに潜りこんでいたのだ。いま、その男が通廊にそって矢を放った。それはコンプレインの耳もとをビュンとかすめ過ぎた。コンプレインはたちまち身を伏せて、二の矢を避けるいっぽう、道をすばやく這いもどった。死んではだれの役にも立たない。

と、静寂が降り、狂った植物が生長するいつものざわめきだけとなった。生きていたって、だれの役にも立たない。事実がひとつずつ、やがてひとまとめに彼を襲った。自分は豚を失った。グウェニーを失った。評議会に臨み、女がひとり足らなくなった理由を説明しなければならない。一瞬のショックが、明白な事実をぼやけさせた。自分はグウェニーを失った。自分は彼女を愛していなかった。しばしば憎んだほどだった。しかし、彼女は自分のものであり、必要なものなのだ。

さいわい、怒りがこみあげてきて、ほかの感情を呑みこんだ。怒り！　これは〈教え〉の教える膏薬だった。根にからまった土をわしづかみにし、投げつける。顔をゆがませ、怒りをたぎらせながら、ボウルのなかのバターのように、それをかきまぜる。狂気、狂気、狂気……体をうつぶせに投げだし、地面をたたく。呪いの言葉を吐き、身悶えしながら。しかし、つねに声を殺して。

ようやく発作がおさまり、彼はからっぽになった。長いこと頭をかかえて、ただそこにすわっていた。頭脳は洗われ、潮が引いたあとの泥のようにむきだしだった。いまや起きあがり、〈居住区〉に引きかえすしかない。報告しなければならない。頭のなかでは、疲れた考えが渦巻いた。

〈ここに永久にすわっていてもいいんだ。風はそよそよと吹いているし、気温はけっして変わらない。光はたまにしか暗くならない。ポニックがまわりで生長し、枯れて、腐っていく。危害を加えられずに死を待つだけ……。

生きてさえいれば、とり逃がしたものを見つけられる。なにか大きなものを。子供のころ自分に約束したものを。ひょっとしたら、もうけっして見つからないかもしれない。あるいは、グウェニーだったら、ぼくにかわって見つけられたかもしれない——いや、彼女には見つけられなかった。じつは、彼女はそのなにかの代用だったのだ。ひょっとしたら、それは存在しないのかもしれない。だが、あまりにも大きなものが存在しないとしたら、それ自体が存在なのだ。穴。壁。司祭がいうように、悲惨な出来事があったのだ。

もうすこしでなにかを想像できる。それは大きい。その大きさは……世界より大きなものを想像できなかったとしたら、それは世界ということだ。世界、船、大地、惑星……他人の理論、ぼくには関係ない。理論はなにも解決しない。ただの不幸な混乱(マドル)、もっと不幸な混乱(ミドル)、仲裁者(ミューター)、不平をいう者。

起きろよ、この弱虫のまぬけ〉

彼は起きあがった。〈居住区〉に帰る理由がないとしたら、ここにすわっている理由も同じくらいない。おそらく自分がぐずぐずと帰らずにいるのは、そこで意地悪な無関心にさらされると、いまからわかっているからだろう。用心深くそらされる視線、グウェニーのありそうな運命に対する薄笑い、彼女を失ったことに対する懲罰。彼は繁みを抜けてのろのろともどった。

バリケードの正面にある空き地が見えてくる前にコンプレインは口笛を吹き、身元を明かして、〈居住区〉にはいった。留守にしていた短いあいだに、驚くべき変化が生じていた。頭がぼんやりとしているのに、気づかないわけにはいかなかった。

服装はグリーン一族における問題のひとつだった。みんなてんでんばらばらの装いをしているのだ。似たような服装の人間はふたりといない。個性は奨励される特質ではなく、好きこのんでそうしているわけではない。そうならざるを得ないのだ。部族における衣服の機能は、体の保温というよりは、慎みを守ると同時に派手に見せるという双面神ヤヌスの役割を果たすことにある。社会的立場を手っとり早く知らせる役目もある。ふだん制服めいたものを着用できるのは、衛士、狩人、鑑定人のたぐいといった選ばれた者だけ。それ以外の者は、さまざまな生地や皮のごたまぜを着ている。

しかし、くすんだ茶色だった古びた衣服が、いまや新品同様に色あざやかになっていた。最底辺の労働に従事する阿呆が、けばけばしい緑のぼろをまとっているのだ！

「いったいここでなにが起きてるんだ、バッチ？」コンプレインは通りがかった男にたずねた。

「あなたの自我に拡張を、友よ。さっき衛士たちが染料の倉庫を見つけたんだ。あんたも浸かってこい！　これから派手にお祝いだ」

さらに進むと、人だかりができており、興奮しておしゃべりしていた。焜炉がデッキにずらりと並べられている。その上には、手にはいるうちでいちばん大きな器が、おびただしい数の魔女の大釜さながら火にかけられていた。黄色、真紅、ピンク、藤色、黒、藍色、空色、緑、赤銅色。それぞれの液体が煮えたぎり、泡立ち、湯気をあげ、それを人々がかきまわしながら、あちこちで衣類を浸している。もうもうと立ちこめる湯気を通して、いつにない活気がかん高い声となっていた。

染料が染めたのは衣類だけではなかった。染料は評議会の役に立たない、とひとたび宣告されると、衛士たちは袋を投げだし、全員に行きわたるようにしたのだった。多くの袋が切り開かれ、中身は壁や床に投げつけられた。いま村全体が、あざやかな色の丸いしぶきや、斜線や、扇で飾られていた。

踊りがはじまっていた。まだ濡れている服を着て、足元の茶色の水たまりに溶けこむ虹を引きずりながら、男も女も手をつなぎ、開けた空間をぐるぐるとまわりはじめた。ある狩人が箱に飛び乗り、歌いはじめた。黄色いローブをまとった女が、その横に飛び乗り、手をたたいた。べつの者がタンバリンを鳴らした。列にはつぎつぎと人が加わって、歌ったり、大釜のまわりで足を踏み鳴らしたり、息を切らして、だが楽しげにデッキの上をぐるぐるまわったりした。彼らは色に酔っていた。その大部分はこれまで色というものをろくに知らなかったのだ。

最初のうちは他人ごとという態度だった職人や、衛士のうちの数人もいまでは仲間入りしていた。蒸し暑い空気のなかでは興奮に抵抗できないのだ。楽しみの分け前にあずかろうとして、男たちが畑部屋からなだれこみ、各所のバリケードからもこっそりともどってきていた。

コンプレインは苦虫を嚙みつぶしたような顔で一部始終を見届け、きびすを返すと、〈中尉府〉へ報告しにいった。

ある士官が無言で彼の話を聞き、グリーン中尉本人の前に出頭せよとそっけなく命じた。

女を失ったのは重大な問題になりかねない。グリーン一族は九百人ほどから成っており、そのうちの半分近くは未成年。女性はわずか百三十人ほどである。婚姻をめぐる決闘は、〈居住区〉でいちばんありふれたトラブルの形態だ。

彼は中尉の前まで進まされた。両わきに衛士をはべらせた老人が、古色蒼然としたデスクについていた。目はごま塩の眉毛の下で注意深く守られている。身動きも合図もせずに、彼は不快の念を伝えた。

「あなたさまの自我に拡張を」とコンプレインは卑屈にいった。

「あなたのおかげで」と型どおりの返事があった。それから、うなり声で、「いったいどうして自分の女を失ったんだ、狩人ロイ・コンプレイン？」

彼は〈船尾階段〉を登りきったところで彼女がつかまった経緯（いきさつ）を、つかえつかえ説明した。

「〈前部人〉の仕業かもしれません」と、いってみる。

「ここでそのお化けを持ちだすな」とグリーンの側近のひとり、ジリアクが怒鳴った。

「その超越的種族の話は前に聞いたことがあるが、そんなものは信じない。グリーン一族は、〈死道〉のこちら側のいっさいを支配しているのだ」

コンプレインが話をつづけると、中尉はしだいに怒りをつのらせた。彼の手足が震えはじめた。目に涙があふれた。口がゆがんで、顎がよだれで光るようになる。鼻の穴は汁でいっぱいになった。彼の憤怒に合わせて、デスクがガタガタと揺れはじめた。体を揺すりながら、彼はうなり声をあげた。もじゃもじゃの白髪の下で皮膚が青みがかった栗色に変わった。おののきながらもコンプレインは、それがみごとなまでに威圧的なパフォーマンスだと認めざるを得なかった。

クライマックスの訪れは、あふれだす激怒で蓋のように震えている中尉が、不意に地面に倒れ、じっと横たわったときだった。ただちにジリアクと、その同僚のパッチがデーザーをかまえてその体のわきに立った。ふたりとも怒りで顔を引きつらせている。

体をわななかせながら、中尉がのろのろと椅子に這いあがった。必要な儀式で精根つきたようすだった。

（あんなことをしてると、いつか命とりになるぞ）とコンプレインは内心でいった。そう考えると、すこしだけ気が晴れた。

「これから掟のもとでおまえの処罰を決める」と老人がかすれ声でいった。どうしようもないといいたげに、ちらっと部屋を見まわす。

「立派な父親がいるにもかかわらず、グウェニーは部族にとってよい女ではありませんでした」と唇を湿しながらコンプレイン。「彼女は子供を産めませんでした。ひとり、女の子ができましたが、乳離れしないうちに亡くなりました。彼女はもう子供を産めませんでした——司祭のマラッパーがそういいました」

「マラッパーは愚か者だ！」とジリアクが大声をあげる。

「おまえのグウェニーは体つきがよかった」とパッチ。「いい体をしていた。ふるいつきたくなるような女だった」

「掟がなんといっているかは知ってるな、若いの」と中尉。「わしの祖父が部族を作ったときに、それを定めた。それは〈教え〉のつぎに重要だ。わしらの……わしらの暮らしにおいて。外のあの騒ぎはなにごとだ？　そう、彼は偉大な男だった、わし

ふだんなら群衆の目は、この手の出来事を見逃さない。だが、このときばかりは、もっといいことが起きていた。コンプレインはほとんど人目にさらされずにすんだ。明日はもっと注目を集めるだろう。

傷口にシャツをはおり、彼は青い顔をして個室に帰った。なかへはいると、司祭のマラッパーが待ちうけていた。

3

司祭のヘンリー・マラッパーは大柄な男だった。尻を床につけ、太鼓腹を突きだして、辛抱強くすわっていた。その姿勢は、彼には珍しいものではなかったが、訪問の時間は珍しかった。コンプレインは、すわりこんでいる男の前に体をこわばらせて立ち、挨拶なり釈明なりを待ちうけた。どちらもなかったので、彼のほうが先になにかいうしかなかった。自尊心が、うなり声以外のいっさいを押し殺した。これを聞いてマラッパーが、汚らしい手をあげた。

「あなたの自我に拡張を、息子よ」

「あなたのおかげで、父よ」

「そしてわがイドのなかで擾乱(じょうらん)を」司祭は敬虔にも帽子を脱ぎ、わざわざ立ちあがらずに片膝をついて、慣習どおり憤りを表した。

「鞭で打たれたんです」コンプレインは沈んだ声でいうと、水差しから黄色っぽい水をマグに入れ、飲んだり、髪をなでつけるのに使ったりした。

「そうらしいな、ロイ、そう聞いたよ。おぬしの心は格下げによって楽になるのではないかな？」

「ええ、ぼくの背骨はかなりの犠牲を払いましたが」

彼は肩からシャツを引きはがしはじめた。時間をかけ、すこしひるみながら。衣類の繊維が傷口からはがれるときの痛みは快楽に近かった。つぎの〈眠りとめざめ〉はこうはいかないだろう。とうとう血まみれの衣類を床に投げつけ、彼は唾を吐いた。司祭がこちらの奮闘をまったく無関心に眺めているのがわかって、いらだちが生じた。

「踊らないんですか、マラッパー？」と辛辣な口調でたずねる。

「わしの義務は精神にかかわっておる。感覚にではない」と信心ぶった口調でマラッパー。「おまけに、ものを忘れるなら、もっといい方法を知っておる」

「繁みのなかへさらわれていくんですか？」

「おぬしがまだへらず口をきけるとわかってうれしいぞ、友よ。それこそ〈教え〉の勧めることだ。おぬしがふさぎこんでいるのではないかと心配だった。しかし、さいわいにも、わしが慰めるまでもないらしい」

コンプレインは、柔和な目を避けて、司祭の顔を見おろした。それは端正な顔ではなかった。それどころか、この瞬間はまったく顔とは思えなかった。豚脂で大雑把にかたどられたトーテム、人間が生きのびる要因となった美徳――狡猾さ、貪欲さ、自己探求――に捧げる記念碑かなにかのようだった。コンプレインはその男に親しみをおぼえずにはいられなかった。ここには自分が知っていて、それゆえ対処できる人物がいる。

「わが神経が損なわれませんように、父よ」と彼はいった。「知ってのとおり、ぼくは自分の女を失いました。ぼくの人生はかなりガタがきた気がします。ぼくが自分のものだといってきたものは――たいしてありませんでしたが――なんであったにしろ奪われてしまいましたし、残っているものも、これから力ずくで奪われるでしょう。衛士たちがやってきます。すでにぼくを鞭打ち、明日また鞭打つことになる衛士たち。ぼくをここから追いだして、独身男や少年たちと住まわせる衛士たちが。ぼくの狩りには見返りがなく、ぼくの苦悩を慰めるものはないんです！　この部族の掟は厳しすぎますよ、司祭――〈教え〉そのものが残酷なお説教です――息の詰まりそうな世界全体が、苦しみの種でしかありません。なぜそうでなければならないんです？　なぜ幸福のチャンスがあってはいけないんです？　ああ、前に兄がそうなったように、ぼくは逆上して人を殺すでしょう。外のまぬけなやつらの人ごみを切り裂いて、ぼくの不満の記憶をひとりひとりに食いこませてやるでしょう！」

「それくらいにしておけ」と司祭が言葉をはさんだ。「わしは大きな教区を巡回せねばならん。おぬしの告白は聞こう。だが、おぬしの激怒はおぬし自身を楽しませるにとどめておかねばならん」彼は立ちあがると、のびをして、脂じみたマントの肩のあたりをととのえた。

「でも、ここの生活からなにが得られるんです?」とコンプレイン。相手の太い首に両手をまわし、締めあげたいという衝動を必死に抑えて、「なぜぼくらはここにいるんです? 世界の目的はなんなんです? あなたは司祭だ——単刀直入に教えてください」

マラッパーは大げさにため息をつき、拒絶の仕草で両方の手のひらをかかげた。

「わが子よ、おぬしの無知にはたじろがされる。なんと根強い無知であることよ! おぬしのいう〝世界〟とやらは、このちんけな、居心地の悪い部族を意味しておるのだぞ。世界とはそれ以上のものだ。わしら——つまり、なにもかもだ。ポニック、〈死道〉、〈前部〉の民などいっさい——は〈船〉と呼ばれる一種の容器のなかにある。それは世界の一部からべつの一部へ移動している。このことはくり返し教えてきた。それなのに、おぬしは理解しようとせん」

「またその理論ですか!」コンプレインは不機嫌そうな声でいった。「世界が〈船〉と呼ばれようが〈船〉を世界と呼ぼうが、ぼくらにはなんのちがいもありません」

船理論は、〈居住区〉ではおおむね無視されるものの、広く知られている。どういうわけか、それは彼を動転させ、震えあがらせた。彼は口を引き結び、

「もう眠りたいんです、父よ。すくなくとも眠りは慰めをもたらします。あなたは謎しかもたらしません。ときどき眠りのなかであなたを見ます。あなたはいつも、ぼく

が理解すべきことを教えている。でも、どういうわけか、ひとことも聞こえないんです」

「夢のなかだけではないだろう」と司祭が愉快そうにいい、背中を向けた。「おぬしに大事なことを訊きたいが、あとまわしにするしかないな。明日また来るから、おぬしがいまほどアドレナリンのいいなりになっていないことを祈ろう」そういい足すと、行ってしまった。

長いことコンプレインは、閉じたドアを見つめていた。外の浮かれ騒ぎの音は耳にはいらなかった。

眠りは訪れなかった。やがて、疲れきって、からっぽのベッドに這いあがった。口論を再現した――より残酷で痛烈な言葉を探し、不毛な休戦をしたことを。それはあまりにも長くつづいたが、いまや終わったのだ。グウェニーはこれからほかのだれかと眠るのだ。コンプレインは、後悔と愉悦の入りまじった気持ちをおぼえた。

グウェニーの誘拐にいたる出来事を思いかえしていると、自分たちが近づいたせいで、ポニックの繁みに溶けこんだ幽霊のような人物のことが不意に脳裏によみがえった。コンプレインはベッドの上で半身を起こした。その人物が姿を消したときの不気味なまでのあざやかさとはべつのなにかに不安をおぼえたのだ。ドアの外は、いまはひっそりとしている。思考の追いかけっこは、自分で想像したよりも長くつづいているかもしれない。

たにちがいない。踊りが終わり、踊り手たちは眠りこんでいる。〈居住区〉の通廊に垂れこめた墳墓のようなヴェールに穴をあけるのは、自分の意識だけ。もしいまドアをあけたら、ポニックが生長する、けっして終わらないガサガサいう音が遠く聞こえるかもしれない。

だが、ドアをあけることを考えると、不安で恐ろしくなった。コンプレインは、〈居住区〉で頻繁に語られる奇妙な存在にまつわる伝説をつぎつぎと思いだした。

第一に、謎めいた〈前部〉の民がいる。〈前部〉というのは遠い地域だ。そこの人間は異質な流儀と武器、そして未知の力をそなえている。彼らは繁みをゆっくりと前進しており、最終的には小さな部族のすべてを一掃するだろう。あるいは、伝説はそういう。しかし、彼らがどれほど侮りがたいにしろ、すくなくとも人間であることは認められている。

ミュータントというのは亜人間だ。彼らは部族から追放され、隠者として、あるいは小さな集団となって繁みのあいだに住んでいる。歯が多すぎるか、腕が多すぎるか、脳みそがすくなすぎるかなのだ。関節がゆがんでいるせいで、足を引きずったり、這ったり、ぎごちなく走ったりするのが精いっぱいという場合もある。彼らは内気だ。そのせいで、奇怪な性質を数多くそなえていることにされてきた。

それから〈よそ者〉がいる。〈よそ者〉は人間ではない。エフのような老人の夢は、

〈よそ者〉によって絶えずかき乱される。彼らは繁みの熱い腐植土から超自然的に創りだされた。だれにもはいりこめない場所で、そいつらは生まれてくるのだ。彼らには心臓も肺もないが、外見はほかの人間に似ている。したがって、ふつうの人間にまぎれ、力を集めて生きられる。吸血鬼が血を吸うように、人間の力を吸いとるのだ。各地の部族は定期的に魔女狩りを行っている。だが、検査のために解剖すると、容疑者にはかならず心臓と肺がそなわっている。〈よそ者〉はつねに探知を免れるのだ――しかし、彼らがいることはだれもが知っている。魔女狩りを行うという事実そのものが、その証である。

そいつらがいまドアの外に集まっているかもしれない。あの無言の人物がポニックの繁みに溶けこんだのと同じくらい恐ろしげに。

これはグリーン一族の神話にすぎず、〈死道〉として知られる地域をゆっくりと移動するほかの部族に伝わる、さまざまな化物の話とさほどちがっているわけではない。そのひとつが――まったくべつの種であるものの――巨人族だ。〈前部人〉、ミュータント、〈よそ者〉はすべて実在するとわかっている。ときおりミュータントが生きたまま繁みから引きずりだされ、人々がそいつに飽きて〈長い旅〉に送りだすまで、自分たちの前で踊らせることがある。そして多くの戦士が誓っていうには、〈前部人〉や〈よそ者〉とひとりで闘ったことがあるそうだ。しかし、この三種類の存在にはあやふやなところがある。〈めざめ〉のあいだ、集団でいれば、彼らのことは容易に無視できる。

巨人族を無視するわけにはいかない。彼らは現実だ。かつてはなにもかもが彼らのものだった。世界は彼らのものであり、人間は彼らの子孫だと主張する者さえいる。彼らの遺物はいたるところにあり、彼らの偉大さは隠れもない。もし彼らが帰ってくることがあれば、抵抗する者はいないだろう。

これら亡霊じみた生き物すべての陰に、べつのものがぼんやりと生きている。生き物というよりは象徴である。その名は神といい、恐ろしいところはひとつもない。しかし、彼の名前を口にする者はもういない。どうしていまだにそれが世代から世代へ受け継がれるのか、考えてみればおかしなことだ。それは「後生やから(フォー・ヘム・セイク)」という、これといった意味のない強調の文句と漠然としたつながりがある。神はやんわりしたののしり言葉となって終わってしまった。

今回の〈めざめ〉にコンプレインがポニックの繁みでちらっと目にしたものは、それとはくらべものにならないほど警戒心をいだかせるものだった。

不安のさなか、コンプレインはべつのことを思いだした。自分とグウェニーが耳にした泣き声。分かれていたふたつの事実がすんなりとつながった。あの男――近づいてくる部族。あの男は〈よそ者〉ではなかったのだ。あるいは、それほど謎めいたものではなかったのだ。ほかの部族からきた肉と血をそなえた狩人にすぎない。わかりきったことじゃないか……。

コンプレインはほっとして仰向けになった。ささやかな推理のおかげで、自分のまぬけさ加減ともなんとか折りあいがついた。これほど明白なことを見逃していたかと思うと、すこし呆れるものの、それにもかかわらず、こうしてあらためて明晰にものを考えられたのが誇らしかった。自分はこれまで推理を詰めたことがなかった。なにもかもが無意識のうちになされた。部族の掟か、普遍的な〈教え〉か、自分自身の個人的な気分にしたがっていた。これから先は、そうであってはならない。自分はもっと――そう、たとえば、マラッパーのように、ものに――しかし、非物質的なものに――値打ちをつけるようになるのだ。ロフリーが物質的なものに値打ちをつけるように。

試しに、ほかに符合する事実がないか探してみた。じゅうぶんな数の事実を集められたら、船理論さえ筋が通るかもしれない。

近づいてくる部族のことをグリーン中尉に報告するべきだった。あれは過ちだった。もし部族同士が出会えば激しい闘いになるだろう。グリーン一族は準備をしておかなければならない。まあ、その報告はあとまわしにしよう。

まるで不正を働くかのように、彼は眠りに落ちた。

目がさめたとき、コンプレインを迎える料理の芳しいにおいはなかった。彼はこわばった上体を起こし、うめき声をあげると、頭をかきむしり、ベッドから降りた。一瞬、みじめな気分で全身が満たされているように思えた。それから、みじめさの下で、反抗心がうごめいているのを感じた。行動するのだ。行動するよう駆り立てられるのだ。どうやってかという問題は、あとでおのずと解決するだろう。なにか大きなものが、ふたたび自分には約束されているのだ。

スラックスを引っぱりあげながら、よたよたとドアまで行って引きあける。外では、奇妙な静寂が彼を招いていた。コンプレインはそれをたどって〈空き地〉まで行った。

お祭り騒ぎはもう終わっていた。わざわざ自分の個室まで帰らなかった踊り手たちが、浮かれ騒ぎの色あざやかな残骸のあいだ、抵抗できない眠りにつかまった場所に寝そべっていた。堅いデッキの上でいぎたなく眠っているか、目をさましても、わざわざ動こうとしないかだ。子供たちだけがいつもどおり声をはりあげ、寝ぼけ眼の母親をつついて行動させようとしている。〈居住区〉は広大な戦場さながらだった。しかし、戦死者は血を流しておらず、苦しみはまだ終わっていなかった。

コンプレインは眠っている者たちのあいだを忍び足で歩いた。独身男性の通う〈食堂〉で、食べ物が手にはいるかもしれない。〈上昇の旅〉の盤上で大の字になっているひと組の恋人たちのわきを通った。男はチープだ、とコンプレインは見てとった。

チープはいまだにぽっちゃりした娘を抱きかかえ、彼女のチュニックの内側に腕をさし入れていた。チープの顔は〈軌道〉のなかにあった。ふたりの足は〈天の川〉に渡されていた。小さな蠅が彼女の脚やスカートの下を這いまわっていた。

近づいてくる者があった。見まちがえるはずもない。コンプレインの母親だった。〈居住区〉の掟によれば――厳格に適用されるわけではないが――子供は母親の尻まで背がのびたら、兄弟姉妹との交流をやめるべきであり、母親の腰まで背がのびたら、彼女との交流をやめるべきだとされている。しかし、マイラはおしゃべりな女だった。腰の掟が禁じることとでも舌はおかまいなく、話せるときはいつでも、多くの子供たちに臆せず話しかけた。

「おはよう、母さん」と、うなり声でコンプレイン。「あなたの自我に拡張を」

「あなたのおかげで、ロイ」

「あなたの子宮も同じように広がりますように」

「その挨拶をされるには、ちょっと年をとりすぎてるわね、知ってのとおり」とマイラ。彼があまりにも堅苦しい態度をとるので、いらだっているのだ。

「食事をしに行くんだよ、母さん」

「じゃあ、グウェニーは亡くなったのね。知ってたわ！　あんたが鞭で打たれたとき、ビアリーがその場に居あわせて、罪状の布告を耳にしたの。グウェニーの哀れな年老いた父親もじきにおしまい。その場にいられなかったのは残念だったけど――というのは、鞭打ちのことよ――できるなら、これからの回は見逃さないわ――でも、奪いあいになったけど、いちばんきれいな色の緑を手に入れたわ。なにもかも染めたの。いま着てるこのスモックも染めたの。気に入った？　本当に、あれほどワクワクすることは――」

「ねえ、母さん、背中が痛むんだよ。話をする気になれないんだ」

「もちろん痛むでしょうよ、ロイ。痛まないなんて思っちゃいけないわ。罰が終わるころには、いったいどうなっているんでしょうね。考えると身震いするわ。脂を持ってきてあげたから、擦りこむといい。楽になるから。リンジー先生があとで見てくれるでしょう。先生の助言と交換する獲物の余分があればだけど――グウェニーがいなくなったんだから、いまはこれを持っておいき。本当はグウェニーなんか好きじゃ――」

「ねえ、母さん――」

「ああ、〈食堂〉へ行くんなら、いっしょに行くわ。本当はどこへ行く当てもなかったの。もちろん秘密のなかの秘密だけど、聞いたわ――トゥーマー・マンデー婆さんから。もっとも、あの人がどこから仕入れた話かは見当もつかないけど――染料の倉庫で衛士がお茶とコーヒーを見つけたっていうじゃない。あの連中、それを探してたわけじゃなかったのに！　巨人族は、わたしたちよりずっと上等なコーヒーを栽培していたのよ」

うわの空で食べるあいだ、言葉の流れが彼のまわりで行ったりきたりした。そのあと、マイラは彼を自分の部屋へ連れていき、背中のミミズ腫れに脂を擦りこんだ。そうしながら、前にも聞いたことのある助言をくり返した。

「憶えておきなさい、ロイ。ものごとは悪くなるばかりじゃない。あんたは悪い場所にはまりこんだだけ。落ちこんじゃだめよ」

「ものごとは悪くなるばかりだよ、母さん、なんのために生きるんだ？」

「そんな口をきいてはいけないわ。〈教え〉によれば、自分のなかの苦さを隠してはいけないそうだけど、あんたとわたしはものの見方がちがう。いつもいってるように、人生は謎なのよ。生きているという事実だけで――」

「ああ、そんなことはわかってる。ぼくに関するかぎり、人生は面白くないものなんだ」

マイラは彼の怒った顔をひたと見すえた。彼女の顔のしわが形を変え、表情がゆるんだ。

「自分を慰めたくなったら、わたしは大きな黒い広がりを思い浮かべるの。四方八方にどこまでもつづいている闇を。するとその暗黒のなかで、無数の小さなランタンが灯りはじめるのよ。そのランタンはわたしたちの命で、勇敢に燃えているの。それらはわたしたちの周囲を見せてくれる。でも、周囲とはなにを意味するのか、だれがランタンを灯したのか、なぜランタンは灯されたのか……」ため息をつき、「わたしたちが〈長い旅〉に出るとき、わたしたちのランタンが消えるとき、もっといろいろとわかるかもしれない」

「で、それが慰めになるっていうの？」コンプレインは蔑みをこめて訊いた。ランタンのたとえ話を母親から聞くのはひさしぶりだった。いまふたたびそれを耳にすると、気分が落ちついた。しかし、彼女にそうと見ぬかれるわけにはいかなかった。

「ええ。そうよ、慰めになるわ。ほら、わたしたちのランタンはここでいっしょに灯っているのよ」彼女はふたりのあいだにあるテーブルの一点に小さな指で触れた。「自分のランタンがここでぽつんと灯っているんじゃなくてありがたいわ。未知の遠い場所にあるんじゃなくて」と腕をいっぱいにのばしたあたりの一点を示す。

コンプレインはかぶりをふって立ちあがった。

「わからない」と白状する。「あっちにいるほうが、はるかにましかもしれない」

「ええ、そうね、そうかもしれない。でも、そこはちがっているでしょう。わたしはそれが心配なの。なにもかもちがっているでしょう。いっさいがちがっているでしょう」

「たぶん母さんのいうとおりだと思う。ぼくはここがちがっていてほしいだけだ。ところで、母さん、グレッグ兄さんは部族を出て、ひとりで繁みへはいっていったけど——」

「まだあの子のことを考えるの？」老女は勢いこんで訊いた。「グレッグは優秀だったわ、ロイ。残っていれば、衛士になれたでしょう」

「まだ生きていると思う？」

彼女はきっぱりとかぶりをふった。

「繁みのなかで？　おおかた、〈よそ者〉につかまったんでしょう。残念だわ、本当に残念だわ——グレッグなら優秀な衛士になったでしょう。わたしはいつもそういってきた」

コンプレインが出ていこうとしたとき、マイラが鋭い声でいった。

「オズバート・バーガス爺さんはまだ息をしているわよ。娘のグウェニーを呼んでるって。あの人のところへ行くのは、あんたの義務だわ」

こんどばかりは、彼女の言葉は否定できない真実だった。そしてこんどばかりは、義務は愉悦でいろどられていた。バーガスは部族の英雄なのだ。

隻腕（せきわん）のオルウェルが、コンプレインに不機嫌そうに挨拶した。彼はいいほうの腕に役立たずの装具（ブレース）をかかえていた。それをのぞけば、動いている人間には出会わなかった。バーガスが家庭をかまえている部屋は、いまや〈居住区〉の遠い最後尾にあった。かつては、それらの部屋が先頭のバリケード付近にあったのだが。部族がじりじりと進むにつれ、それらはしだいに後退していった。部族の中央にあったとき、オズバート・バーガスは権力の絶頂にあった。老齢となったいま、彼の部屋はほかのだれよりも遠い最後尾にあった。最後の障壁——人間と〈死道〉の境にあるバリケード——は、彼のドアのすぐ向こうに立っていた。それどころか、いくつかのからっぽの部屋が、いちばん近い隣人と彼とをへだてていた。軟弱な以前の隣人たちは、しばらく前に立ちのき、ものごとの中心へもどってしまったのだ。頑固な老人である彼はその場にとどまり、意思疎通の線を遠くまでのばし、法外な数の女たちと華やかながらみすぼらしい暮らしを送っていた。

　こちらでは浮かれ騒ぎはなかったらしい。〈居住区〉のほかの部分が一時的に陽気になったのとは対照的に、バーガスの通路は不吉で寒々として見えた。はるかむかし、おそらく巨人族の時代に、なんらかの爆発が生じたのだ。相当の距離にわたって壁は黒ずみ、頭上のデッキには人間の背丈よりも大きな穴がぽっかりと開いている。ここ、老ガイドのドアの外には、明かりは灯っていなかった。

　止まらない部族の前進が、この惨状をいっそうひどいものにしていた。というのも、最後尾の障壁に決然と種子をまいた数本のポニックが生長し、腿までしか丈のない、もじゃもじゃのひねこびた茎の列となって、汚いデッキに並んでいたからだ。

気後れしながら、コンプレインはバーガス家のドアをたたいた。ドアが開き、音と湯気がもわっとあふれだして、羽虫の群れさながらにコンプレインの顔をとり巻いた。

「あなたの自我に、お母さん」コンプレインは、顔をのぞかせた老魔女に向かって丁重にいった。

「あなたのおかげで、戦士。ああ、あんたなの、ロイ・コンプレイン。なにか用？愚かな若い男はみんな酔っ払ってると思った。おはいりなさい。うるさくしないでちょうだい」

それは大きな部屋で、干したポニックの竿が雑然と散らばっていた。それらは四面の壁すべてに並んでおり、部屋を枯れた森のように見せていた。バーガスは、自分たちの世界の基本構造そのもの――つまり、壁とデッキ――が分解するかもしれないという強迫観念にとり憑かれていた。したがって、部族は室内にポニックの竿で繁みを作って住むべきだ、というのである。彼は〈死道〉の広い地域でみずからこの実験を試み、生きながらえてきた。しかし、彼の考えに賛同する者はほかにいなかった。

シチューのにおいがあたりに立ちこめていた。片隅で湯気をあげている大鍋から発しているのだ。若い娘がこのシチューをかきまわしていた。ほかの女たちが部屋のあちこちで立っているのが、湯気を透かしてコンプレインにも見えた。なんとも驚いたことに、オズバート・バーガス自身は、部屋の中央で敷物の上にすわっていた。しきりにしゃべっているが、耳をかたむける者はいない。だれもが自分たちのおしゃべりに夢中なのだ。よくノックの音が聞こえたものだ――コンプレインはそう思った。

彼は老人のそばにひざまずいた。生き腐れはかなり進んでいた。例によって下腹部からはじまったそれは、まもなく心臓に達しようとしていた。人間の手ほどの長さがある、やわらかな茶色い棒が肉から垂れており、そのしなびた体を腐った棒に刺し貫かれた死骸のように見せていた。

「……かくて船は失われ、人間は失われ、失われること自体が失われた」老人はうつろな目をコンプレインにすえて、かすれ声でいった。「わしは残骸のあいだを登ったことがある。だから知っておるんだ。いいか、時間が経てば経つほど、自分たちをふたたび見つけるチャンスはすくなくなる。おまえたち愚かな女にはわからない。おまえたちは気にしない。だが、わしはグウェニーに何度も話して聞かせた、やつは部族にまちがったことをする、と。『おまえはまちがっておる』と、わしはやつにいった。『自分にとって不要だからといって、出くわすものをかたっぱしから破壊するのは。おまえが燃やす本、フィルムのリール』と、わしはいった。『だれかに使われると不利になるかもしれないと思うから、おまえはそれを破壊する。だが、それらは、わしらの知るべき秘密をかかえておるのだ』と、わしはいった、『おまえは愚か者だ。わしらはものごとを破壊するのではなく、つなぎ合わせるべきなのだ。いいか、わしはおまえが存在を知るよりたくさんのデッキを旅してきたのだ』と、わしはいった……。なにかご用かな？」

ひとりごとが中断したのは、自分に注意が向けられたからだと思えたので、なにかお役に立てるかと思ってきました、とコンプレインは答えた。

「役に立てるかだと？」とバーガス。「わしはむかしから自分の面倒を見てきた。わしのおやじもそうだった。おやじは史上最高のガイドだった。わしらの部族がどうしてできたか知っておるか？　教えて進ぜよう。わしが幼いころ、おやじはわしを連れて捜索に出ていたんだ。そして巨人族が武器庫と呼びならわしていたものを見つけた。そう、デーザーでいっぱいの部屋を――ぎっしり詰まっている部屋をな！　その発見がなかったら、グリーン一族はこうなっていなかっただろう。いまごろは死に絶えていたはずだ。そう、おまえに行く気があるのなら、いまからその武器庫へ連れていってやれる。〈死道〉の中心の向こう側、足が手に変わり、床が遠ざかって、虫みたいに空中を泳ぐはめになる場所へ……」

（いまはうわごとをいってるんだ）とコンプレインは思った。足が手に変わるなどと、うわごとをいっているあいだに、グウェニーのことを話しても意味がない。しかし、老ガイドはいきなり言葉をとぎれさせ、「なんでここへきた、ロイ・コンプレイン？

もっとシチューをくれ。わしの胃袋は薪なみに乾いておるぞ」といった。

女のひとりにボウルを持ってくるよう手ぶりで伝えてから、コンプレインはいった。

「お見舞いにきました。あなたは偉大な方です。あなたがこうなっているとは、残念です」

「偉大な方か」老人は腹立たしげにつぶやいてから、癇癪を破裂させた。「わしのシチューはどこだ? ちくしょう、あの売女どもはなにをしておるんだ? お×××でも洗っておるのか?」

若い女があわててシチューのはいったボウルを渡してよこした。そうしながら、彼女はコンプレインにいたずらっぽくウインクした。バーガスは弱りすぎていて、自分では食べられなかったので、コンプレインが脂っこそうなシチューをスプーンで口まで運んでやった。ガイドの目がこちらの目を探しているのがわかった。まるで秘密を伝えようとするかのように。瀕死の人間はかならずほかのだれかの目をのぞきこもうとするそうだが、慣習にしたがって、コンプレインはそのギラギラと光る目と目を合わせようとはしなかった。視線をそらすと、いたるところ不潔なのが不意に意識された。ポニックが種子をまけるように、デッキにはたっぷりと土が盛られていて、枯れたポニックの竿にさえ、脂のかたまりがこびりついている。

「どうして中尉がここにいないんです? リンジー先生はどこです? 司祭のマラッ

パーがつき添っていないのはどうしてです？」コンプレインは怒りを爆発させた。
「あなたはもっとましなあつかいを受けるべきです」
「そのスプーンをしっかり持っていてくれ、若いの。水を飲むあいだだけでも……あ
あ、忌々しい下っ腹めが。きつい。えらくきつい……。医者は——女たちに医者を追
い払わせたのだ。グリーンおやじ、あいつは来ようとせん。生き腐れを恐れておる。
おまけに、わしと同じくらい年をとっておるしな。ジリアクがこの先何度かの〈眠り
とめざめ〉のうちにやつを追いだし、権力を握るだろう……。さて、ある男が——」
　バーガスの意識がふたたびさまよいだしたのを見てとって、コンプレインは絶望的
に「司祭を連れてきましょうか？」といった。
「司祭だと？　だれを、ヘンリー・マラッパーをか？　近寄れ、ひとつ教えてやる。
わしらふたりだけの秘密を。ほかのだれにもしゃべっちゃおらん。いいか……ヘン
リー・マラッパーはわしの息子だ。そうとも！　嘘が詰まった袋のようなやつなんぞ、
もう信じるものか——」
　咳の発作で言葉がとぎれた。コンプレインは一瞬それを苦痛のあえぎだと勘ちがい
した。つぎの瞬間、笑い声だと悟った。ときどき「わしの息子！」という言葉がはさ
まる。ここにいても仕方がない。急に嫌気がさして、女たちのひとりにそっけなく言
葉をかけると、彼は立ちあがり、下腹部の出っぱりがぶつかりあうほど激しく体を震

わせているバーガスのもとを去った。ほかの女たちは無関心にあちこちに立ち、手を腰に当てたり、ひっきりなしに蝿を追い払う仕草をしたりしていた。彼女たちのおしゃべりの切れ端が、出ていくコンプレインの耳をかすめた。

「……あれだけの服をどこから仕入れるのか、知りたいもんだわ。ただの農夫なのに。きっと垂れこみ屋なんだわ……」

「あんたは気安くキスしすぎるわね、ウェンダちゃん。悪いことはいわない、あたしの年になったら――」

「……あんなにうまい脳みそ料理ははじめて」

「……カリンドラム母ちゃんは七つ子を産んだばかり。みんな死産で、ひとりだけ助かったけど、かわいそうに奇形児だった。この前は五つ子だったたわ、お忘れでなければ。はっきりいってやったわ、『もっとしっかり男をつかまえたいんなら――』」

「……あいつはイアリングを賭けたんですって――」

「……嘘でしょ……」

「……あんなに笑ったことはないわ……」

暗い通廊へもどると、つかのま壁に寄りかかり、ほっとため息をついた。けっきょく彼はなにもしなかった。バーガスに告げにきたグウェニー死亡の知らせさえ口にできなかった。それなのに、彼の内部でなにかが起きていた。まるで頭のなかで大きな重りがころがっているかのようだ。それは苦痛をもたらすが、もっとはっきりものが見えるようにしてくれる。そこから、なんらかのクライマックスが生まれてくるだろう、と本能的にわかった。

バーガスの部屋はうだるように暑かった。コンプレインは汗をしたたらせていた。耳をすますと、通廊から女たちの声がいまだに低く聞こえてきた。不意に、ありのままの〈居住区〉が幻となって心に浮かんだ。それは巨大な洞窟であり、ペチャクチャとさえずる多くの声で隙間なく満たされている。本当の行動はどこにもなく、声だけがある。瀕死の声だけが。

4

〈めざめ〉の時期はのろのろと過ぎていき、〈眠り〉の時期が近づくにつれ、次回の懲罰を予期して、コンプレインの胃はどんどん落ちつかなくなった。四回の〈眠りとめざめ〉のうち一回、〈居住区〉とその周辺のあらゆる既知の領域は闇につつまれる。完全な暗闇ではない。というのも、通廊のあちこちで正方形の表示灯が月のように光っているからだ。個室のなかは漆黒の闇で、月はない。これは一般に認められた自然の法則である。老人のなかには、自分たちの両親が若いころには、暗闇はこれほど長くつづかなかったと聞いている、という者がいる。しかし、老人の記憶が当てにならないことはよく知られているし、老人は消え失せた子供時代の材料からおかしな話をこしらえるものだ。

暗闇のなかでは、ポニックはずだ袋のようにしわくちゃになる。ほっそりした茎はひび割れ、いちばん元気な若枝以外は黒くなる。これが彼らの短い冬だ。光がもどると、生き生きとした若枝と若木がぐんぐんのびていき、新たな緑の波となって、ずだ袋を一掃する。そしてあと四回の〈眠りとめざめ〉のうちに、こんどは自分たちが枯れてしまう。この周期を生きのびるのは、もっとも頑強か、もっとも恵まれたポニックだけである。

今回の〈めざめ〉を通じて、数百人にのぼる〈居住区人〉の大部分は無気力のままだった。その多くが怠惰を決めこんだ。野蛮なお祭り騒ぎのあとには、決まってこの集団的な無気力がつづくのだ。疲労困憊しているのはたしかだが、それ以上に、代わり映えのしない日常にいまいちど飛びこめないのである。無気力が部族全体を呑みこんだ。落胆が膜のように彼らをおおい、バリケードの外ではポニックの繁みが空き地に侵入した。彼らをふたたび立ちあがらせるのは、空腹だけだった。

「なんの抵抗にもあわずに大勢殺せるな」と顔のまともな側に霊感のようなものをただよわせてワンテージがいった。

「それなら、殺したらどうだ」とコンプレインはせせら笑った。「〈連禱〉にこうあるぞ――抑えこまれた邪悪な欲望は何倍にも大きくなり、その糧（かて）となる精神をむさぼる。さあ、やれよ、〈割れ目顔〉！」

たちまち、手首をつかまれ、鋭い刃を喉から一インチのところに水平に突きつけられた。彼の顔をにらんでいるのは、身の毛もよだつご面相だった。半分は激怒でしわくちゃ、もう半分は永久に意味のない薄笑いを浮かべている。大きな灰色の目がひとつだけ、その奥で超然と見つめていた。自分だけの幻に没頭しているかのように。

「その名前で二度と呼ぶな、この汚らしい肉め」ワンテージは歯をむきだしてうなった。それから顔をぐいっとそむけ、ナイフを握った手を下げると、背中を向けた。自分の不具を思いだしたのか、怒りは薄れて悔しさが表われている。

「悪かった」コンプレインは口にだしたとたん、いまの言葉を後悔した。だが、相手はこちらを向きなおりはしなかった。

コンプレインもゆっくりと歩きだした。いまの出会いで神経がささくれだった。ワンテージに出くわしたのは繁みからもどる途中だった。そこで、近づいてくる部族を探っていたのだ。もし彼らがグリーン一族と接触するなら——そうなるとはかぎらないが——そう先のことではないだろう。最初のトラブルは、競合する狩人同士の衝突になるだろう。死人が出るかもしれない。単調な日常からの解放を意味することはまちがいない。それまでは、このことは自分の胸におさめておこう。お偉方のおぼえがめでたいだれかに、この知らせを中尉に伝えさせよう。

衛士たちの区画に罰を受けに行く途中、ワンテージ以外のだれにも出会わなかった。無気力がいまだに支配していた。鞭打ち人さえ、出てきて刑を執行しようとしなかった。

「つぎの〈眠りとめざめ〉がある」と彼はいった。「なにをそう急いでいるんだ？　とっとと消えて、わたしを寝かせてくれ。新しい女でも捜しにいけ」

そういうわけでコンプレインは自室にもどった。胃のねじれがゆっくりとほどけてきた。狭い側面通廊のどこかで、だれかが弦楽器を弾いていた。テノールで歌われる歌詞が耳に届いた――

「……この連続体
……あまりにも長すぎる
……栄光」

かろうじて記憶されている古い歌だ。彼はドアを閉じて、その歌をぴしゃりと締めだした。またしてもマラッパーが待っていた。脂じみた顔を両手でおおい、太い指に指輪をきらめかせて。

コンプレインは、これから司祭がいうことを知っているという感覚にふと襲われた。この場面を前に生きたことがあるように思えた。蜘蛛の巣のような幻影を突き破ろうとしたが、果たせなかった。

「拡張を、息子よ」と、ものうげに憤怒のしるしを作って司祭がいった。「苦しそうな顔をしてるな」

「ひどく苦しいんです、父よ。それをやわらげるには、殺すしかありません」意外なことをいおうとしたつもりだったのに、いまの言葉を口にするあいだ、ある場面をふたたび演じているという感覚がしつこく残った。

「殺すだけが能ではない。おまえが夢にも思わぬことがある」

「たわごとはよしてください。つぎに生命は神秘だとかいって、ぼくの母みたいに支離滅裂な話をするんでしょう。だれかを殺さないとすまない気分です」

「そうだろう、そうだろう」と司祭がなだめる口調でいった。「おぬしがそういう気分になるのはいいことだ。けっしてあきらめてはならん、息子よ。あきらめれば、わしら全員が死ぬことになる。わしらはここで、祖先が犯した過ちのために罰を受けておる。わしらはみんな五体満足ではないのだ！　目が見える者はおらん――まちがった方向へ突き進み……」

　コンプレインは大儀そうに寝棚に這いあがった。ある場面を生きなおしているという幻影は消えていた。消えるとたちまち忘れてしまった。いまは眠りたいだけだった。明日は個室から追いだされ、鞭で打たれるだろう。いまは眠りたいだけだった。しかし、司祭はしゃべるのをやめていた。コンプレインがちらっと顔をあげると、マラッパーは寝棚に寄りかかり、こちらをじっと見すえていた。一瞬ふたりの目が合い、コンプレインはあわてて視線をそらした。

　彼らの社会で最も強いタブーのひとつが、他人の目をまっすぐのぞきこむことだ。正直で悪意のない人間は、おたがいを横目づかいで見るだけである。コンプレインは反抗的に下唇を突きだした。

「いったいぼくになんの用があるんです、マラッパー？」と怒鳴る。司祭が私生児として生まれたことを知ったばかりだといってやりたくなった。

「六度の鞭打ちを受けなかったんだな、ロイ坊や？」

「それがどうしたんです、司祭？」

「司祭は私利私欲とは無縁だ。おまえのために訊いておるのだよ。おまけに、おまえの返事に個人的な興味がある」

「ええ、打たれませんでした。みんなつぶれてるんです、知ってのとおり――鞭打ち人さえね」

司祭の目がふたたび彼の目を追った。コンプレインは落ちつかなげに寝返りを打ち、壁を向いた。しかし、司祭のつぎの質問で思わずふり向いた。

「逆上して人を殺したくなったことはあるか、ロイ？」

われ知らず、コンプレインの頭に幻が浮かんだ。彼はデーザーを撃ちまくりながら〈居住区〉を走っていた。だれもが逃げまどい、彼を恐れ、彼を敬い、彼に状況の支配権をゆだねている。心臓が飛びはねるように打った。部族のなかでいちばん優秀で、いちばん凶暴な男のうちの数人――彼自身の兄のひとり、グレッグさえ――が逆上して、居住地を走りまわったことがあるのだ。何人かはその後繁みの未踏区域に逃がれ住んだ。あるいは、帰って罰を受けることになるのを恐れて、ほかの共同体に加わった者もいた。それが男らしい行い、名誉ある行いだと彼は知っていた。しかし、それをそそのかすのは司祭の仕事ではない。人が不治の病にかかれば、医者はそれを勧めるかもしれない。だが、司祭は部族を分裂させるのではなく、人間の心にひそむ憤懣を表面にださせて団結させるべきなのだ。表面に出た憤懣は自由に流れるので、凝り固まってノイローゼになることを免れるかもしれないのだから。

はじめて彼は、マラッパーが自分自身の人生における危機と格闘しているのだと悟り、バーガスの病気という事実となにか関係があるのだろうか、とつかのま思った。

「わしを見ろ、ロイ。答えろ」

「なんでこんな話をするんです？」彼はいまや上体を起こしていた。司祭の声の切迫したひびきに、そうせざるを得なかったのだ。

「おぬしがどんな人間か、わしは知らねばならん」

「〈連禱〉の文句は知ってるでしょう。われらは臆病者の子孫なり。われらの日々は不安のうちに過ぎる」

「それを信じるのか？」と司祭。

「当然ですよ。それが〈教え〉です」

「おぬしの助けが必要だ、ロイ。わしについてこんか。連れて行く先が——たとえ

〈居住区〉の外、〈死道〉のなかであっても」

その言葉は低く、素早く声にだされた。するとコンプレインの血のなかで、ためらいが、低く素早く脈打った。彼は意識的に熟慮した決断にいたる努力をしなかった。神経が調停者にならなければならない。精神は信用がならない――多くを知りすぎている。

「それには勇気がいります」とうとう彼はいった。

司祭は大きな太腿をぴしゃりとたたき、神経を張りつめすぎていたのか、小さな金切り声のような音をたてながら大きなあくびをした。

「いいや、ロイ、それは嘘だ。おぬしを生んだ嘘つきの教えにしたがっているのだ。もしわしらがここを出れば、逃げだすことになる。社会における成人男子の責任を回避することになる。はっ、こっそりと出ていくのだ。むかしながらの自然に回帰する行いになる、坊や、祖先の子宮にもどろうとする不毛な試みに。そうとも、ここを立ち去るのは臆病のきわみだろうよ。さあ、わしといっしょに来るか?」

言葉そのものを超えた意味が、コンプレインのなかで決意を固めさせた。行くとも！　理解をわずかに超えたところに雲がつねにあり、自分はそれから逃げなければならないのだ。彼は寝棚からすべり降り、冒険についてもっとくわしいことがわかるまで、マラッパーの狡猾な目からこの決心を隠そうとした。

「〈死道〉の繁みのなかで、ぼくらふたりだけでなにをするんです、司祭？」

司祭は大きな親指を探るように片方の鼻の穴に突っこみ、そのこぶしごしに視線をひたとすえてしゃべった。

「ふたりだけで行くのではない。ほかに四人の選ばれた男たちが同行する。しばらく前からこのことを準備してきたのだ。そしていま、用意万端ととのった。自分の女が奪われて、おぬしは不満をかこっておる。失うものがあろうか？　きたほうが身のためだぞ――もちろん、おぬし自身のために――弱い意志と狩人の目をそなえた人間が、わしのそばにいれば好都合なのはたしかだが」

「ほかの四人というのはだれです、マラッパー？」

「おぬしがいっしょに来るといったら、教えてやろう。もし衛士に密告されたら、全員が喉をかっ切られるだろう――とりわけ、わしの喉が――二十カ所も！」

「なにをするんです？　どこへ行くんです？」

マラッパーはゆっくりと立ちあがり、のびをした。長い指で髪を梳き、同時にできるかぎりおぞましいせせら笑いを浮かべる。ふたつの大きな頬肉を片方は上、片方は下へよじらせたので、とうとう結んだロープのように、口がねじれてしまった。

「わしの指導力がそれほど信じられないのなら、ロイ、勝手にするがいい！　まったく、おぬしは女みたいだ、愚痴と質問ばかり。もうなにもいわん。わしの計画は、おぬしには想像もできんほど壮大なものだということ以外は。船の支配だ！　それだよ！　それ以外のなにものでもない！　船の全面的な支配だ――その文句がなにを意味するか、おぬしにはわかりもせんのだ」

司祭の形相にひるんで、コンプレインはやっとこういった。

「行かないというつもりはありませんでした」

「つまり、来るのか？」

「ええ」

マラッパーはなにもいわず、彼の腕をぎゅっと握りしめた。その頬がてらてらと光った。

「さあ、いっしょに行くほかの四人がだれか、教えてください」とコンプレイン。その瞬間、あとには引けなくなった。

マラッパーは彼の腕を離した。

「古いことわざを知っておるだろう、ロイ。真実は人を自由にしない。いまにわかるだろう。いまはおぬしに教えんほうがいい。つぎの〈眠り〉の早いうちに出発する計画だ。さあ、おいとまするとしよう。まだやるべき仕事がある。他言無用だぞ」

ドアから出かかったところで、彼は立ちどまった。片手をチュニックに突っこみ、なにかをとりだすと、勝ち誇ったようにふってみせる。それを見たコンプレインには、

〝見る物〟だとわかった。絶滅した巨人族が使用した、読み物をまとめたものだと。

「これが権力への鍵だ！」マラッパーは芝居がかった声をだし、それを元の隠し場所に突っこんだ。それからドアを閉めた。

彫像さながらぴくりともせず、コンプレインは床の中心に立ちつくしていた。頭だけが働いていた。だが、頭のなかでは思考が堂々めぐりしているだけだった。しかし、マラッパーは司祭だ。マラッパーには、ほかの大部分の者にはない知識がある。マラッパーが先導しなければならない。遅ればせながら、コンプレインはドアまで足を運び、それをあけると、外をのぞいた。

司祭はすでに視界から消えていた。近くにいるのは、ひげ面の画家メラーだけ。自分の部屋の外側に当たる通廊の壁に色あざやかなフレスコ画を描いている。なにかにとり憑かれたような顔をして、前の〈眠りとめざめ〉に集めてきたさまざまな染料を塗りつけているのだ。その手の下で、大きな猫が壁を駆けのぼった。メラーはコンプレインに気づかなかった。

遅い時間になりかけていた。コンプレインは、ほとんど人けのない〈食堂〉へ食べにいった。うわの空で腹を満たした。もどると、メラーはあいかわらず一心不乱に描いていた。コンプレインはドアを閉め、ゆっくりと寝る準備をした。グウェニーの灰色のドレスが、ベッドわきのフックにいまだにかかっていた。彼はいきなりそれをつかみとり、戸棚の裏の見えないところに放りだした。それから横になり、静寂がつづくにまかせた。

　不意にマラッパーが部屋に飛びこんできた。巨体を揺らし、盛大に息を切らしている。ドアをたたき閉めると、あえぎながら、ドアにはさまれたマントの端を引っぱった。

「かくまってくれ、ロイ——早く！　さっさとしろ、ぽかんとしてるんじゃない、このまぬけ。起きて、ナイフをだせ。衛士がここへ来る。ジリアクがここへ来る。わしを追っておるんだ。哀れな老司祭を見つけたら、すぐさま血祭りにあげるだろう」

　そういいながら、マラッパーはコンプレインの寝棚まで走り、それを壁からふりだして、そのうしろにうずくまろうとした。

「なにをしたんです？」コンプレインがきつい声で訊いた。「なぜ追われているんです？　なぜここへ隠れるんです？　なぜぼくを巻きこむんです？」

「うぬぼれるな。たまたまおぬしが近くにいて、わしの脚は走るようにできておらんかっただけの話。わしの命が危険にさらされておるのだ」

　しゃべりながら、マラッパーは必死にあたりを見まわした。まるでもっといい隠れ場所を探すかのように。それから、その場にとどまろうと決めたらしかった。ベッドの遠い側で毛布をかぶっていれば、彼の姿は戸口からは見えないのだ。

「ここへはいるのを見られたにちがいない」とマラッパー。「わしは自分の皮をはがれるのを気にしているのではない。計画を立てたことを気にしておるんだ。衛士のひとりをこの計画に加えようとしたら、そいつはまっすぐジリアクのところへ行って、計画をばらしおった」

「なんでぼくが――」とコンプレインは興奮していいかけた。外でもみ合う音がして、一瞬だけ早い警告になった。と思うとドアが勢いよく開き、蝶番のせいではね返った。それはコンプレインの目と鼻の先をかすめた。なかばドアのうしろに立っていたからだ。

危機に臨んで直感力が高まった。両手で顔をおおい、身をかがめると、大きなうめき声をあげてよろめき、ドアのへりがぶつかったふりをする。指の隙間を通してジリアクが見えた。中尉の右腕、〈中尉府〉における次席だ。そのジリアクが部屋へ飛びこんできて、ドアを蹴って閉めた。蔑むようにコンプレインをにらんで、

「その汚らしい口を閉じていろ」と叫んだ。「司祭はどこだ？　やつがここへはいるのを見たぞ」

彼がデーザーをかまえて向きを変え、部屋を調べようとしたとき、コンプレインはグウェニーの木製ストゥールの脚をさっとつかんで、ジリアクの頭の基部、こわばった首のつけ根にまともにふり降ろした。木と骨が砕ける喜ばしい音がして、ジリアク

は棒のように倒れこんだ。彼がデッキにぶつからないうちに、マラッパーが立ちあがった。すべての歯をむきだして、体を揺すると、彼はどっしりした寝棚をひっくり返し、倒れた男にかぶせた。

「やっつけたぞ！」司祭が大声をあげた。「よし、やっつけたぞ！」彼はジリアクのデーザーを拾うと、大柄な男にしては機敏な動きでドアを向いた。

「あけるんだ、ロイ！　外にほかの連中がいるにちがいない。息のできるうちにここから出ていくなら、いまだ。そうでなければ、二度と出ていけん」

しかし、その瞬間、コンプレインの助けを借りずに、ドアがさっと開いた。画家のメラーがナイフを鞘におさめながら立っていた。その顔はゆでた鶏なみに青白かった。

「あんたに贈り物がある、司祭。だれかがやって来る前に、こいつをなかへ入れたほうがいい」

彼は通廊に横たわっている衛士の足首をつかんだ。コンプレインが助けにいき、ふたりは力を合わせてぐったりした体を引きずりこんで、ドアを閉じた。メラーは額をぬぐいながら壁に寄りかかった。

「あんたがなにを企んでるかは知らんが、司祭、ここの騒ぎを耳にして、この野郎は友だちを呼びにいこうとした。あんたがパーティーを開く前に、こいつを片づけるのがいちばん手っとり早いと思ったんだ」

「この男が平和のうちに〈長い旅〉へ出られますように」と弱々しくマラッパー。

「よくやった、メラー。じっさい、素人にしては、わしら三人ともよくやった」

「ナイフ投げの技を習得したんだ」メラーが説明した。「さいわい——というのも、素手の格闘はご免だからな。すわってもいいか？」

ふらふらしながら、コンプレインは死体と死体とのあいだにひざまずき、心臓の鼓動を手探りした。行動を起こしたために、ふだんのコンプレインは去ってしまっていた。かわりにべつの男、もっと器用な動きとたしかな衝動をそなえた、自動的に動く男が現れていた。狩りのさいちゅう、体を乗っとる男が。いま彼の手はジリアクと倒れた衛士の体を探っていた。ふたりとも脈拍がなかった。

小さな部族において、死はゴキブリなみにありふれたものだ。「死は人間のいちばん長い部分」と謳う民謡がある。このしじゅう出会う哀れな光景は、〈教え〉の多くの主題だった。つまり、死に対処する正式な方法がなくてはならないということだ。死は恐ろしい。そして恐れが人間のなかに宿るのを許すわけにはいかない。いま死に対面して、コンプレインのなかの自動的に動く男が、そうしろと育てられてきたとおり、すんなりと拝跪の最初の動作にはいった。

これを合図に、マラッパーとメラーが即座に加わった。マラッパーは静かな声をあげて泣いていた。彼らのこみいった儀式が終わり、最後の〈長い旅〉が口にされて、ようやく三人は正常と呼べる状態にもどった。

それから三人はすわったまま、恐れおののき、おずおずと、だが勝ち誇って、じっとして動かない死体ごしに顔を見あわせていた。外はひっそりと静まりかえっていた。このあいだの浮かれ騒ぎのあとに行きわたった怠惰のおかげで、野次馬も事態の発覚もかろうじて免れたのだ。コンプレインはふと気がつくと、またものが考えられるようになっていた。

「あなたの計画をジリアクにばらした衛士はどうするんです？」と彼はたずねた。「そのうち困ったことになりますよ、マラッパー、ここにいれば」

「ここに永久にいても、その男はわしらに迷惑をかけんだろう」と司祭。「ただし、臭くてたまらんのはべつだがな」彼はメラーが引きずりこんだ男を指さし、こうつけ加えた。「わしの計画はここまでしか伝わらなかったように見える。それならさいわいだ。ジリアクの捜索がはじまるまで、まだしばらく間があるだろう。どうやらこの男、自分なりの計画をひそかに温めていたらしいな。さもなければ、護衛を連れてきたはずだ。わしらにとっては好都合だ。さあ、ロイ、ただちに動かねばならん。〈居住区〉はもはやわしらには住みよいところではない」

司祭は立ちあがったが、意外にも脚が震えて、たちまちすわり直した。もっと注意深くもういちど立ちあがり、弁解がましくいう。

「こんな感受性のゆたかな男にしては、あの寝棚でうまいことやっただろう？」

「あんたがなんで追われていたのか、まだ聞いてないぞ、司祭」とメラー。

「おぬしがすばやく助けてくれたのが大きかった」マラッパーはすらすらといい、ドアのほうへ向かった。メラーが腕をさえぎるように突きだして、

「あんたたちがなにに巻きこまれたのか聞きたい。いまやわたしも巻きこまれたようだから」

マラッパーがさがった。だが、口をきかなかったので、思わずコンプレインはいった。

「彼にもいっしょにきてもらいませんか、マラッパー？」

「なるほど……」画家は考えこんだ。「ふたりとも〈居住区〉を出ていくのか！　幸運を祈るよ、おふたりさん――なんだか知らんが、探しものが見つかるといいな。わたしなら、安全なここに残って絵を描くよ。誘ってくれてありがとう」

「細かいことをいえば、誘いはせんかったが、おぬしの言葉すべてに同意する」とマラッパー。「おぬしはたったいま、いいところに現われてくれた。だが、わしに必要なのは、いっしょに行動する本物の男だけだ。だから軍勢ではなく、少数精鋭でいい」

メラーがわきへのき、マラッパーはドアの把手をつかんだ。そのとき司祭が態度を

やわらげた。

「わしらの人生など顕微鏡で見るくらい小さな瞬間にすぎん。だが、いまわしらがあるのは、おぬしのおかげだよ、絵描き。さあ、わしらの感謝を胸におさめて染料のところへもどるがいい。くれぐれも他言無用だぞ」

司祭は通廊を歩きだした。コンプレインがあわててその横に並んだ。眠りが部族をおおいつくしていた。ふたりは後尾バリケードのひとつへ向かう遅番の歩哨とすれちがった。色あざやかなぼろをまとったふたりの青年とふたりの若い女が、過ぎ去った浮かれ騒ぎの精神をよみがえらせようとしていた。それをのぞけば、その場に人けはなかった。

ある側面の通廊へ鋭く折れると、マラッパーは先に立って自分の居室へ向かった。こそこそと周囲に視線を走らせ、磁力鍵をとりだし、ドアをあけると、コンプレインを押して先にはいらせる。それは大きな部屋だったが、彼が生まれてから溜めこんできたもので足の踏み場もなかった。賄賂でもらったり、せがんでもらったりした無数の品々。巨人族の絶滅からこのかた無意味だったもの。部族の文明よりも多様で進歩した文明の産物だったのに、もはや魅力的な記念物にすぎない。コンプレインは呆然とあたりを見まわした。そうとは知らずに、カメラ、扇風機、ジグソーパズル、書籍、スイッチ、コンデンサー、おまる、鳥かご、花瓶、消火器、鍵束、二枚の油絵、「月

から返事をせずに、またそっぽを向いた。返事のかわりに、ドアを押しあけて、「出てこい、ロイ、仲間と顔合わせだ」と声をかけた。

優秀な狩人は、罠が仕掛けられていれば用心深く避けるものだ。コンプレインはデーザーを手にして現れた。無言で、マラッパーのわきに立っている三人を調べる。三人ともよく知っていた。ベルトにくくりつけた、ふたつのふくらんだ小袋にそっと肘をのせて、わけもなくにやにやしているボブ・ファーモアー。柵用の杭をひっきりなしに手のなかでまわしているワンテージ。そして挑むような顔を不愉快そうにゆがめている鑑定人のアーン・ロフリー。長いことコンプレインは、立って待っている彼らを見つめていた。

「その連中といっしょなら、ぼくは〈居住区〉を出ていきませんよ、マラッパー」彼はきっぱりといった。「そいつらが見つかるうちで最高の人材なら、ぼくをはずしてください。これは遠征だと思っていました。パンチとジュディの人形芝居じゃなくて」

司祭は気むずかしい雌鳥さながら、いらだたしげに舌打ちして、彼のほうへ歩きかけた。しかし、ロフリーが彼を押しのけ、片手をデーザーの把手にかけて、コンプレインと対峙した。その口ひげが、コンプレインの顎から六インチ足らずのところで小刻みに震えた。

「なるほど、肉の値段の専門家か」とロフリー。「そういうふうに思っているのか。目上の者に会っても、そうとわからないのか？　もしおまえが……」

「そういうふうに思っているんだ」とコンプレイン。「ホルスターのなかのそのおもちゃをいじるのをやめるんだな。さもないと、指を焼き切るぞ。司祭の話じゃ、これは遠征になるはずだ。女郎部屋の捜索じゃなく」

「だからこれは遠征なんだ」司祭が吼えると、ふたりのあいだに体をこじ入れ、憤怒のあまり唾を飛ばしながら、顔を往復させた。「遠征だよ。そして四人とも、わしとこの愚か者どもが、犬みたいにおたがいのまぬけ面に吼えおって。このどうしようも〈死道〉へ行くのだ。おぬしらの死体をひとつずつ運ぶはめになっても連れていくぞ。ない愚か者どもが。おぬしらのどちらかが、わしの注意どころか、相手の注意を惹くだけの値打ちがあると思うのか？　荷物をまとめて動くんだ。さもないと、衛士をけしかけるぞ」

この脅しは愚かもいいところだったので、ロフリーが嘲るように笑いだした。

「わたしが仲間に加わったのは、コンプレインみたいな青二才から逃げるためだったんだ、司祭。それでも、あんたのいうとおりにするよ！　先に立ってくれ、あんたが隊長だ！」

「そう思うなら、なんでばかな真似をして時間を無駄にするんだ？」と嚙みつくようにワンテージ。

「ここではわたしが副官で、好きな真似をするからだ」とロフリーは答えた。

「おぬしは副官ではないぞ、アーン」とマラッパーが親切にも説明した。「指揮をとるのはわしひとりで、おぬしらは掟のもとで平等にしたがうのだ」

これを聞いてワンテージはせせら笑い、ファーモアーはこういった。

「まあ、あんたらが文句を垂れるのをやめれば、だれかに見つかって、もめごとに巻きこまれる前にここから移動できるんじゃないかな」

「そう焦りなさんな」とコンプレイン。「その鑑定人がここでなにをしてるのか、ぼくはまだ知りたいんだ。なぜ鑑定の仕事にもどらないんだ？　あいつは楽な仕事をしてる。なんでそれを捨てるんだ？　ぼくにいわせれば、筋が通らない。ぼくだったら、捨てはしない」

「おまえには蛙なみの根性だってありはしないからな」とロフリーがうなり声でいい、司祭がのばした腕に逆らおうとした。「みんなそれなりの理由があって、こんなイカレた遠征に加わったんだ。そしてわたしの理由は、おまえには関係がない」

「とにかく、なにが気に入らなくて、そんなに騒いでるんだ、コンプレイン？」とワンテージが叫んだ。「おまえこそなんで来るんだ？　おまえの仲間になるのなんかご免だね！」

司祭がいきなり短剣を彼らのあいだに突きだした。柄を握ったこぶしが白くなっているのが見えた。

「聖職者として」と彼はうなり声でいった。「〈居住区〉の鼻がもげそうなにおいのする血の一滴一滴にかけて誓うぞ。つぎに口をきいた男を〈長い旅〉に送りだしてやる」

彼らは口をきかず、敵意で体をこわばらせていた。

「平和をもたらす愛しの刃」マラッパーは小声でいうと、肩から背嚢をはずし、ふだんの声でいった。「この背嚢を背負うんだ、ロイ。気を落ちつかせろ。アーン、デーザーはしまっておけ——お人形さんで遊ぶ女の子じゃあるまいし。気を楽にしろ、おぬしら。そうしたら、わしといっしょに歩きはじめろ。ひとかたまりになるんだ。障壁のひとつを抜けて、〈死道〉にはいらねばならん。だから、わしを見ならえ。楽な道ではないぞ」

彼は自室のドアを施錠し、考えこんだ顔で鍵をちらっと見てから、ポケットにすべりこませた。ほかには合図をせずに、通廊を歩きだす。残りの四人はほんの一瞬ためらってから、おとなしく彼の横に並んだ。マラッパーの鉄のような視線は、しっかりと行く手にすえられたままで、全員をもうひとつの、粗悪な宇宙にいるような気分にさせた。

つぎの通廊の交差点で、彼は左へ折れ、つぎの交差点でもふたたび左へ折れた。その先は短い袋小路であり、金網のゲートが突きあたりをふさいでいた。衛士がひとり、その前に立っていた。これが側面障壁のひとつだからだ。

衛士はくつろいでいたが、警戒を怠ってはいなかった。箱にすわり、顎を手にのせていたが、五人が角を曲がって視界にはいったとたん、パッと立ちあがって、デーザーをかまえた。

「喜んで撃つからな」彼は叫び、手順どおりの誰何をした。目を怒らせ、脚を踏んばり、ただの決まり文句ではないと知らせる。

「ならば喜んで死のう」とマラッパーが愛想よく答えた。「その武器をしまえ、トゥエマーズ。わしらは〈よそ者〉ではない。どうやら、すこしばかりピリピリしておるようだな」

「止まらないと撃つぞ！」と衛士のトゥエマーズが声をはりあげた。「なにしにきた？　止まれ、五人とも」

マラッパーは歩みを止めなかった。ほかの者はゆっくりとついていった。コンプレインにすれば、そうすることに説明のつかない魅惑のようなものがあったのだ。

「おぬしは近視眼すぎて、その仕事には向かないな、友よ」司祭が声をはりあげた。

「ジリアクに会って、おぬしを首にしてもらおう。わしだよ、おぬしの司祭のマラッパー、おぬしの疑わしい正気の代理人が、数人の篤志家を連れてきたのだ。今夜はおぬしのための血はないよ」

「だれだろうと撃つ」トゥエマーズは武器をふり、獰猛な口調で脅迫したが、背後の金網ゲートまでさがった。

「おやおや、もっとましな的のためにとっておけ——ただし、もっと大きな的はないだろうが」と司祭。「おまえに大事なものを持ってきた」

このやりとりのあいだ、マラッパーの足どりは乱れなかった。衛士はいま目と鼻の先だった。窮地に立たされた男はためらった。ほかの衛士が声の届く範囲にいる。だが、誤りの警告を発すれば鞭打ち刑に処されるかもしれない。それに経歴に傷をつけたくない。そのわずかな迷いが命とりだった。司祭が彼に襲いかかった。

マントの下からすばやく短剣を引きぬくと、マラッパーはうなり声をあげて、衛士の下腹部に深々と突きたて、ねじった。そして前のめりになった衛士の体を巧みに肩で受けとめた。トゥエマーズをかつぎあげ、そのぐったりした手が自分の腰のくびれに当たるようにすると、満足してふたたびうなり声をあげた。

「みごとだ、父よ」ワンテージが感心した声でいった。「おれだって、あれよりうまくはできなかった！」

「たいしたもんだ！」とロフリーが敬意のにじむ声をはりあげた。自分の説教の内容をこれほど巧みに実践する司祭を目にするのは愉快だった。

「よしよし」とマラッパーがうなり声でいった。「だが、声をひそめておけ。さもないと、猟犬どもに嗅ぎつけられる。ファーモアー、これをかついでくれんか」

死体はボブ・ファーモアーの肩に移された。五フィート八インチの身長がある彼は、ほかの者たちより頭ひとつ分ほど背が高く、かつぐのがいちばん容易なのだ。マラッパーはコンプレインのジャケットで短剣を丁寧にぬぐい、鞘におさめると、金網のゲートに注意を向けた。

彼は大きくふくらんだポケットのひとつから、ワイア・カッターをとりだし、ゲートの連結部を切断した。把手を引っぱる。ゲートは一インチほど動いたところで動かなくなった。彼は体を揺すり、うなり声をあげたが、ゲートはびくともしなかった。

「ぼくにやらせてください」とコンプレイン。

彼はゲートに体重をかけて引っぱった。それは耳をつんざくようなかん高い音をたて、錆びついたベアリングを回転させて、いきなり開いた。と、現れたのは井戸だった。あんぐりと口をあけた黒い穴。底なしのように思えた。一同は落胆気味に穴からあとずさった。

「いまの音で〈居住区〉の衛士の大部分は注意を惹かれたはずだ」とファーモアー。

縦穴の側面のわきにある「昇降機用リング」という標識を興味深そうに調べながら、

「これからどうする、司祭？」

「手はじめに、その衛士を穴に放りこめ」とマラッパー。「さっさとやれ！」

死体が暗闇に投じられ、そのすぐあと、ドサッという鈍い音がして彼らは満足した。

「胸が悪くなるな！」とワンテージが楽しそうに声をはりあげる。

「まだ温かかった」とマラッパーが小声でいう。「死の儀式は必要ない――それにわしらは生きる権利を求めつづけねばならん。さて、怖がるな、子供たちよ。この暗い場所は人間が作ったものだ。そのむかしは、ある種の乗り物がこれを昇り降りしていたのだろう。トゥエマーズにならわねばならん。ただし、もっとゆっくりとな」

開口部のまんなかにケーブルが垂れさがっていた。司祭は身を乗りだし、それをつかむと、手を交互に動かして、十五フィート下のつぎの階層まで慎重に降りていった。昇降機用の縦穴が下であんぐりと口をあけている。彼は狭い張りだしに飛び移って、片手で金網にしがみつき、反対の手でカッターを使った。支柱に当てがった足を梃子がわりにして注意深くゲートを引っぱり、潜りこめるだけの幅ができるまで開いた。

ひとりずつ、ほかの者たちがあとにつづいた。コンプレインは最後に上層を離れた。ケーブルを降りていき、〈居住区〉に無言でそっけない別れの挨拶をしてから、ほかの者たちと合流した。五人はガサガサと音のする薄暮のなかに無言で立ちつくし、周囲に目を配った。

そこはなじみのない場所だったが、ポニックの迷路はいずこも同じだった。

マラッパーが背後でゲートをぴしゃりと閉めてから、前を向いた。肩を怒らせ、マントをととのえる。

「いちどの〈めざめ〉の活動としてはお釣りが来るほどだな、わしのような老いぼれ司祭にしては。こういうと、おぬしらのだれかが、指揮権にまつわる議論を再開する気になるかもしれんが」

「それは議論にはならない」とコンプレイン。挑むような視線をロフリーの耳のわきへ投げる。

「わたしを挑発しようとするな」とロフリーが警告した。「わたしは父にしたがうが、トラブルを起こすやつはぶちのめす」

「どんなに食い意地の張ったまぬけでも満足するくらい、ここにはトラブルがあるさ」とワンテージが予言し、顔の悪い側を周囲の植物の壁にさっと向けた。「キャンキャン吠えるのをやめて、ほかのだれかの胃袋のために剣を使わずにおくのが、いちばんいいってことだ」

一同はしぶしぶ彼に同意した。

マラッパーが短いマントをはねのけ、考えこんだようすで顔をしかめた。マントはへりが血に染まっていた。

「いまから眠ろう」と彼はいった。「最初の手ごろな部屋に押しいって、キャンプを張る。〈眠り〉ごとにこの手順をくり返さなければならん。通廊に残るわけにはいかん――無防備もいいところだ。個室のなかなら、歩哨を立てて、安全に眠れる」

「眠る前に〈居住区〉からもっと遠ざかったほうがいいんじゃないですか？」とコンプレインがたずねた。

「わしがこうしようといえば、そうするのがいちばんなのだ」とマラッパー。「待ち伏せされるかもしれんのに、あの怠け者のろくでなしどもが、知らないポニックの繁みにはいって、卑しい首を危険にさらすと思うか？　そういうばかげた意見に答えて息を無駄にしなくてすむように、これだけはしっかりと肝に銘じておいてもらう――おぬしらは、わしにいわれたとおりにするんだ。団結するとはそういうことだ。もし団結しなかったら、わしらはなんでもない。その考えを頭にたたきこんでおけば、わしらは生きのびられるだろう。肝に銘じたか？　ロイ？　アーン？　ワンテージ？　ファーモアー？」

まるで面通しをしているかのように、司祭は彼らのこわばった顔をのぞきこんでいった。彼らは司祭の視線から目を伏せた。眠たげな四羽の禿鷹のように。

「その話はもういちどすんでいる」とファーモアーがじれったげにいった。「これ以上どうしてほしいんだ、ブーツにキスしろとでも？」

全員がある程度まで彼と同じ気持ちだったものの、ほかの三人は腹立たしげにファーモアーに文句をいった。文句をいう相手としては、司祭よりも彼のほうがいくぶん安全な標的だからである。

「おぬしらがわしのブーツにキスできるのは、その特権を獲得してからだ」とマラッパー。「しかし、おぬしらにしてもらいたいことがほかにある。四の五のいわずにしたがってもらいたい。だが、おたがいに衝突しないと誓うことも要求する。おたがいを信用しろとか、そのたぐいの愚かなことを頼んでいるわけではない。〈教え〉の文言を破れと頼んでいるわけではない——もしわしらが〈長い旅〉に出ることになるのなら、〈教え〉にしたがって出るのだ。しかし、絶えず喧嘩をしている余裕はない。〈居住区〉での気楽な時期は終わったのだ。

わしらが出会うかもしれない危険のなかには、ようすがわかっているものもある——ミュータント、〈よそ者〉、ほかの部族、あげくの果てには恐るべき〈前部〉の民。しかし、わしらの知らない危険もあることに疑いの余地はない。仲間のだれかに悪意をいだいたら、そのまばゆい火花は、未知の危険にそなえて育てておくのだ。それが必要になるだろう」

彼はふたたび探るように彼らを見た。

「誓え」と命令する。

「ありがたいお言葉だけど」とワンテージがぼやいた。「もちろん、同意するさ。でも、だれが見たって、それには犠牲がつきものだ――そう、おれたち自身の個性が。もし誓ったら、おれたちをどうするかは、あんたしだいだ、マラッパー。だから演説はやめてくれ。してほしいことをいってさえくれれば、つべこべいわずにやるよ」

「わかったよ」と新たに議論がはじまる暇をあたえず、ファーモアーがすかさずいった。「とっとと誓って、寝床にはいろう」

彼らは仲間同士で喧嘩をするという特権を放棄することに同意し、ポニックの周縁部にゆっくりとはいりこんだ。司祭が先頭に立ち、磁石鍵の分厚い束をとりだした。数ヤード進むと、最初のドアに行きあたった。一行は足を止め、司祭が錠の浅い彫り型に鍵をひとつずつ試しはじめた。

そのあいだ、コンプレインはもうすこしだけ先へ進み、しばらくしてうしろの四人に声をかけた。

「ここのドアは、押し入られた形跡がある。いつかの時点でべつの部族が、ここを通ったにちがいない。ここからはいれば、手間が省けそうだ」

四人はガサガサと音をたてる茎を押しのけながら、彼のところまでやってきた。ドアは指の幅だけ開いており、一同はそれを怖々と見た。ドアというドアが挑戦を、未知への入口を具現していた。こうした静まりかえったドアの背後から死が飛びだして

リーは不愉快そうに彼らを見まもった。

全員が床に身を横たえると、ワンテージがためらいがちに口を開いた。「司祭、マラッパー司祭」懇願口調で声をかける。「おれたちの皮膚の安全のために祈ってくれないか？」

「疲れがひどくて、人の皮膚の面倒まで見ておれん」とマラッパーは答えた。「短い祈りでいい」

「では、お望みに答えて。子供たちよ、われらの自我に拡張を、祈ろう」汚い床にうずくまり、彼は祈りはじめた。その言葉は最初のうち無頓着に出てきたが、自分の思考の連なりに本人が興味を惹かれるにつれ、力をましてきた。

「おお、〈意識〉よ、ここに集うわれらは、汝の器となるには二倍もふさわしからず。なんとなれば、みずからに欠点があるのを知りながら、その欠点をとり除こうとしないがため。われらは哀れな生き方をする、哀れな烏合の衆なり。それでも汝を内包するからには、われらにも希望はあり。おお、〈意識〉よ、哀れな器たるこの五人を特に導きたまえ。なんとなれば、あとに残してきた者らよりわれらのほうに希望があり、それゆえわれらのなかに汝を内包する余地がより多くあるゆえ。汝がここにおらぬとき、その敵〈無意識〉のみがわれらのなかにいることをわれらは知りたり。われらの思考を汝のなかでのみ泳がせよ。われらの手をより速く、われらの腕をより強く、われらの目をより鋭く、われらの癇癪をより激しくなさしめよ。願わくは、われらに仇なす者すべてをくじき、抹殺せんことを。彼らを打ち懲らし、引き裂かんことを！　彼らの臓物を船の隅々までぶちまけんことを！　さすれば、われらは終局的に権力の地位に達し、汝を十全に所有し、汝に十全に所有されるようにならん。願わくは、敵がわれらをわがものとし、われらもまた〈長い旅〉に出る、あの最後の恐るべき瞬間まで、汝の火花がわれらの内で息づかんことを」

抑揚をつけて唱えるうちに、司祭は膝立ちになり、両手を頭上へのばしていた。ほかの四人がそろってその動きを真似るなか、いま彼はのばした右の人さし指で象徴的に、儀式的に、喉をかっ切る仕草をした。

「もう口をきくな、おぬしら」ふだんの声で彼はいうと、ふたたび隅に身を落ちつけた。

コンプレインは背中を壁に向け、頭を背嚢にのせて横たわった。ふつう彼の眠りは動物のように浅く、眠りとめざめとのあいだのまどろみの段階はない。しかし、この慣れない状況下で、しばらく目を半閉じにして横になったまま、考えをめぐらせようとしていた。頭に浮かぶのは、大雑把に描かれた絵だけ。グウェニーのからっぽの寝棚。倒れたジリアクのわきで勝ち誇っているマラッパー。指の下で跳躍する動物を育てているメラー。オズバート・バーガスの命を吹きこぼす脂っこいシチュー。詮索する目から顔をそむけようとして緊張しているワンテージの首の筋肉。マラッパーの腕のなかへぐったりと倒れこむ衛士のトゥエマーズ。その絵の裏には重大な事実が隠れていた。すなわち、その絵は過ぎたことに関するものであって、これから起きることに関する絵は見つからないという事実が。なぜなら、自分は未知の領域へはいろうとしているから。母親が口にし、恐れていたほかの暗闇のなかへ進みつつあるのだから。

彼は結論をださず、心配することで時間を無駄にもしなかった。それどころか、一種の希望をおぼえた。村のことわざにあるとおり、知らない悪魔が、知っている悪魔を打ち破るかもしれないからだ。

眠りに落ちる前に、通廊からもれてくる光に照らされている荒れ果てた部屋が見え、外側のドアごしに、永久不変の繁みの一部が見えた。変化のない、乾きを知らない熱気のなかで、ポニックが絶え間なくガサガサいっていた。ときおり、すぐ近くでカチリという音がするのは、種子が部屋にはじき飛ばされるからだ。この植物は生長があまりにも速いので、目がさめるころには、若いものは数インチも背がのびており、老いたものは隔壁に妨げられて萎(しお)れているだろう。やがて、締めつけるものも締めつけられるものも、つぎの暗闇のときには等しく生長を止めるだろう。しかし、この絶え間ないせめぎ合いのなかに、彼の周囲でくり広げられる人間の生と似たものは見当たらないのだった。

2

「あんたのいびきはすごいな、司祭」とロフリーが愉快そうにいったのは、つぎの〈めざめ〉のはじまりに五人そろって食事をしているときだった。

彼らのあいだの関係は微妙に変化していた。まるでなにかの隠された力が、眠っているあいだに働いたかのように。自分たちが〈居住区〉からでたらめに選ばれた五人の競争相手だという感覚は消え失せていた。万人が競争相手だという意味では依然として競争相手だが、いまでは周囲の勢力に対して団結しなければならないという暗黙の了解が生まれていた。当直の期間がロフリーの魂のためになったことは疑問の余地がなく、彼は従順といえるほどだった。五人のうちでまったく変わっていないのは、ワンテージただひとりに見えた。水の流れが木の杭をすり減らすように、彼の性格は絶え間ない孤独と屈辱に浸食されてできたもので、変化しやすいものは、もはや彼のなかに残されてなかった。彼は壊されるか、殺されるかしないかぎり変わらないのだ。

「この〈めざめ〉のうちに、できるだけ遠くまで行かねばならん」とマラッパーがいった。「知ってのとおり、つぎの〈眠りとめざめ〉は暗闇だから、そのとき旅をするのは愚の骨頂だ。電灯は見張りをしている者に見つかってしまう。だが、出発する前に、計画の一部を教えておいてやろう。そのためには、船というものについて話しておかねばならんことがある」

司祭は四人をぐるりと見まわした。にやにや笑いを浮かべ、ガツガツ食べながら口をきく。

「まず第一に、わしらは船のなかにおる。異論はないな？」

彼の視線が、それぞれから返事のようなものを引きだした。ファーモアーからは「もちろん」ワンテージからは、まるでその質問がいらだたしいかのように、じれったげなうなり声。ロフリーからは意味もなく宙でふられた手。そしてコンプレインからは、「あります」

マラッパーは即座にすべての注意をコンプレインに向けた。

「それなら、さっさと理解したほうがいいぞ、ロイ。なによりその証拠をな。耳の穴をかっぽじってよく聞けよ——わしはこの問題に強い感情をいだいており、いつまでもばかなことをいっていると、後悔するほどわしを怒らせることになる」

彼はそういいながら、断固たる態度で壊れた家具の周囲を歩きまわった。その顔は真剣そのものだった。

「いいか、ロイ——大事なのは、船のなかにいるといないのでは大ちがいだということだ。おぬしが知っておるのは——わしら全員が知っておるのは——船のなかにいるのがどういうことかだけ。そのせいで、わしらは船しかないと考える。しかし、船ではない場所がたくさんある——広大な場所で、その多くは……。わしがこれを知っているのは、巨人族が残した記録を目にしたことがあるからだ。船は巨人族によって作られた。彼らなりの目的のためだが、わしらには——まだいまのところ——それは明かされておらん」

「その議論は〈居住区〉で聞いたことがあります」とコンプレインが不機嫌そうにいった。「あなたのいうことをひとつ残らず信じるとしましょう、マラッパー。それでどうなるんです？　船だろうと世界だろうと、なんのちがいがあるんです？」

「このわからず屋め。見ろ！」司祭は荒々しく身を乗りだし、ポニックの葉をつかみとると、コンプレインの顔の前でふった。

「これは自然のもの、育つものだ」

奥の部屋へ駆けこみ、壊れた陶器の便器を蹴りつける。

「これは作られたもの、人工のものだ。これでわかったか？　船は人工のものだ。世界は自然のものだ。わしらは自然の存在であり、わしらの本来の故郷はここではない。船全体が巨人族によって作られたものだ」

「でも、たとえそうだとしても——」コンプレインがいいかけた。

「そうなのだ！　そうなのだ！　証拠はいつだっておぬしのまわりにある——通廊、

壁、部屋、すべて人工のものだ――しかし、おぬしはそれに慣れきっていて、証拠だとわからんのだ」

「そいつにわからなくてもいいじゃないか」とファーモアーが司祭にいった。「どうでもいいことだ」

「わからないわけじゃない」と腹立たしげにコンプレイン。「受け入れられないだけだ」

「まあ、おとなしくそこにすわったまま、じっくり考えろ。そのあいだわしらは話を進める」とマラッパー。「わしは本を読んできたから、真実を知っておる。巨人族はある目的のために船を作った。どこかで、その目的は失われ、巨人族自身も死に絶えてしまった。残っておるのは船だけだ」

司祭は行ったりきたりをやめ、壁に寄りかかると、額を壁にあずけた。また口を開いたときには、ひとりごとも同然だった。

「残っておるのは船だけだ。船と、そのなかに閉じこめられた、人間のあらゆる部族だけだ。災厄があったのだ。どこかでなにかがひどくまずくなり、わしらは恐ろしい運命にゆだねられてしまった。わしらの祖先が犯した、なにか想像を絶する恐ろしい罪のために、わしらにくだされた審判なのだ」

「なにもかもたわごとだ」と腹立たしげにワンテージ。「自分が司祭だってことを忘れたらどうだ、マラッパー。それが、おれたちのやろうとしていることと、どういう関係があるのか聞かせてもらおう」

「あらゆる関係がある」マラッパーは不機嫌そうに両手をポケットに突っこんだが、歯をほじるために片手をだした。「もちろん、わしが本当に興味があるのは、その問題の神学的側面だけだ。しかし、おぬしらに関するかぎり、大事なのは、そもそも船というものが、どこかからきて、どこかへ行くということだ。そのどこかというのが船よりも重要だ。わしらは本来そこにおるべきなのだ。それらは自然の場所だ。

いまの話に謎はない。愚か者にとってはべつだがな。謎は、自分たちの居場所をわしらに知らさずにおくというこの陰謀がなぜ存在するかだ。わしらの背後でなにが起きているかだ」

「どこかでなにかがまちがったんだ」とワンテージが勢いこんで答えた。「それは、おれがむかしからいってきたことだ。なにかがまちがった」

「おっと、わしの前でそれをいうのはよせ」と司祭がぴしゃりといった。ほかの者が同意するのを許せば、権威ある自分の立場が弱まるように思えたのだ。「陰謀がある。わしらは欺かれてきたのだ。この船の操縦士なり船長なりが、どこかに隠れておる。そして旅していることも、目的地も知らないまま、わしらはその男の指揮のもとに進みつづけておる。その男はどこかに閉じこもっておる狂人であり、いっぽうわしらはみな、祖先の犯した罪のため罰を受けておるのだ」

コンプレインにとって、それは恐ろしいと同時に、およそありそうにないことに聞こえた。もっとも、移動する容器のなかにいるという考えそのものが、もっとありえないように思われるが。ひとつの前提を受け入れれば、べつの前提を受け入れることになりそうなので、彼はなにもいわなかった。心細さがどんどん大きくなって、彼を呑みこんだ。ほかの面々をこっそり見まわしたが、彼らが司祭に心から同意しているようすは特に見られなかった。ファーモアーはどちらかといえば蔑むような笑みを浮かべており、ワンテージはいつもどおり意味もなくにらむような表情を浮かべており、ロフリーはじれったげに口ひげを引っぱっていた。

「さあ、わしの計画はこうだ」と司祭がいった。「あいにく、実行するにはおぬしらの協力がいる。わしらはこの船長とやらを見つける。どこに隠れておるにしろ、狩りだしてやるのだ。その男はうまく隠れておる。だが、どんな鍵のかかったドアにも邪魔はさせん。その男のもとにたどり着いたら、殺す——そしてわしらが船の指揮権を握るのだ！」

「で、指揮権を握ったら、どうするんだ？」とファーモアーがたずねた。その口調は、マラッパーのとめどない熱狂を冷ますよう、注意深く計算されたものだった。

司祭はほんの一瞬、ぽかんとした。

「船の目的地を探りだすのだ。そういう細かいことは、わしにまかせておけ」

「正確には、どこでその船長とやらを見つけるんだ？」とロフリーがたずねる。

答えるかわりに、司祭はマントをひるがえし、チュニックの内側を手探りした。大げさな身ぶりで、コンプレインがすでに目にしたことのある〝見る物〟をとりだす。一同の目の前で題名をふってみせたが、ただひとり読み書きの得意なロフリー以外にはあまり意味がなかった。ほかの者にとって、その音節は理解できたが、時間をかけなければ、その聞き慣れない言葉を憶えられなかった。その〝見る物〟をふたたび彼らの手の届かないところへ引っこめると、これは『恒星船電気回路マニュアル』という題名だ、とマラッパーはもったいをつけて説明した。彼はその〝見る物〟を手中におさめた経緯も説明した――というのも、その説明で自画自賛する機会ができたからだ。それはジリアク配下の衛士たちが染料の貯蔵所を見つけた倉庫に落ちていた。そして押収され、〈中尉府〉で調査を待っている品物の山に加えられた。マラッパーはそこでこれを目にし、たちどころにその価値を見ぬくと、自分で使うためにポケットにおさめた。あいにく、その現場を衛士のひとりに押さえられた。その忠誠心あふれる男を黙らすためには、その男がマラッパーに同行し、自分で権力を得られるようにすると約束して買収するしかなかった。

「そうすると、メラーがぼくの部屋の外側で始末したのが、その衛士なんですね？」

とコンプレインがたずねた。

「そうだ」と司祭。われ知らず服喪のしるしを作り、「あの男は計画を考えなおし、ジリアクに洗いざらいぶちまけるのがいちばん得だと判断したのだろう」

「その判断がまちがいだったとだれにわかる?」ロフリーが冷笑的な言葉をはさんだ。

この当てこすりにはとりあわず、司祭は〝見る物〟を広げ、ある図面をコツンとたたいた。

「ここにわしの企てに関する完全な鍵がある」と、もったいぶった口調で彼はいった。

「これは船全体の見取り図だ」

いらだたしいことに、見取り図がなにかを説明するため、彼はすぐに演説を中断するはめになった。その概念は四人にとってまったく新しいものだったのだ。こんどはコンプレインがワンテージより優位に立つ番だった。というのも、彼がすぐにその概念をつかんだのに対し、ワンテージは船のように大きな三次元物体の二次元表象をどうしても理解できなかったからだ。実物大より小さなメラーの絵画を使ったアナロジーも役には立たず、けっきょく、いわれることを鵜呑みにするしかなかった。いまコンプレインが、理性的な証拠とみなせるものがまったくないのに、自分たちが船のなかにいるということを〝当然とみなす〟しかないのとまったく同じように。

「これまで船全体の見取り図を手にした者はいない」とマラッパーが四人に告げた。

「わしの手中に落ちたのはさいわいだった。オズバート・バーガスはだれよりも配置（レイアウト）についてくわしかったが、じっさいは〈船尾階段〉区域と〈死道〉の一部に親しんでいたにすぎん」

　見取り図によれば、船は卵に似た形をしていた。中央部が円筒形で、両端が丸まっている楕円形である。全体は八十四のデッキから成り、各デッキは船を短軸にそって開けば円形の断面を見せる。それぞれが硬貨のような形をしているのだ。デッキの大部分（両端の二、三のデッキ以外）は上層、中層、下層という三つの同心円状の層から構成されている。これらは内部に通廊をそなえており、昇降機と昇降階段で連結されている。これらの通廊のまわりに居室が並んでいる。居室はオフィスの集まりにすぎないこともあれば、層全体を占めるほど大きいこともある。すべてのデッキは、船を長軸方向に貫いている一本の大きな通廊——〈主通廊〉——によってつながっている。しかし、あるデッキの環状通廊と、その両側のデッキの環状通廊とのあいだには補助的な連絡路もある。

　船の片端には〝船尾〟とはっきりと記されていた。反対端には〝司令室〟と記された小さな突起がある。マラッパーはその上に指を置いた。

「船長が見つかる場所はここだ。ここにいる者は、だれであれ船の実権を握れる。わしらはそこへ行くのだ」

「この見取り図のおかげで、日誌に記入するのと変わらないくらい簡単になる」とロフリーが両手をこすり合わせながらいった。「〈主通廊〉にそって進むだけでいい。ひょっとしたら、あんたの仲間になったのは、けっきょく、それほど愚かなことでもなかったのかもしれん」

「そうあっさりと行くはずがない」とコンプレイン。「あんたは〈めざめ〉のすべてを〈居住区〉で快適に過ごしてきた。外がどうなってるのか知らないんだ。〈主通廊〉は狩人にはかなりよく知られている。でも、それは行き止まりだ。まともな通廊ならどこかへ行くはずなのに」

「そのいい方は単純だが、おぬしのいうとおりだ、ロイ」と司祭が同意した。「だが、それが行き止まりになっている理由を、わしはこの〝見る物〟のなかに見つけた。〈主通廊〉にそって、各デッキのあいだに、非常用ドアがあったのだ。デッキのそれぞれの円は、多かれすくなかれ自給自足できるよう作られておる。危難の時期にみずからを切り離し、住民がそれでも生きのびられるようにするために」

彼は一連の複雑な図面をめくった。

「いくらわしでも、このすべてを理解するふりはできん。だが、非常事態が、たとえば火事かなにかが起きて、それ以来〈主通廊〉のドアが閉まったままなのは歴然としておる」

「だから——ポニックをべつにすれば——どこかへ行くのがこれほどむずかしいのか」とファーモアーがつけ加えた。「堂々めぐりするしかないからな。われわれがしなければならないのは、まだ開いている補助的な連絡路を見つけて、それを抜けて進むことだ。つまり、ひたすらまっすぐ進むかわりに、絶えずまわり道をしなければならない」

「それならそうしてもらおう」と司祭がそっけなくいった。「おぬしらはえらく頭が切れるようだから、これ以上は四の五のいわずに出発するとしよう。その背嚢を背負ってくれ、ファーモアー。さあ、ぐずぐずするな！」

彼らはおとなしくのろのろと歩きだした。個室の外側では〈死道〉が待っていた。気が進まない場所だった。

「司令室にたどり着くためには、〈前部〉の領域を通らなければなりませんね」とコンプレインがいった。

「怖いのか？」とワンテージがせせら笑う。

「ああ、〈割れ目顔〉、怖いよ」

ワンテージは顔をそむけた。はらわたが煮えくりかえったが、考えることが多すぎて喧嘩をする気になれなかったのだ。あだ名で呼ばれたというのに。

一行は無言で繁みを抜けていった。足どりは遅く、体力を消耗した。自分の縄張りにいる狩人ひとりなら、壁ぎわにそって歩くことで、ポニックを切らずにそのあいだをじりじりと進めるだろう。一列縦隊で移動している彼らは、この方法があまり魅力的ではないことに気づいた。枝がしなり、うしろを歩く男を鞭のようにたたくことが多いからだ。間隔を広げれば、この事態は避けられたが、共通の気持ちとして、彼らはできるだけかたまっていようとしていた。小さな隊の先頭か最後尾のどちらかで無防備になるのは、神経にこたえるのだ。壁ぎわを歩くことには、べつの障害もあった。そこにはキチン質のポニックの種子がひときわ厚く積もっており――はじき飛ばされて、この障壁にぶつかったあと、そこに落下したのだ――踏まれると、バリバリと騒々しい音をたてるのである。経験を積んだ狩人の目を持つコンプレインには、種子が豊富なのは、あたりに野生動物があまりいないしるしだった。種子は犬にとっても豚にとってもご馳走なのだ。

わずらわしい蠅がいっこうに減らないのもたしかだった。蠅は旅人たちの耳のまわりで果てしなく羽音をたてていた。先頭のロフリーが手斧をポニックに向けてふるうとき、しばしば頭の近くで手斧をふりまわした。このいらだちの種をとりのぞこうという危険な試みなのだった。

デッキとデッキとをつなぐ最初の補助的な連絡路に行きあたったとき、それははっきりと見分けられた。側面の短い通廊に設けられており、一ヤード離れた二枚の金属ドアから成っていた。それぞれが通廊を封鎖できるが、いまは遍在する緑の繁みのせいで開きっぱなしになっている。片方のドアの前に「六十一番デッキ」という言葉が書かれており、もう片方のドアのうしろに「六十番デッキ」と書かれていた。マラッパーはこれを見て満足げにうなり声をあげたが、暑すぎて、それ以上はなにもいわなかった。コンプレインは以前、狩猟中にこういう連絡路に出くわしたことがあり、似たような文字列を見たことがあったが、そのときは意味など考えなかった。いま彼は、これまでに得た知識を動いている船という概念に統合しようとした。ところが、その観念はまだ新しすぎて、受け入れられなかった。

六十番デッキでほかの人間に出会った。

ファーモアーが先頭で、ポニックを切り払いながら禁欲的に進んでいたときだった。一同はドアの開いている階層にやってきた。開いているドアは、つねに危険を意味するが、敷居をまたがなければはじまらないので、一同は寄り集まり、ひとかたまりになって通過した。これまでのところ、こういうときはなにごとも起きなかった。今回は、ひとりの老女に出くわした。

彼女は一糸もまとわずに床に横たわっていた。ロープでつながれた羊がその横で眠っていた。一行とは反対側を見ていたので、その左耳がよく見えた。なにか異様な疫病のせいなのかスポンジのようにふくらんでおり、頭蓋から突きだすようにして、脂っぽい灰色の蓬髪を押しのけていた。この奇形の組織は、顔の青白さとは対照的に、はっとするようなピンク色をしていた。

彼女がゆっくりと首をめぐらせ、フクロウのように目を見開いて彼らを見すえた。表情を変えずに、くぐもった声で叫びはじめる。彼女がそうするのを見ながら、右耳は正常だとコンプレインは気づいた。

羊が目をさまし、ぎょっとしてメエメエ鳴きながら、ロープの届くかぎり遠くまで逃げていった。

五人組が立ち去る暇もなく、その騒ぎで奥の個室からふたりの男が出てきた。彼らはやって来ると、悲鳴をあげている女のうしろに身がまえて立った。

「この連中なら無害だ！」ファーモアーが安堵のにじむ声でいった。

たしかにそれは明らかだった。ふたりとも老人で、ひとりは体がふたつ折りに近くなるほど背中が曲がっており、まもなく〈長い旅〉に出ることはまちがいない。もうひとりは痛々しいほど痩せ細っていて、片腕がない。そのむかし、ナイフの闘いで切りとられたことは一目瞭然だ。

「こいつらを殺すべきだ」と顔の半分をいきなり輝かせてワンテージ。「とりわけ、その怪物じみた婆を」

これを聞いて、女は悲鳴を止め、口早にいった。

「おまえの分かれた自我に拡張を、おまえの目に疫病を、わたしらに触れれば、わたしらにかかった呪いが、おまえたちに降りかかる」

「あなたの耳に拡張を、奥さん」と不機嫌そうにマラッパー。「行くぞ、英雄たち、ここに長居は無用だ。もっと乱暴な何者かが、彼女の気ちがいじみた絶叫を調べに来ないうちに出発だ」

一行は繁みのなかへ引きかえした。部屋のなかの三人は、身じろぎもせずに、そのうしろ姿を見送った。彼らは〈死道〉部族最後の生き残りであっても不思議はなかった。もっとありそうなのは、荒野で細々と暮らしを営んでいる逃亡者だということだ。

それ以降、ほかのミュータントや隠者のしるしが見つかった。ポニックは頻繁に踏み倒されており、結果的に道ははかどった。しかし、四方を見張りつづけるという精神的な緊張は高まった。もっとも、じっさいにはいちども誰何されなかったが。

つぎのデッキとデッキとをつなぐ補助的な連絡路に行きあたると、それは閉じていた。受け口にぴったりとはまりこんだ鋼鉄のドアは、五人がかりであけようとしても、びくともしない。

「あける方法が絶対にあるにちがいない」と腹立たしげにロフリー。

「あのろくでもない〝見る物〟を調べるよう司祭にいえ」とワンテージが応じた。

「おれさまは、ここにすわって、なにかを腹に入れるから」

マラッパーは進みたがったが、ほかの三人はワンテージに同意し、一行は無言で食事をとった。

「全部のドアがこんなふうに閉まっているデッキに着いたら、どうなるんです?」とコンプレインが知りたがった。

「そんなことは起こらん」とマラッパーがきっぱりといった。「さもなければ、〈前部〉のことはまったく耳にはいっておらんはずだ。道はあるにちがいない――おそらく一本以上――その地域に通じている道が。べつの階層に移動して、そこで試せばいいだけの話だ」

五十九番デッキへの道がようやく見つかり、そのつぎはさいわいすぐに五十八番への道が見つかった。そのときには、遅い時間になりかけていた。暗い〈眠りとめざめ〉がすぐそこまで迫ってきている。ふたたび彼らは不安をつのらせていた。

「だれか気づいたことはないか?」とコンプレインがだしぬけに訊いた。彼はいまふたたび列の先頭に立っており、文字どおり汗と樹液(ミルテックス)まみれだった。「ポニックの種類が変わってきている」

気のせいではなかった。弾力のある茎が肉厚になり、反発力が減っていた。葉は数が減っているように思え、蠟を塗ったような緑の花がふえているのは歴然としていた。足もとにも変化があった。粒土はおおむねしっかりしており、高度に組織化された根が縦横に張りめぐらされて、水分を残らず吸いあげるようになっているのだ。いまや歩く道はやわらかくなり、土壌は黒っぽく、湿り気があった。

進めば進むほど、この傾向は顕著になった。まもなく、一行は水をはねかしながら泥道を進んでいた。トマトの木を通り過ぎ、特定できないべつの果実をつける木を通り過ぎる。ほかに何種類かの植物が、明らかに弱っているポニックのあいだに点在していた。なじみのないこの変化に彼らの憂慮はつのった。にもかかわらず、マラッパーが停止の声をかけた。休む場所がすぐに見つからなかったら、暗闇に追いつかれてしまうからだ。

一行は、何者かがすでに侵入したことのある側面の部屋に押し入った。重い材質の巻物がうずたかく積みあがっていた。巻物は、複雑な模様でおおわれているように見える。ファーモアーの電灯の探るような光線が、蛾の大群を追いたてた。鈍いバサバサという音をたてて、蛾が織物から舞いあがった。模様に見えたものは消えうせ、深くかじられて穴だらけになった、くしゃくしゃの織物が残った。蛾は部屋のなかをぐるぐるまわるか、男たちを通りこして通廊へ出ていくかだった。砂嵐のなかへ歩いていくかのようだった。

大きな蛾が顔めがけて飛んできたので、コンプレインはよけた。ほんの一瞬、あとで思いだすことになる奇妙な感覚が彼を襲った。蛾は耳のわきを飛び過ぎたのに、頭のなかへまっすぐ飛びこんできたという幻覚めいた考えにとらわれたのだ。心のなかに蛾を大きく感じとれるように思えた。と、つぎの瞬間、その感覚は消え失せた。

「ここではよく眠れそうにない」と彼は嫌悪のにじむ声でいい、先頭に立って沼地のような通廊を進んだ。

開いているつぎのドアを抜けると、キャンプを張るのに理想的な場所が見つかった。そこはなんらかの工場だった。ベンチや旋盤をはじめとする、彼らには興味のない機械仕掛けでいっぱいの大きな部屋である。蛇口から水がとぎれとぎれに流れだし、いったんあけると、元にもどせなかった。水は流しにポタポタとしたたった。行き着く先は、一同の立っているデッキの下、どこかで作動している巨大な再生処理機だろう。疲れきった彼らは顔を洗い、水を飲み、食料を口にした。食事が終わるころ、暗闇が降りてきた。四回に一回の〈眠りとめざめ〉に訪れる自然の暗闇が。

祈りを求める者はおらず、司祭も自分から祈りはしなかった。疲れているうえに、ほかの者たちを悩ませているのと同じ考えで頭がいっぱいだったのだ。自分たちは三つのデッキを踏破しただけだった。自分たちと〈司令室〉とのあいだには、長い距離が横たわっている。はじめて、マラッパーは悟りつつあった——見取り図がどれほど助けてくれるにしろ、船の本当の大きさを示してはいないことを。

貴重な時計がコンプレインに渡された。大きな針が一周したら、ファーモアーを起こす手はずだった。狩人は、ほかの者たちがベンチの下で手足を広げ、眠りに落ちるのを羨ましげに見まもった。しばらくのあいだ意地を張って立っていたが、とうとう疲労に負けて、すわるしかなくなった。心は百の疑問のまわりを活発にめぐっていたが、やがてその心も疲れ果てた。彼はベンチに背中をあずけてすわり、閉じたドアに目をこらした。ドアにはめこまれた丸い曇りガラスの向こうには、通廊のほの暗い表示灯が光っていた。この円は彼の前でどんどん大きくなるようだった。ゆらゆらと揺らめき、ぐるぐるまわった。コンプレインは目を閉じた。

はっと目をさますと、不安が胸にふくれあがった。ドアはいま大きく開いていた。通廊では、光源の大半が消えたせいで、ポニックがみるみる枯れつつあった。てっぺんは曲がってしまい、腰の曲がった老人が一列になって毛布の下でひざまずいているかのように、おたがいに寄りかかっている。アーン・ロフリーが部屋のなかにいなかった。

コンプレインはデーザーを抜いて立ちあがり、戸口へ行って耳をすました。なにかがロフリーをさらったというのは、およそありそうにないことだった。もみ合いになって、ほかの者たちの目をさましたはずだ。とすれば、自分から出ていったことになる。しかし、なぜ？　通廊でなにかの音がしたのだろうか？

たしかに遠くで音がしていた。水が流れる音のように野太い音が。聞けば聞くほど、大きくなるように思えた。眠っている三人の仲間をちらっとふり返り、コンプレインは音をたどるためにそっと抜けだした。司祭を起こして、居眠りをしていたと説明するよりは、この危険な行動のほうがわずかにましに思えたのだ。

通廊へ出ると、用心深く電灯をつけ、泥にしるされたロフリーの足跡を探しあてた。この階層の探検していない側へのびている。いまは、繁みが中央へ向かってたわみ、壁から離れているおかげで歩きやすくなっていた。コンプレインはゆっくりと移動した。明かりを見せないようにして、いつでも撃てるようにデーザーをかまえたまま。

ある通廊の交差点で立ち止まり、液体の音に導かれる形でまた歩きだした。ポニックはしだいに消えていき、かわりにデッキが現れた。土壌が水流に洗われて、むきだしになっているのだ。水流がブーツを洗ったが、コンプレインは水しぶきをあげないように注意して歩いた。これは彼にとって新しい経験だった。行く手に明かりが灯っていた。近づくにつれ、それが二枚のガラス・ドアの向こうにある広大な部屋のなかで輝いているのがわかってきた。そのドアに着くと、足を止めた。ドアの上に「水泳プール」という標識があり、なんのことかわからないまま、彼はそれを口にだしていってみた。ドアごしにのぞくと、上へのびる短い階段が見えた。登りきったところに柱が並んでいる。一本の柱の裏に人影があった。

コンプレインは即座に首を引っこめた。男が動かなかったので、姿を見られずにすんだのだと結論づけ、もういちど視線を向ける。その人物がべつの方向に目をこらしているのがわかった。その人影はロフリーのようだった。おそるおそる、コンプレインはガラス・ドアの片方をあけた。波が脚を洗った。水は階段を流れくだり、それを滝に変えていた。

「ロフリー！」デーザーをその人物に向けたまま、コンプレインは声をはりあげた。彼の発した三つの音節は、思いがけず大きくひびき、真っ暗な洞窟を何度もこだました。その音はあらゆるものを洗い流した。そして大きな水音をたてている、うつろな静寂だけが残った。

「だれだ、そこにいるのは？」その人物がささやき声で誰何した。

恐怖を押し殺して、コンプレインはなんとか自分の名前をささやき返した。男が手招きした。コンプレインはその場でじっとしていた。やがて、もういちど呼ばれて、ゆっくりと階段を登った。もうひとりのいる段まで来ると、たしかに鑑定人だとわかった。

ロフリーが彼の腕をつかんだ。

「眠っていたな、このまぬけ！」とコンプレインの耳もとでささやく。

コンプレインは無言でうなずいた。またこだまが生じるのを恐れたのだ。

ロフリーはその話題を打ち切った。口をきかずに、前方を指さす。相手の顔に浮かぶ表情にとまどいながら、コンプレインは示された場所に目をやった。

これほど大きな空間は、ふたりともはじめてだった。照明といったら、左手に灯っている一本の管だけ。部屋は暗闇のなかへ果てしなくのびているように思えた。床は水の膜であり、その上でさざ波がゆっくりと外側へ向かって移動していた。光のもとで、水は金属のように輝いていた。そのなめらかな広がりは突き当たりで断ち切れていた。そこには管から成る構築物が立っており、さまざまな高さで板を水上に突きだしているのだ。水の両側には、かろうじて影と見分けがつく掘っ立て小屋が並んでいる。

「美しい!」とロフリーが小声でいった。「美しくないか?」

コンプレインは驚きのあまり、まじまじと彼を見た。「美しい」という言葉にはエロティックな意味があり、とりわけ欲望をそそる女にしか用いられないのだ。それでも、特別な言葉を選ばなければならない光景がここにあることはわかった。彼は視線を水にもどした。それは完全に彼らの経験の埒外にあった。これまで水は、蛇口からしたたるか、ホースから噴きだすか、台所用品の底にたまるものでしかなかったのだ。これだけの量がなんのためにいるのだろう、と彼は漠然と疑問に思った。不気味で、ありえないその景色にはもうひとつの性質もあり、ロフリーが述べようとしているのはそちらだった。

「これがなにか知っているぞ」ロフリーはつぶやいた。まるで催眠術にかかったかのように、彼は水を見つめていた。いつもの顔のしわが消え、面立ちが変わっていた。「鑑定のために運ばれてきた古い書物のなかでこれについて読んだことがある。意味のない夢のようなたわごとだった、いままでは」いったん言葉を切ってから、引用する。「『そのとき死者は二度と起きあがらず、最長の川すらも、めぐりめぐって海へたどりつく』（スウィンバーンの詩の不正確な引用）これが海だ、コンプレイン。われわれは海に行きあたったんだ。わたしはたびたび海について読んできた。わたしにいわせれば、ここが船のなかだというマラッパーの説がまちがっている証拠だ。ここは地下都市のなかなんだ」

そういわれても、コンプレインにはたいして意味がなかった。彼はものごとのラベル貼りに興味はなかった。彼の心を動かしたのは、いままで気がかりだった疑問が氷解したことだった。つまり、ロフリーが楽な暮らしを捨てて司祭の無謀な遠征についてきた理由である。この男にもコンプレイン自身の理由とよく似た理由があるのだ、とようやくわかったのだ。ずっと知らずにいた、名づけることのできないものへの憧れ。この点に関しては、ロフリーと絆を感じるかわりに、前にましてこの男に用心しなければならない、とコンプレインは決意した。もし似たような目的が両者にあるのなら、衝突の度合いは高まるのだから。

「なんでここへきた？」貪欲なこだまを避けるために、声をひそめたまま彼はたずねた。

「おまえがいびきをかいているあいだに目がさめた。そうしたら、通廊に声が聞こえたんだ」とロフリーが答えた。「曇りガラスごしに、ふたりの人間が通り過ぎるのが見えた——もっとも、人間にしては大きすぎた。そいつらは巨人族だったんだ！」

「巨人族だって！　巨人族だった。巨人族は死に絶えたんだ、ロフリー」

「あれは巨人族だった。いいか、身の丈が優に七フィートはあったんだ。頭が窓ぎわを通るのが見えた」ロフリーの目のなかに、不安だが、魅惑的なその記憶が宿っていた。

「で、そいつらのあとをつけたのか？」とコンプレイン。

「そうだ。あとをつけて、ここまできた」

これを聞いて、コンプレインはあらためて暗がりに視線を走らせた。

「ぼくを怖がらそうとしてるのか？」

「あとを追ってこいと頼んだわけじゃない。なぜ巨人族を恐れる？　どれほど背丈があろうと、人間ならデーザーでやっつけられる」

「もどったほうがいい、ロフリー。ここに立っていても仕方がない。おまけに、ぼくは見張りについていることになってる」

「なにをいまさら」とロフリー。「あとでマラッパーをここへ連れてきて、海をどう考えるかたしかめよう。行く前に、あそこにあるなにかをちょっと見てくる。あそこで巨人族が姿を消したんだ」

彼は掘っ立て小屋のかたわらに近い一点を指さした。そこでは正方形の囲いが、水面から四インチほど上に突きだしていた。その上にぶらさがっているたったひとつの明かりは、そこに光を投げるために巨人族が一時的に立てたもののように見えた。

「あの囲いの内側に跳ねあげ戸がある」とロフリーが小声でいった。「巨人族はあそこを降りていって、戸を閉めたんだ。さあ、見にいくぞ」

コンプレインには愚行のきわみに思えたが、あえて批判はせずに、「わかった、ほかのだれかが来るといけないから、暗がりから出ないようにしよう」とだけいった。

「海は足首までの深さしかない」とロフリー。「足は濡れるが心配は無用だ」

彼は奇妙に興奮しているようだった。子供のように。そして子供の無邪気さで危険をかえりみないかのように。にもかかわらず、コンプレインにいわれたとおり、壁のそばから離れなかった。ふたりは武器をかまえ、前後に並んで海のへりを歩いていった。そして保護の囲いの内側で乾いている跳ねあげ戸までやってきた。

連れに顔で合図して、ロフリーはかがみこみ、ハッチをゆっくりと持ちあげた。開口部から淡い光が流れだしした。鉄梯子が、配管だらけの縦穴の奥へのびているのが見えた。作業着姿の人物がふたり、縦穴の底で音もなく働いていた。ヴァルブをいじっているのだ。ハッチが開くや否や、頭上の部屋で流れている水の音が拡大されて聞こえたにちがいない。というのも、そのふたりが顔をあげて、仰天のあまりロフリーとコンプレインをまじまじと見たからだ。まちがいなく巨人族だった。途方もなく背が高く、体に厚みがあり、顔は浅黒い。

たちまちロフリーの意気がくじけた。彼はハッチをたたき閉めると、向きを変えて逃げだした。コンプレインが水をはね散らしながら、そのすぐあとを追う。つぎの瞬間、ロフリーの姿が消えた。水に呑まれたのだ。コンプレインは思わず立ち止まった。足もと、海面の下に、黒っぽい井戸の縁が見えた。井戸のなか、一ヤード離れたところに、ロフリーが浮かびあがってきた。水をかいたり、叫んだりしている。暗闇のなかで、その顔は激しい興奮でゆがんでいた。コンプレインはできるだけ身を乗りだして、そちらに手をのばした。相手は必死にその手をつかもうとし、もがいたあと、ふたたび沸きたつ泡のなかに沈んだ。広大な洞窟に、耳を聾する騒音がひびきわたった。

またしても姿を現したとき、ロフリーは足場を見つけており、水中に胸まで浸かって立っていた。息をあえがせ、悪態をつきながら、前進してコンプレインの手をつかもうとする。それと同時に、跳ねあげ戸が勢いよく開いた。巨人族が出てこようとしているのだ。コンプレインは身をひるがえした。そのとき見えたのは、足を止め、耐水性のデーザーをつかんだロフリーと、頭上高くの天井にさざ波形の模様を描きだしている狂った光だった。狙いをつけずに、コンプレインは地下室から出てこようとした頭めがけて自分のデーザーを発射した。麻痺光線は大きくそれた。巨人が飛びかかってきて、コンプレインはパニックに襲われて武器をとり落とした。浅い水のなかで手探りしようと身をかがめたとき、ロフリーがその丸めた背中ごしに発砲した。彼の狙いはコンプレインよりも的確だった。

巨人がよろめき、水しぶきをあげて倒れたので、その音がこだました。あとでコンプレインに思いだせたかぎりでは、その怪物は丸腰だった。

ふたりめの巨人は武装していた。仲間の運命を目の当たりにして、彼は梯子の上でうずくまり、囲いを盾にして二発撃った。最初の一発がロフリーの顔に命中した。音をたてずに、彼は水中にすべり落ちた。

コンプレインは身を伏せ、水を蹴ってしぶきを散らしたが、射撃の名手には簡単な的だった。彼のこめかみが二発めを受けとめた。

彼は力なく前のめりになって水中にくずおれた。

巨人は縦穴から出てくると、断固たる態度で彼のほうへやってきた。

3

人間の新陳代謝の中心には生きる意志がある。このメカニズムは精緻をきわめるので、人生の早いうちに不運な経験をすれば、その内部に正反対の衝動、つまり死ぬ意志をかかえこむこともありえる。ふたつの動因が横並びでおとなしくしていれば、人はその存在に気づかないまま日々を過ごせるかもしれない。やがてその人が重大な危機に直面し、表面的な性格を一時的にはぎとられると、その決定的な二重性が本人の前にさらけだされ、彼は外なる敵と戦う暇もなく、立ち止まって内なる欠陥と格闘しなければならなくなる。

コンプレインの場合がそうだった。意識がもどったあと生まれてきたのは、無意識へ逃げこみたいという狂った欲望だけだった。しかし、無意識は彼を拒絶していた。まもなくこう促す声が生まれてきた——どんな窮地にはまりこんでいるにしろ、そこから必死になって脱出しなければならない、と。やがて脱出の衝動はふたたび感じなくなり、屈服して無に溶けこみたいという欲望だけになった。とはいえ、生きろという声は執拗にもどってきた。

彼は一瞬だけ目をあけた。薄闇のなかで仰向けになっていた。灰色の天井のようなものが、頭上わずか数インチのところにある。それは後方へ流れていた。あるいは、彼が前方へ移動しているかだ。どちらかわからなかったので、また目を閉じた。体の感覚が着実にふえていき、足首と手首が縛られているのだとわかった。

頭がズキズキした。悪臭が肺に行きわたっており、呼吸すると苦しかった。巨人にガス弾のようなもので撃たれたのだ、と彼は悟った。即効性だが、最終的には無害なガスなのだろう。

もういちど目をあける。天井はいまだに後方へ流れているように思えたが、全身が絶えず小刻みに震えるので、なんらかの動く乗り物に乗っているのだとわかった。見ているうちに、動きが止まった。ひとりの巨人がかたわらにぬっと姿を現すのが見えた。彼を撃って、つかまえた巨人なのだろう。半開きの目を通して、巨大な生き物が天井の低いこの場所で四つん這いになっているのが見えた。彼はいま天井を手探りし、スイッチのようなものをはじいた。すると天井の一部がさっと持ちあがった。

頭上から光と音――野太い声――が降ってきた。コンプレインはあとで知ることになるのだが、この間のびした、重々しい口調こそ、巨人族の典型的なしゃべり方だった。心がまえができないうちに、彼はつかまれ、乗り物から引きはなされ、開口部を抜けて無造作に上へと手渡された。大きな手が彼をしっかりとつかみ、ある部屋の壁ぎわへ乱暴とまではいえない動作で投げおろした。

た。

「彼が息を吹き返した」コンプレインにはろくに理解できない奇妙な訛りで声がいっ

この発言は彼を大いに心配させた。意識をとりもどした徴候を見せなかったつもりでいたからでもあり、ふたたびガスをかがされるかもしれないからでもあった。

べつの体が開口部ごしに手渡され、そのあとから最初の巨人が登ってきた。ひそひそ声で会話が交わされた。わずかに聞きとれた内容から、その体はロフリーに殺された巨人の死体だとコンプレインは推測した。もうひとりの巨人が、起きたことを説明していた。彼がほかのふたりと話していることが、じきに明らかになった。もっとも、コンプレインが横たわっているところからは、壁しか見えなかったが。

彼は頭をからっぽにして、悪臭を肺から吐きだそうとした。

べつの巨人が隣の部屋からはいってきて、命令を思わせる有無をいわせぬ口調でしゃべりはじめた。コンプレインをつかまえた巨人が、もういちど状況の説明をはじめたが、途中でさえぎられた。

「洪水は処理したのかね？」と新来者がたずねた。

「はい、ミスター・カーティス。錆びたヴァルブを新品と交換し、水を止めました。配水管の詰まりも掃除して、新しい管をとりつけました。作業を終えようとしていたちょうどそのとき、この〈寝ぼけ頭〉が現れたんです。いまごろプールはからっぽのはずです」

「わかった、ランドール」カーティスと呼びかけられた横柄な声がいった。「では、そのふたりのめまい族(ディジー)を追いかけた理由を聞かせてもらおうか」

すこし間があり、やがて相手が謝るようにいった。

「何人いるのかわからなかったんです。われわれにわかるかぎりでは、点検抗で待ち伏せされる可能性がありました。外へ出て、たしかめなければならなかったんです。ふたりしかいないと最初に気づいていれば、そのまま行かせてやったでしょう」

巨人族のしゃべり方があまりにも間のびしているので、聞き慣れない訛りにもかかわらず、コンプレインは苦労せずにその大半を理解できた。話の中身に関しては、さっぱりわからなかった。興味を失いかけていたとき、会話の話題が自分のことになり、にわかに興味が再燃した。

「自分が困った立場にあるのはわかっているね、ランドール」いかめしい声がいった。「規則は知っているだろう。つまり、軍法会議だ。わたしにいわせれば、正当防衛を証明するのはむずかしいだろう。とりわけ、もうひとりのめまい族が溺れ死んだとあっては」

「溺れ死にはしませんでした。水から引きあげて、そのうち回復するように、閉じた点検用ハッチの上に置いてきました」と不機嫌そうな声でランドール。

「その問題はわきに置いて——きみがここへ連れてきた個体をどうするつもりだね？」

「あそこに置き去りにしたら、溺れ死んでいたでしょう」

「なぜここへ連れてきた？」

「こいつをさっさと始末して、一件落着というわけにはいかないんですか、ミスター・カーティス？」巨人族のひとりが、カーティスがはいってきて以来はじめて口をきいた。

「問題外だ。犯罪的な規則違反だよ。おまけに、きみは血も涙もないかのように人を殺せるのかね？」

「こいつはただのめまい族ですよ、ミスター・カーティス」と、いいわけがましい声。

「社会復帰訓練を受けさせるわけにはいきませんか？」と自分の思いつきのすばらしさに感嘆している者の口調でランドールがいった。

「年をとりすぎているよ、きみ！　連中が子供しか受け入れないのは知っているだろう。なんでまた彼をここへ連れてこようなどと思ったんだね？」

「その、さっきも申しあげたように、あそこへ置き去りにはできませんでしたし、彼の仲間を引きあげたあと、わたしは——その、あそこはちょっと不気味で——なにか聞こえたと思ったんです。ですから——わたしといっしょに早く安全な場所へ移したわけです」

「きみがパニックを起こしたのは火を見るよりも明らかだ、ランドール」とカーティス。「ここに余分なめまい族は願い下げだ。きみは彼を送り返さなければならない。以上だ」その声はぶっきらぼうで、有無をいわせなかった。コンプレインはそれを聞いて勇気づけられた。送り返されるのなら願ったり叶ったりだ。巨人族をそれほど恐れることはない、と彼は悟った。巨人族のあいだにいると、彼らはのろますぎるし、悪意をいだくには気がやさしすぎるように思える。カーティスの態度は理解できないが、自分にとって都合がいいのはたしかだ。

コンプレインをもどせばどういう影響があるかについて、巨人族のあいだで議論になった。ランドールの友人たちは彼の味方について、命令する立場にある者、カーティスに対抗した。カーティスが癇癪を破裂させた。

「わかった」彼は嚙みつくようにいった。「オフィスにきたまえ、諸君、〈小犬〉に連絡して、上司の裁定を仰ごう」

「怖じ気づいたんですか、カーティス？」ほかの者たちのひとりが訊き、カーティスのあとについて――巨人族特有の、あの気の狂いそうになるほどゆっくりした動きで――べつの部屋にはいり、コンプレインには目もくれずドアをバタンと閉めた。コンプレインの脳裏にまず浮かんだのは、見張りもつけずに置いていくとは、なんと愚かな連中だろう。いまなら、来るときに通った床の穴を抜けて逃げられる、という思いだった。この思いこみは、体をころがそうとした瞬間に崩れ去った。筋肉を動かそうとしたとたん、鋭い痛みが走り、肺に行きわたった悪臭が固体に変わったように思えたのだ。彼はうめき声をもらして、仰向けになり、壁の湾曲に頭をあずけた。

巨人族が行ってしまったあと、コンプレインがひとりきりだったのは、つかのまにすぎなかった。膝のあたりからきしむ音が聞こえてきた。首をわずかにもたげると、壁のごく一部、大雑把にいって六インチ四方のギザギザの部分がするりとはずれるのが見えた。この穴から、悪夢めいた生き物が現れ出た。

全部で五体。ものすごい速さで飛びだしてきて、コンプレインの周囲をまわり、彼を飛び越えてから、稲妻のように穴へ報告しにもどった。これで安心したにちがいない。というのも、さらに三体の生き物がただちに視界へ飛びこんできて、背後の者たちを手招きしたからだ。そいつらはみんなネズミだった。

五匹の斥候は、棘（とげ）の生えた首輪をはめていた。小柄で痩せぎすだ。一匹は片目をなくしており、うつろな眼窩（がんか）のなかで、残っているほうの瞳孔の視線と連動して、軟骨がひくついていた。あとから現れた三匹については、一匹は漆黒で、リーダーであることは一目瞭然だった。そいつは直立しており、小さな藤色の手で宙をかいていた。

首輪ははめていないが、上半身に金属のかけら――指輪、ボタン、指ぬき、釘――の寄せ集めをまとっていた。どう見ても鎧がわりである。腰には円形の盾をつけ、小ぶりの剣のような道具を装着していた。そいつがけたたましい金切り声をあげると、五匹の斥候がふたたびコンプレインの周囲をまわった。脚にそって走り、彼の目に向かって一瞬にやりと笑いかけ、彼の首をめぐってつかみあい、彼の上着の上をずるずると這いまわる。

ネズミのリーダーを護衛する二匹は、絶えずうしろをふり返り、頬ひげをさっと動かしながら、そわそわと待っていた。そいつらは四つ足で立っており、マントのようなみすぼらしい布切れを背中にまとっているだけだった。

このあいだ、コンプレインはちぢみあがってばかりいた。ネズミには慣れていたものの、この連中の組織化されたところに心をかき乱されたのだ。それだけではない。この連中が彼の目をほじりだして食べることが大義に叶うと判断しても、身を守るすべはないと思いあたったのだ。

しかし、ネズミどもはご馳走探しをしているのではなかった。そこに後衛が姿を現した。さらに四匹の雄ネズミが、壁にあいた穴から息を切らして出てきたのだ。そいつらは小さな檻を引きずっており、ネズミのリーダーのかん高い命令のもと、コンプレインの顔の前まですばやくそれを引いてきた。おかげで彼は、その檻を調べたり、それが発散するにおいを吸いこんだりすることができた。

檻のなかの動物はネズミよりも大きかった。卵形をした頭のてっぺんに生えた毛から、二本の長い耳が飛びだしている。尻尾は白いふわふわした毛玉にすぎない。コンプレインがこの種（スピシーズ）の生き物を見るのははじめてだったが、〈居住区〉で年寄りの狩人に話を聞いていたので正体がわかった。ウサギなのだ。自然ではネズミの餌になるので数がすくない。興味津々でウサギを見つめると、そいつはそわそわと彼を見つめかえした。

ウサギが引きずられて来るあいだ、最初の五匹の斥候は内側のドアのわきに散らばり、巨人族の帰還にそなえて見張りについた。リーダーのネズミは檻のほうへ早足で進んだ。ウサギがあとずさりしようとしたが、四本の脚を牢獄の格子にロープでつながれていた。リーダーのネズミは円形盾に装着した剣に向けて頭をひょいと下げ、小さな鋭い刃を二本の前歯にくわえて、また背すじをのばした。ウサギの首のほうに、そのちっぽけな剣を盛んにふりまわす。

この威嚇を終えると、そいつは刃物を鞘にしまい、身ぶりをまじえながら、檻とコンプレインの顔とのあいだを勢いよく往復した。どうしろといわれているのか、ウサギにはわかったにちがいない。コンプレインはとまどい顔でウサギを見つめた。そいつの瞳孔がふくらんだように見え、彼は軽い不快感をおぼえて内心でひるんだ。その感覚は消えなかった。水たまりが丸石を迂回して慎重に進むように、その感覚が頭脳のまわりを浸した。彼は頭をふろうとしたが、不気味な感覚は消えるどころか強まった。それはやみくもになにかを探していた。ちょうど瀕死の男が暗い部屋を歩きまわり、照明のスイッチを手探りするように。コンプレインは汗びっしょりになり、歯ぎしりしりしながら、内心でそのけものじみた接触をはねつけようとした。やがて、そいつが正しい進入路を見つけだした。

彼の精神は、尋問を受けてすさまじい叫びの形に開いた。

なぜ——

だれが——

なにを——

いかにして——

するか——

できるか——

するつもりがあるか——

コンプレインは苦悶のあまり絶叫した。

即座に、切れぎれのたわごとがやみ、形のない尋問が中止された。斥候のネズミたちが持ち場から跳びのき、そいつらと四匹の奴隷監督ネズミが囚われのウサギを旋回させ、檻を壁のなかへあわててもどした。そいつらを荒々しく急かしながら、ネズミのリーダーが護衛たちとともにあとを追った。つぎの瞬間、壁の一部がそいつらの背後でバタンと閉まった――間一髪だった。というのも、ひとりの巨人が部屋に飛びこんできて、絶叫の原因を見つけようとしたからだ。

彼は足でコンプレインをころがした。コンプレインはなすすべもなく彼を見あげ、口をきこうとした。

安心したのか、巨人は隣の部屋へドタドタともどった。こんどは連絡ドアをあけっぱなしにしておく。

「めまい族が頭痛を起こしたんです」と彼は知らせた。

コンプレインには彼らの声が聞こえた。なんらかの機械に話しかけているような口ぶりだった。しかし、彼はネズミとの試練で頭がいっぱいだった。狂人が彼の頭のなかで一瞬とはいえ生きていたのだ！〈教え〉は、彼の精神が不浄な場所だと警告する。フロイト、ユング、ベーシットから成る神聖な三位一体だけが、死の兄弟である眠りという恐ろしい障壁を通過した。そこで彼らは見つけたのだ。眠りとは――人間がそれまで信じていたような無ではなく――食屍鬼と邪悪な財宝、蛭、酸のようにただれる情欲でいっぱいの洞窟と地下迷宮であると。人間はみずからにさらけだした

――かぎりなく複雑で恐ろしい生き物であることを。この充満する瘴気(しょうき)をできるだけ多く表面へ逃がすのが、〈教え〉の目的である。しかし、〈教え〉がじゅうぶんでないとしたら？

〈教え〉は意識と無意識について寓意的に語る。本物の〈無意識〉、人間の精神を乗っとれる存在があるとしたら？　三位一体はぬるぬるした通廊のすべてを歩いたのだろうか？　彼の内部で絶叫した狂人は、この〈無意識〉だったのだろうか？

そのとき、単純だが信じがたい答えが出た。檻に入れられていた生き物が、その精神を彼の精神と接触させたのだ。あの矢継ぎ早の質問を思いかえせば、それがあの動物からきたものであり、自分自身の頭の内側にいる恐るべき怪物からきたものではないことがわかる。試練はただちに耐えられるものとなった。ウサギなら撃ち殺せるのだから。

〈居住区〉の真の哲学とどう折りあいをつけるかは無視して、コンプレインはその問題を頭から追い払った。

彼はじっと横たわって休みながら、しつこい悪臭を肺から吐きだそうとした。まもなく巨人族がもどってきた。

コンプレインをつかまえたランドールという男が、四の五のいわずに彼を抱きあげ、床の跳ねあげ戸をあけた。彼らの議論は、カーティスのいい分が通る形で決着がついたらしかった。ランドールは荷物といっしょに天井の低いトンネルへもどった。コンプレインを乗り物にのせ、物音からすると、自分も捕虜の頭のうしろに乗りこんだ。

頭上の巨人族に軽くひと声をかけると、彼はエンジンを始動させた。交差する配管、電線、チューブで区切られている灰色の天井が、ふたたび頭上を流れはじめる。

とうとう乗り物が止まった。天井を手探りした巨人が指で押すと、頭上が正方形に開いた。コンプレインは穴から引きだされ、数ヤード運ばれてドアを抜け、降ろされた。〈死道〉にもどっていた。狩人にすれば、そのにおいは嗅ぎまちがいようがない。巨人は言葉もなく彼の上にそびえていた。影のなかの影。やがて姿を消した。

ほの暗い〈眠りとめざめ〉の暗闇が、母親の腕のようにコンプレインを抱擁した。故郷へもどったのだ。ここでの危険なら、向きあうための訓練を積んでいる。彼は眠った。

ネズミの幽霊軍団が群がってきて、彼を押さえこんだ。ウサギがやってきた。そいつは彼の頭のなかにはいりこみ、頭脳という長い迷路を這いまわった。

コンプレインはうめき声をあげながら目をさました。夢の穢らわしさに屈辱をおぼえて。まだ暗かった。ガス弾の引き起こした手足のこわばりがほぐれており、肺はきれいになっていた。注意深く、彼は立ちあがった。

電灯を手でおおい、か細いうえにもか細い光しかもれないようにして、コンプレインはドアまで移動し、外の暗黒に目をやった。視線の届くかぎり、深淵が眼前に果てしなくのびていた。するりとドアを抜け、右側を手探りしていくと、一列に並ぶドアが見つかった。もういちど明かりを使うと、足もとに湿った、むきだしのタイルが見えた。それで自分の居場所がわかった。耳にひびくうつろな感じが、それをますます確実にした。ロフリーが海と呼んだものまで、巨人は彼を連れもどしたのだ。

居場所がわかったので、コンプレインは用心深く明かりを大きくした。海そのものは消え失せていた。彼はロフリーが落下した縦穴のへりまで歩いた。縦穴はからっぽで、ほとんど乾いていた。ロフリーも消えていた。縦穴の壁は血の色をした錆の花綱できらめいていた。温かい空気のなかで、縦穴の床はみるみる乾きつつあった。

コンプレインは向きを変え、凶暴なこだまが生じないように用心しながら、部屋から出た。めざす先はマラッパーのキャンプだ。足もとの地面はまだ湿気をふくんでおり、軽くビシャビシャと音をたてた。昨シーズンのポニックが積もった腐植土がたわみ、そっと足をなでる。やがてキャンプのドアに行きあたった。勢いこんで口笛を吹く。だれが見張りについているのだろう。マラッパーだろうか？　ワンテージだろうか？　ファーモアーだろうか？　愛情といえそうな気持ちをこめて、コンプレインは彼らのことを思った。〈居住区〉の古い格言を裏返しにしてひとりごちる――「知らない悪魔よりは知っている悪魔のほうがまし」と。

彼の合図に答えはなかった。緊張を解かずに、彼は部屋に押し入った。もぬけのからだった。三人は行ってしまったのだ。コンプレインは〈死道〉にひとりきりだった。

そのとき自制心がへし折れた。あまりにもひどい目にあってきたのだ。巨人族、ネズミ、ウサギにならなら耐えられる——だが、〈死道〉の厄介な孤独は無理だ。彼は部屋のなかで暴れまわった。木っ端を投げあげ、蹴り、悪態をつき、通廊に出て、咆哮し、ののしり、どろどろの腐葉土をかき分けて進み、吼え猛り、罰あたりな言葉を吐き散らした。

体が背後からぶつかってきた。コンプレインは繁みのなかで大の字になり、狂ったように体をまわして、襲ってきた者に組みつこうとした。手が彼の口にかぶさって、しっかりとふさいだ。

「黙れ、この茶色い腹をした男女め！」と耳もとでうなり声。

彼はもがくのをやめた。光が彼に向けられ、三人の人物が彼のほうにかがみこんだ。

「てっきり——はぐれたと思ったんだ！」とコンプレイン。不意に、彼は泣きだした。反動で子供にもどったのだ。肩が上下し、涙が頬を伝い落ちた。

マラッパーがその顔に思いきり平手打ちをくらわせた。

4

一行は旅をつづけた。いかめしい顔で、ポニックを切り開いたり、押しのけたりしながら。明かりが灯っておらず、ポニックが生えていない暗黒の領域をおそるおそる通りぬけた。ドアが壊され、通廊にはガラクタがうずたかく積みあがっている、徹底的に略奪された地域を通過した。出会う生命は臆病で、叶うならば彼らを避けた。ここにはごくわずかな生き物しか棲んでいなかった――迷い山羊、気の触れた隠者。ワンテージが手を打ち鳴らすと逃げていった、哀れを誘う亜人間の一団。ここは〈死道〉であり、記録のない沈黙の時代からつづく虚ろなものをはらんでいた。〈居住区〉は旅人たちのはるか後方に去り、忘れられた。彼らの輝かしい目的地さえ忘れられた。彼らの体力を絶えず削る現在が、ありったけの注意を要求したからである。

デッキ間の補助的な連絡を見つけるのは、マラッパーの見取り図という助けがあっても、つねに簡単というわけではなかった。昇降機用の縦穴はしばしばふさがれており、階層は行き止まりだと判明することもたびたびだった。しかし、彼らはすこしずつ前進していった。五十番台のデッキ、ついで四十番台のデッキを通過し、〈居住区〉を発ってから八度めの〈めざめ〉に、二十九番デッキに行きあたった。

いまでは、ロイ・コンプレインも〈船〉理論を信じはじめていた。新たな方向づけは気づかないうちに徹底的に行われていた。これには、知能あるネズミが大いにあずかっていた。巨人族につかまったことを仲間たちに話したとき、コンプレインはネズミとの一件を省略した。その現実離れしたエピソードが話の説得力を削ぎ、マラッパーとワンテージの嘲りを誘うだろうと本能的にわかったのだ。しかし、いまはあの恐ろしい生き物のことを考えてばかりだった。ネズミが人間のように仲間の生き物――ウサギ――を手ひどくあつかうことが、ネズミの生と人間の生の相似を強調していた。ネズミは周囲の性質などおかまいなしに、生きのびられるところで生きのびる。コンプレインには、いままでの自分も同じだったとしかいえなかった。

マラッパーはあまり口をはさまず、巨人族の話に聞きいった。いちど「それなら、連中は船長の居所を知っているのか？」といった。

彼がとりわけ聞きたがったのは、巨人族が交わした会話のくわしい内容だった。「カーティス」と「ランドール」という名前を何度もくり返した。まるで呪文を唱えるかのように。

「彼らが話しにいった、その小犬とは何者だ？」とマラッパーはたずねた。

「名前だと思います」とコンプレイン。「本物の小犬ではなく」

「いったいなんの名前だ？」

「わかりません。半分しか意識がなかったんですよ」じっさい、考えれば考えるほど、話されていた言葉の内容がはっきりしなくなった。あのときでさえ、あの出来事はふだんの経験の埒外にあり、自分でさえ信じがたかったのだ。

「べつの巨人の名前だろうか、それとも、ものの名前だろうか？」司祭は答えを迫り、コンプレインの耳たぶを引っぱった。まるでそうやって事実を絞りとろうとするかのように。

「わからないんです、マラッパー。思いだせません。〝小犬〟と話すといっただけでした——たぶん」

マラッパーが執拗にいいたてるので、四人は「水泳プール」という標識のある広間を調べた。海があったところである。いまは完全に干あがっていた。ロフリーは影も形もなかった。鑑定人はコンプレインと同じようにガス弾の効果から回復するだろう、と巨人族のひとりがいっていたことを思えば、釈然としなかった。彼らは捜索し、呼びかけたが、ロフリーは姿を見せなかった。

「いまごろ、あいつの口ひげはミュータントの寝棚の上にぶらさがっているのさ」とワンテージがいった。「さあ、進もう！」

巨人族の部屋へ通じていそうなハッチは見つけられなかった。コンプレインとロフリーが最初にふたりの巨人族を目にした点検抗をおおう鋼鉄の蓋は、いちども開かれたことがないかのように、びくともしなかった。司祭はコンプレインに疑いのまなざしを向け、その問題はそのまま置き去りにされた。ワンテージの助言を容れて、一行は先へ進んだ。

この一件でコンプレインの評価はかなり下がった。機を見るに敏なワンテージは、副官の地位を不動のものとした。彼はマラッパーにしたがい、ファーモアーとコンプレインが彼にしたがうのだ。すくなくとも、序列に関しては見かけ上の平和が生まれた。

張りつめた沈黙のなか、果てしなくつづくデッキの環をひたすら進むうちに、コンプレインがより思慮深く、自足した人間に変わったとすれば、司祭の性格もまた変化した。饒舌は消え失せ、そこから生まれる活気も消えた。みずからに課した任務の重大さをついに心から悟って、意志のすべてを重圧に耐えることに向けるしかなくなったのだ。

「ここでもめごとがあった——そのむかし、もめごとが」旅路の途中、ある場所で彼はいうと、壁に寄りかかり、行く手にある二十九番デッキの中層を見つめた。ほかの者たちは彼にならって立ち止まった。繁みは彼らの前に数ヤードしかのびておらず、そのあとは植物の生えない暗闇がはじまっていた。光のない原因は一目瞭然だった。〈居住区〉にはない種類の古代の武器が、通廊の天井と壁に穴をうがっていたのだ。

重いキャビネットらしきものが天井を突き破っており、近くのドアは受け口からもぎとられていた。数ヤード四方にわたって、いたるところに奇妙なあばたがあった。爆発の力によるものだろう。

「とにかく、しばらくは忌々しい繁みから解放される」と電灯を引っぱりだしながらワンテージ。「行こう、マラッパー」

司祭はその場で壁に寄りかかったまま、人さし指と親指で鼻をつまんだ。

「わしらは〈前部人〉の縄張りに近づいているにちがいない。電灯をつければ、居場所を知られてしまうかもしれん。それが心配だ」

「暗闇のなかを歩きたけりゃ、そうするといい」とワンテージがいい返した。彼は前進し、ファーモアーもそうした。ひとこともいわずに、マラッパーを通りこして、コンプレインもふたりにならった。ぶつぶついいながら、司祭がそのすぐあとにつづく。彼の面目は丸つぶれだった。

暗がりのへりに近づくと、ワンテージが電灯をつけ、前方を探った。そのとき、奇妙なことが起きはじめた。コンプレインがまず気づいたのは、ポニックの状態が自然の法則に反していることだった。彼の目はそういう事態に気づくよう訓練されていた。ふつうなら、それらは光のない通路のほうへ行くほど先細りになり、ひねこびるのだが、ここでは異様なほどひょろひょろしていて、その茎はみずからの重みを支えられないかのようにしおれて見えた。そして頭上の輝きがあるところから、ふつうよりもずっと遠くまでのびていた。

そのとき、足の裏が地面を踏まなくなった。

すでにワンテージは、前方でもがいていた。ファーモアーは足を高くあげるおかしな歩き方になっていた。コンプレインは奇妙な無力感をおぼえた。体の精密なギアがはずされてしまったのだ——まるで水中を歩こうとしているかのようだ。それなのに、説明のつかない浮遊感があった。頭がくらくらした。耳のなかで血が吼えた。マラッパーが驚きのあまり大声をあげたかと思うと、彼の背中にぶつかってきた。つぎの瞬間、コンプレインはファーモアーの右肩を越える長い弾道に乗っていた。進みながら体をひねり、尻から壁にぶつかる。地面がゆっくりとせりあがってきて彼を出迎え、両腕を広げた彼は胸で着地して、大の字になった。めまいに襲われたまま暗闇の奥に目をやると、まだ電灯を握っているワンテージが、さらにゆっくりと降りてくるのが見えた。

その反対側では、マラッパーがカバのようにもがいていた。目は飛びだし、口は声をださずに開いたり閉じたりしている。司祭の腕をとると、ファーモアーが器用に彼を裏返し、安全な領域へ押しもどした。それからファーモアーは、そのずんぐりした体を丸め、ワンテージを助けに暗闇のなかへ飛びこんだ。ワンテージは床の近くで声

を殺して悪態をついていた。壁を利用して勢いを殺したファーモアーが、彼をつかみ、

踵（かかと）を突きだして勢いをつけると、反動でふわりと浮かびあがった。酔っ払いのように

ふらふらしているワンテージを安定させる。

この離れ業に感心したコンプレインは、ここに理想の移動法があるのを即座に見ぬ

いた。通廊でなにが起きたにしろ——いまだに呼吸はできたが空気が変化したような

気がなんとなくした——跳躍をつづければ、すばやく進んでいくことができる。慎重

に立ちあがり、電灯をつけると、彼は前方へおそるおそるジャンプした。

驚きの叫びが、ガランとした通廊に大きくこだました。とっさに手を上へのばした

おかげで、かろうじて頭を天井にぶつけずにすんだ。その動作で彼はくるりと一回転

したので、最後には仰向けに着地した。めまいがした。なにもかもがうまくいかない。

にもかかわらず、通廊を十ヤード進んでいた。緑を背景に円筒形の光につつまれてい

るほかの三人が遠くに見えた。コンプレインの脳裏に、オズバート・バーガスのとり

とめのない思い出話がよみがえった。コンプレインがうわごとだと誤解した真実のな

かで、彼はなんといっただろう？「足が手に変わり、虫みたいに空中を泳ぐ場所」だ。

とすると、あの老ガイドはこんな遠くまできていたのだ！　自分たちと〈居住区〉と

のあいだに横たわる、うんざりするようなトンネルの長さを思って、コンプレインは

驚嘆した。

　彼はあわてて立ちあがり、またしても一回転した。だしぬけに、彼は嘔吐した。吐いたものは空中で前へただよい、たくさんの球になると、彼がほかの三人のもとへ引きかえそうとぶざまにもがくあいだ、その周囲ではね散った。

「船はおかしくなってしまった！」とマラッパーがいっていた。

「なんであんたの地図にこれがのってないんだ？」と怒気をはらんだ声でワンテージ。

「そんなもん、おれはいっぺんだって信用しなかったがな」

「無重力状態は、地図が作られたあとに生じたにちがいない。脳みそがあるなら、使っても罰は当たらないぞ」とファーモアーがぴしゃりといった。この彼らしくない爆発は、ひょっとしたら、つぎの言葉にこめられた懸念で説明がつくかもしれない。

「いまの騒ぎで、すべての〈前部人〉が追跡にかかったと考えるべきだ。すぐにここから引きかえしたほうがいい」

「引きかえすだって！」コンプレインが大声をあげた。「引きかえすわけにはいかない！　つぎのデッキへの道があそこにあるんだ。この壊れたドアのひとつを抜けて、通廊と平行の状態を保って部屋を抜けていくだけでいい」

「いったいどうやってそうするんだ？」とワンテージ。「壁に穴をあけられるものでもあるのか？」

「試すことしかできない。そして連絡ドアがあるのを祈るしか」とコンプレイン。

「ボブ・ファーモアーのいうとおりだ――ここにいるのは狂気の沙汰だ。行こう!」

「たしかにそうだ。しかし、ここを見ろ――」とマラッパーがいいかけた。

「もう、〈旅〉に出ちまえ!」コンプレインは怒鳴った。いちばん近くにあるゆがんだドアを勢いよく開き、飛びこむ。ファーモアーがすぐあとにつづいた。ちらっと視線を交わして、マラッパーとワンテージも部屋にはいった。

さいわいにも、大きな部屋を選んだことになった。明かりはまだついており、植物が繁茂していた。コンプレインはそれを乱暴に切り開き、通廊と隣あった壁から離れないようにした。進むにつれ、またしても軽さが彼らをつつんだが、ここではその効果が薄いうえに、ポニックのおかげで体を安定させられた。

一行は壁に裂け目のある階層へやってきた。ワンテージがギザギザの金属ごしに通廊をのぞき見た。遠くで円形の光が点滅していた。

「つけられている」と彼はいった。四人は不安げに顔を見あわせ、いっせいにまた進みはじめた。

金属のカウンターが道をふさいでいた。いまではその上でポニックが繁りに繁っている。一行はそれを迂回するしかなく、そのためには部屋の中心に向かうしかなかった。ここは――巨人族の時代には――食堂のたぐいだったらしい。円筒形のスチール椅子にはさまれた長いテーブルが床一面をおおっていた。いまは、悠然と生長する植物の力で、ポニックが家具にからみついて腰の高さまで持ちあげていたので、進行を阻む障壁となっていた。進めば進むほど、妨害がきつくなった。壁にもどるのは不可能だと思われた。

　悪夢のなかにいるかのように、一行は椅子とテーブルのあいだを通りぬけた。葉むらから土ぼこりのように舞いあがり、顔にとまるブヨのせいで視界はなかばふさがれていた。藪は深まるばかりだった。ポニックの群落が、みずからに課した重圧のせいで丸ごと崩壊し、腐ってぬるぬるのかたまりとなっており、その上にまた植物が生えていた。胴枯れ病が発生していた。さわるとねばねばする青い菌類は、じきに一行のナイフの切れ味を鈍らせた。

　汗をかき、荒い息をしながら、コンプレインは隣でナイフをふるっているワンテージに視線を走らせた。その男の顔のいいほうの側は大きく腫れあがり、目をふさいでいるも同然だった。彼は鼻水を垂らし、ぶつぶつとひとりごとをいっていた。コンプレインの視線をとらえて、抑揚をつけずにののしりはじめた。

　コンプレインはなにもいわなかった。暑すぎたし、気がかりが多すぎたのだ。

　一行は疫病でまだらになったポニックの壁を抜けていった。道ははかどらなかったが、とうとう部屋の端にたどり着いた。どちらの端だろう？　方向感覚はすっかり失われていた。マラッパーは、なめらかな壁に背中をあずけてすぐさま腰を降ろし、ポニックの種子のあいだにどっかりとすわりこんだ。疲れ果てたといいたげに額をぬぐう。

「ずいぶん遠くまできた」と彼はあえぎ声でいった。

「ええ、これ以上遠くへは行けないでしょうね」と嚙みつくようにコンプレイン。

「なにもかもがわしの考えだったのではないことを忘れるなよ、ロイ」

コンプレインは深呼吸した。空気は汚れていた。肺がブヨでおおわれるという、おぞましい幻が脳裏に浮かんだ。

「ドアに行きあたるまで、壁にそって進めばいいだけの話です。ここのほうが楽に進めますよ」と彼はいった。それから、決意とは裏腹に、司祭のかたわらにすわりこんだ。

ワンテージがくしゃみをはじめた。

くしゃみのたびに体をふたつ折りにする。顔のめちゃくちゃな側も、いいほうと同じくらい腫れていた。現在の窮境が、彼の不具を完全に隠していた。七度めのくしゃみと同時に、すべての光が消えた。

たちまち、コンプレインは立ちあがり、電灯でワンテージの顔を照らした。

「くしゃみを止めろ！」彼はうなり声でいった。「静かにしないと」

「その電灯を消せ！」とファーモアーがぴしゃりといった。

彼らは迷いながら無言で立っていた。心臓が喉から飛びだしそうだ。その熱気のなかで立っているのは、ゼリーのなかで立っているようなものだった。

「ただの偶然の一致かもしれん」とマラッパーが心もとなげにいった。「前に一区画の照明が故障したのを憶えておる」

「〈前部人〉ですよ――追いかけてきてるんだ！」とコンプレインがささやき声でいう。

「いちばん近くのドアまで壁にそって静かに進むだけでいい」とファーモアーが、先ほどのコンプレインの言葉をほぼそのままくり返した。

「静かにだって？」コンプレインがせせら笑った。「すぐに聞かれるはずだ。じっとしているのがいちばんいい。デーザーをかまえろ――たぶん連中は忍び寄ろうとしているんだ」

そういうわけで彼らは汗をかきながら立っていた。彼らのまわりで夜の空気は、クジラの腹のなかにでもいるように熱い吐息となった。

「〈連禱〉を唱えてくれ、司祭」とワンテージがせがんだ。その声は震えていた。

「いまはだめだ、あきらめろ」と、うなり声でファーモアー。

「〈連禱〉を！〈連禱〉を唱えてくれ！」ワンテージがくり返した。

司祭がドサッと膝をつく音がした。ワンテージが、息苦しい薄闇のなかで息をあえがせながら、それにならった。

「すわれ、このろくでなしども！」彼は声をひそめていった。

マラッパーが〈一般的信仰〉を単調に唱えはじめた。むなしさがこみあげてきて、コンプレインは思った。〈この袋小路に追いつめられたというのに、司祭は祈っている。なんでこんな男を行動の男と誤解したんだろう〉。彼はデーザーをなで、夜の闇に向けて耳をそばだて、うわの空で唱和に加わった。彼らの声は高くなり、低くなった。終わるころには、全員の気分がすこしだけよくなっていた。

「……そして病んだ衝動を放出することで、内なる葛藤より解放されるやもしれぬ」

と司祭が抑揚をつけていう。

「されば心身を純粋に保って生きられんよう」と三人が応じる。

「かくて、この不自然な生が〈旅路の終わり〉まで届けられるやもしれぬ」

「そして正気が広まった」

「そして船は帰港した」司祭が最後の言葉を唱えた。

彼はべとべとした暗闇のなかで三人それぞれのまわりを這った。みずからの儀式で自信をとりもどし、彼らと握手して、彼らの自我の拡張を祈った。コンプレインは司祭を乱暴に押しのけた。

「この窮地を脱するまで、そいつはなしです。ここから出る算段をつけなくちゃいけません。静かに行けば、近づいてくる者がいても音でわかります」

「だめだ、ロイ」とマラッパー。「ここにとどまるのだ。わしは疲れた」

「あなたが追い求めていた権力を忘れたんですか？」

「ここにすわろう！」と司祭が懇願した。「ポニックが群がりすぎておる」

「きみはどう思う、ファーモアー？」とコンプレインはたずねた。

「耳をすませ！」

彼らは一心に耳をすました。ポニックがザワザワいった。光がないのでしおれ、いまにも枯れようとしているのだ。ブヨが彼らの頭の周囲を飛びまわった。ちっぽけな空気は騒音で震動していたものの、呼吸不能に近かった。病にかかった植物の壁が、その向こうにある健康な植物の放出する酸素を遮断しているからだ。

ぞっとするほど唐突に、ワンテージが発狂した。彼はファーモアーに飛びかかり、ファーモアーは悲鳴をあげてひっくり返った。ふたりは腐植土のなかでころげまわり、死にもの狂いでもみ合った。コンプレインは声をたてずに、ふたりの上に身を投げた。ワンテージの筋張った体が、ファーモアーの太い胴体にのっているのが感触でわかった。ファーモアーは、喉にまわされた手を必死にふりほどこうとしていた。

コンプレインはワンテージの肩をつかんで引きはなした。ワンテージが強烈なパンチをくりだし、狙いがそれると、デーザーに手をのばした。彼はデーザーを持ちあげようとしたが、コンプレインがその手首をつかんだ。乱暴にねじりあげ、ワンテージをじわじわ後退させてから、顎をめがけてこぶしをくりだす。暗闇のなかで、その一撃は的をはずし、かわりにワンテージの胸に当たった。ワンテージは悲鳴をあげて身をもぎ離すと、両腕を無茶苦茶にふりまわした。

コンプレインがもういちど彼をなぐった。こんどは顎に命中した。ワンテージはへなへなとなり、たたらを踏んでポニックの奥へ後退すると、ばったりと倒れた。

「助かったよ」とファーモアー。そういうのが精いっぱいだった。

全員が叫んでしまっていた。いまは全員が黙りこみ、また耳をすませていた。ポニックのざわめきだけ。生まれてからつきものだった騒音、〈長い旅〉に出るときまでつづく騒音だけだった。

コンプレインは片手をのばしてファーモアーに触れた。ファーモアーはガタガタ震えていた。

「あの気ちがいにデーザーを使うべきだったな」とコンプレイン。

「手からはじき飛ばされたんだ」とファーモアーは答えた。「これであのしろものを腐植土のなかになくしてしまった」

彼はかがみこみ、ポニックの茎と樹液（ミルテックス）から成るどろどろしたもののなかを手探りした。

司祭もかがみこんでいた。電灯をつける。それをコンプレインが即座に彼の手からはじき飛ばした。司祭は、かすかにうめいているワンテージを見つけ、そのかたわらに片膝をついた。

「こういうふうになる者をたくさん見てきた」と、ささやき声でマラッパー。「だが、正気と狂気との境界は、哀れなワンテージにはいつも狭かった。これは、わしら司祭が超閉所恐怖症と呼ぶ症例だ。どうやら、ある程度はだれにでもあるらしい。グリーン一族では多くの者の死因になっておる。もっとも、これほど激しくなるわけではないがな。大部分は電灯のようにパチンと消えるだけだ」彼は指を鳴らしてみせた。

「病歴なんかどうでもいいだろう、司祭」とファーモアー。「いったいぜんたい、こいつをどうすればいいんだ？」

「置き去りにしよう」とコンプレイン。

「わしにとって、この症例がどれほど興味深いのかわからんのか」と司祭がとがめるようにいった。「わしはワンテージを小さな子供だったころから知っておる。いま彼は、ここ、暗闇のなかで死のうとしておる。人間の一生を丸ごと見られるとは、すばらしいと同時に人を謙虚にさせることだ。芸術作品が完成し、作曲が完結する。人は〈長い旅〉に出るが、ほかの人間の心に経歴を遺していく。

ワンテージが生まれたとき、母親は〈死道〉の繁みに住んでおった。自分の部族から追放されたのだ。その女は不義密通を犯し、関係した男のひとりが彼女に同行して、彼女のために狩りをした。彼女は悪い女だった。男は狩りのさいちゅうに命を落とした。繁みのなかではひとりで暮らせなかったので、彼女はわしらの〈居住区〉に避難所を求めた。

そのときワンテージはよちよち歩きの赤子だった――ひどい障害のある小柄な子供だった。母親は――根無し草の女がしばしばそうするように――衛士のひとりの愛人となり、息子が思春期に達する前に、酔っ払いの喧嘩で命を落とした」

「その話でだれかの気が休まると思うのか？」とファーモアーがたずねた。

「恐れのなかに拡張はなし。われらの生は借り物にすぎない」とマラッパー。「哀れな同志の生きざまを見よ。えてしてそうなるように、彼の終わりははじまりと共鳴しておる。輪がひとめぐりしてからはずれるのだ。子供のころ、ワンテージはほかの少年たちからのいじめを耐えるしかなかった――母親が悪人ゆえの嘲り、顔ゆえの嘲り。彼はふたつの災難をひとつの災難とみなすようになった。それで顔の悪い側は壁に向けて歩き、母親の思い出はわざと忘れたのだ。しかし、繁みのなかにもどって、幼いころの記憶がよみがえった。彼はその女、母親の恥に困惑させられた。暗闇と不安に対する幼児期の恐怖に呑みこまれたのだ」

「具体例をあげて、ためになる教訓話をするのはそこまでです」とコンプレインが重々しい口調でいった。「お忘れかもしれませんが、マラッパー、ワンテージは死んでいません。まだ生きていて、ぼくらにとって危険なんです」

「わしがこれからとどめを刺す」とマラッパー。「おぬしの電灯をちょっとのあいだつけてくれ、暗くしてな。彼を豚のように泣きわめかせたくない」

慎重にかがんだコンプレインは、頭蓋への血流がふえると同時に、頭が割れるような痛みと闘った。ワンテージとまったく同じことをしたいという衝動が生まれた。理性という不愉快なものを投げだし、待ち伏せる藪のなかへやみくもに絶叫しながら突進したいという衝動だ。その直後、彼はこの危険な時間にさいして、司祭に盲目的に服従する自分に疑問をいだいた。というのも、マラッパーが決まりきった司祭の仕事に注意を向けることで、この危機からなんらかの精神的避難所を見つけたのは明らかだったからだ。ワンテージの子供時代を持ちだしたことは、自分自身の衝動をカモフラージュするためだったのだ。

「またくしゃみが出そうだ」と地面のワンテージが落ちついた声でいった。知らぬ間に意識を回復していたのだ。

コンプレインの指の隙間からもれる細い光を浴びて、かろうじて彼の顔だとわかる。ふだんは青白く痩せている顔が、いまは腫れあがり、血だらけになっている。満腹した吸血鬼の仮面であっても不思議はない。目が熱っぽくなく、死を宿して冷え冷えとしていたのなら。そしてコンプレインの電灯の光が当たったとたん、ワンテージは跳ね起きた。

不意をつかれたコンプレインは、正面攻撃を受けて後退した。しかし、腕と脚をふりまわすワンテージは、邪魔者をさがらせるために立ち止まっただけだった。つぎの瞬間、繁みをかき分けて去っていった。大きな音をたてながら小さな一隊から遠ざかっていく。

マラッパーの電灯がつき、青葉を照らし、遠のいていくワンテージの背中をぼんやりと照らしだした。

「そいつを消せ、この頭のいかれた司祭め！」とファーモアーが怒鳴った。

「デーザーであいつを仕留める」とマラッパーが叫ぶ。

しかし、そうはならなかった。ワンテージは繁みに飛びこんだが、わずかに進んだところで足を止め、さっとふり返ったのだ。彼のたてる奇妙な口笛のような音が、コンプレインの耳にはっきりと届いた。一瞬、なにもかもが静止した。つぎの瞬間、ワンテージがふたたび口笛のような音をたて、マラッパーの電灯の光のなかへよろよろともどってきた。つまずき、くずおれると、四つん這いになって彼らのほうへ進もうとした。

マラッパーから二ヤードのところで、彼は仰向けになり、ひくついて、動かなくなった。うつろな目が、みぞおちから突きだしている矢を信じられないといいたげに見つめていた。

一行がまだその体を呆けたように眺めていたとき、〈前部〉の武装した衛士たちが暗がりからすべり出て、彼らの前に立ちふさがった。

第三部　〈前部〉

1

〈前部〉はロイ・コンプレインがこれまで目にしたどの領域とも似ていなかった。〈船尾階段〉の壮麗さ、〈居住区〉の心地よい汚さ、〈死道〉のおぞましい荒れ果て具合、巨人族につかまった不気味な海の絶景さえ――〈前部〉の異なり方に対する心がまえにはならなかった。ファーモアーとマラッパーと同様に、手をうしろで縛られていたものの、彼の狩人の目は、小さな一隊がキャンプへはいっていくあいだ、活発に働いていた。

〈前部〉と、ただれたような〈死道〉の村々との根本的なちがいのひとつが、まもなく明らかになった。グリーン一族やその同類がつねにゆっくりと移動しているのに対し、〈前部〉はしっかりと固定しており、その境界は定まっていて変化しないのだ。それは偶然ではなく組織化の結果のように見えた。コンプレインの思い描く〈前部〉は、つねに曖昧模糊としていた。彼の心のなかで、それは恐ろしい場所として想像されていたが、曖昧模糊としているから余計に恐ろしく感じていたのだ。いまはそれが村よりもはるかに大きいとわかった。それ自体がひとつの領域といえそうだった。

障壁そのものが、〈居住区〉のやっつけ仕事とはちがっていた。斥候隊が無造作にポニックをかき分けていくと、まずどっしりしたカーテンに行きあたった。小さな鈴をいっぱいつけたそれは、わきへ引くとリンリンと鳴った。カーテンの向こうには通廊地区があった。汚く、傷だらけだが、ポニックは生えておらず、机と寝棚から成るバリケードで終わっていた。そのうしろに弓矢をかまえた〈前部〉の見張りが立っていた。

たくさんの挨拶と呼びかけのあと、斥候隊――男四人と女ふたりから成っていた――はこの最後のバリケードの通過を許された。その向こうにまたべつのカーテンがあった。こんどは目の細かい網だった。〈死道〉の災いのひとつ、これまではどこにでもいたブヨは、それを抜けてはこられないのだ。その向こうに〈前部〉の本体があった。

コンプレインにとって、なにより信じられない特徴は、ポニックの姿がないことだった。もちろん、〈居住区〉の内部では、藪は切り開かれるか踏みつぶされる。しかし、伐採しても一時的にすぎないとわかっているので、身を入れてやる者はいない。古い根がデッキをおおったままということもしばしばだ。そして空気に染みこんでいる甘酸っぱい樹液（ミルテックス）のにおいから、男たちが使う干した竿、子供たちが遊ぶキチン質の種子にいたるまで、あたりにはつねにポニックのしるしがある。

ここでは、ポニックは一掃されていた。まるで存在したことがなかったかのように。

それにくっついていた砂利や土も完全にとりのぞかれていた。堅いデッキの上に根が刻んだ模様のような浸食の跡さえ削りとられていた。もはや貪欲な緑の葉むらを通らずにすむ光は、怖いもの知らずに輝いていた。いたるところが見たこともない様相だった——あまりにも堅く、むきだしで、なにより、あまりにも幾何学的だ——そのため、これらのドア、通廊、デッキが独立した王国ではなく、じつは、もっとみすぼらしいよその同類の延長線上にあるものにすぎないとコンプレインが完全に理解するまで、しばらく時間がかかった。外見が目新しすぎて、〈居住区〉の配置とぴたりと一致することに気づかなかったのだ。

三人の捕虜は小さな監房に追いこまれた。装備はすべてとりあげられ、手の縛めはほどかれた。ドアがバタンと閉まった。

「おお、意識よ！」マラッパーがうめき声をあげた。「哀れで罪のない司祭が閉じこめられるには、ここはつらいものがある。汚いミルテックス吸いの群れめ、フロイトよ、やつらの魂を腐らせたまえ！」

「すくなくとも、ワンテージの葬式をあんたにさせてくれるさ」と髪からゴミをつまもうとしながらファーモアーがいった。

ほかのふたりは興味深げに彼を見た。

「たしかに、それぐらいはさせてくれるだろう」とマラッパー。「あいつらは、すくなくとも人間だ。が、だからといって、あの連中がつぎの食事をする前に、わしらの腸（はらわた）を首に巻きつけんとはいいきれん」

「せめてデーザーを没収されなかったら……」とコンプレイン。デーザーだけではなく、背嚢や持ち物すべてが没収されていた。彼は小さな部屋をうろうろと歩きまわった。〈居住区〉の多くの個室と同様に、これといった特徴はなかった。ドアのわきの壁には、ふたつの壊れたダイアルが設置されており、べつの壁には寝棚がとりつけられている。天井の鉄格子がわずかな空気の流れを生んでいる。武器として使えそうなものはない。

衛士がもどって来るまで、三人は不安に満ちた忍耐を強いられた。しばらくのあいだ、沈黙を破るのは、司祭の腹がゴロゴロと鳴る不穏な音だけだった。やがて三人ともそわそわしはじめた。

マラッパーはこびりついた汚れをマントから落とそうとした。ドアが開いて、戸口にふたりの男が姿を現したとき、上の空でマントの手入れをしていた司祭は、勢いこんで顔をあげると、乱暴にファーモアーを押しのけ、彼らのところまで大股に歩いていった。

「わしをおぬしらの中尉のところへ連れていけ。おぬしらの自我に拡張を」と彼はいった。「できるだけ早く彼に会うことが肝要だ。わしは待たされるような男ではない」

「三人ともいっしょに連れていく」と、ふたり組の片割れがきっぱりといった。「そういう命令だ」

賢明にもマラッパーは、即座にしたがうのが得策だと見てとった。もっとも三人が通廊へだされるあいだ、憤然と抗議を休みなしにつづけていたが。彼らは〈前部〉のさらに奥へ連れていかれた。途中でじろじろとこちらを見る数人の傍観者とすれちがった。この人々がこちらを怒りの目で見つめるのにコンプレインは気がついた。ある中年の女は「野良犬ども、あたしのフランクを殺したね！　こんどはおまえたちが殺される番だ」と声をはりあげた。

危険のにおいで感覚をほどよく刺激されたコンプレインは、道中の細々とした点をひとつ残らず心に刻みこんだ。〈死道〉を通じてそうだったように、マラッパーが〈主通廊〉と呼んだものが、ここではデッキごとにふさがれていた。そのため湾曲する通廊にそってまわりこみ、デッキ間ドアを抜ける迂回路をたどった。結果として、さらに前へ進むためには、ライフルを離れた弾丸がとるような直線コースではなく、銃身に刻まれた施条（ライフリング）をなぞるようなきつい螺旋コースをとることになった。

この方法で彼らはふたつのデッキを踏破した。デッキ間ドアに刷りこまれた「二十二番デッキ」という標識を目にして、コンプレインは軽い驚きを味わった。それは、彼らの旅路を区切ってきた終わりのないように思えるデッキ番号のすべてとつながっていた。そして、〈前部〉の反対側で〈死道〉がふたたびはじまっていないかぎり、〈前部〉そのものが二十四のデッキを占めていることを暗に意味するのだ。

コンプレインにはとうてい信じられなかった。これまでどれほど多くの信じがたいことが、じっさいにそうだと証明されたことか――それを無理やり思いださなければならなかった。しかし――一番デッキの向こうにはなにがあるのだろう？　彼に思い描けるのは、母親のマイラがほかの暗闇の大きな広がり――そこでは奇妙なランタンが灯っている――と呼んだものの奥へ生長していく巨大なポニックの繁みだけだった。証拠となる印刷物という裏づけを得た司祭の〈船〉理論さえ、子供のころから知っていたそのイメージを払拭する力はなかった。ある種の喜びをもって、彼はふたつの理論を天秤にかけた。手に触れることのできないものを考えて、居心地悪さ以外のなにかを感じたのは、生まれてはじめてだった。彼はグリーン一族の思考を限定する干からびた殻を急速に脱ぎ捨てようとしているのだった。

コンプレインの内心での独白は衛士たちにさえぎられた。彼らはいまコンプレインをファーモアーと司祭とともに大きな個室へ押しこみ、自分たちもなかにはいってドアを閉めた。ほかにふたりの衛士が、すでに部屋のなかにいた。

ふたつの変わった特徴のおかげで、その部屋はコンプレインのはいったことのあるほかのどの部屋とも区別できた。ひとつはあざやかな花をつけた植物で、まるでなにか目的があるかのように平鉢に植えられている——もっとも、どんな目的なのかは、狩人には推測もつかなかったが。もうひとつの変わった特徴は若い女だった。彼女はデスクの向こうに立って彼らを見つめていた。こざっぱりした灰色の制服をまとい、両手を休めるようにわきに垂らしている。髪はまっすぐで、器用に首に巻きつけてある。その髪は黒く、目は灰色。顔は痩せぎすで、青白く、思いつめているかのよう。頰から口にかけてのととのった曲線が、あるメッセージをたたえており、コンプレインはそのメッセージをどうしても理解したくなった。若く、額は秀でていたものの、彼女のあたえる印象は、美しさというよりは優雅さだった——彼女の顎に視線を落とすまでは。そこには繊細だが、まぎれもない警告が浮かんでいた。この若い女を知りすぎると不愉快なことになるかもしれない、と。

彼女は捕虜をひとりずつ順番に見ていった。

彼女と目が合ったとき、コンプレインは奇妙なおののきをおぼえた。そしてファーモアーの態度がこわばったせいで、彼もまた彼女に惹かれたのだとわかった。〈居住区〉の厳格なタブーに触れるそのじかに向けられた視線が、そのおののきをますます心乱すものにした。

「じゃあ、おまえたちがグレッグの手下のごろつきなのね」とうとう彼女がいった。

三人を目の当たりにしたいま、明らかにもう彼らを見ようとしなかった。こぎれいな顔を上向け、壁のまだらをしげしげと見る。「ようやくおまえたちの何人かをつかまえられてよかった。おまえたちのせいで、立てなくてもいい腹をずいぶんと立ててきた。これからおまえたちは拷問者に渡される。おまえたちから情報を絞りとらなければならない。それとも、いまここで自分から白状したいか？」

その声は冷ややかで超然としていた。誇り高い者が罪人に用いる口調である。この種の人間にとって、拷問が当然の消毒法であることを暗示していた。

ファーモアーが口を開いた。

「あなたを親切な女性と見こんで頼みます、拷問は勘弁してください！」

「親切にすることは、わたしの仕事でも意図でもない」と彼女は答えた。「わたしの性別についていえば――おまえたちの知ったことではない。わたしの名前はヴィアン審問官。〈前部〉へ連れてこられた捕虜をひとり残らず取り調べ、しゃべりたがらない者を拷問にまわす。おまえたちごろつきには、とりわけ拷問がふさわしい。おまえたちのリーダー本人にどうしたら行きつけるかを知らなければならないのだ」

マラッパーは両手を大きく広げた。

「わしから引きだせるのは、そのリーダーとやらについて、わしらがなにも知らんということぐらいだな」と彼はいった。「そやつに仕えているごろつきとやらについてもだ。わしら三人はだれの仲間でもない。わしらの部族はデッキをたくさんへだてたところにおる。卑しい司祭として、わしはおぬしに嘘はいわん」

「卑しいだと？」小さな顎を突きだして彼女がたずねた。「〈前部〉のあれほど近くでなにをしていた？　わたしたちの境界が危険なのを知らないのか？」

「〈前部〉にあれほど近いとは理解しておらんかったのだ」と司祭。「ポニックが密生しておった。わしらは、はるばるやってきたのだ」

「正確にはどこからきた？」

これを皮切りに、ヴィアン審問官は矢継ぎ早の質問を彼らに浴びせた。マラッパーはへつらい気味に、うれしくなさそうに答えた。脱線は許されなかった。しゃべるにしろ、耳をかたむけるにしろ、灰色ずくめの女は、彼らからわずかに目をそらしていた。三人は彼女の前ではりきって芸をする三頭の犬も同然だった。それほど彼女は超然として、三人を人間あつかいしなかったのだ。ふたりの沈黙した人物と三人めのマラッパー——仲間よりわずかに前に立ち、身ぶり手ぶりし、抗議し、脚を踏みかえている——は、彼女にとって解決を待っている問題における無作為な要素にすぎなかった。

尋問の方向でじきに明らかになった——はじめ三人が略奪団のメンバーだと信じていた彼女が、最後にはそれを疑うようになったことが。ほかにも——どのようなものかわからないが——問題がさし迫るたびに、略奪団は近くの基地から〈前部〉へ攻撃を仕掛けてきているらしかった。

三人組が期待したような掘りだしものではないとわかると、ヴィアンは当然ながら失望し、態度はますます冷ややかになった。氷が厚くなればなるほど、マラッパーは饒舌になった。この冷徹な若い女があっさりと指を鳴らし、自分を〈長い旅〉に送りだす場面を、簡単に火のつく彼の奔放な想像力が描きだしたのだ。とうとう彼は踏みだして、彼女のデスクに片手をそっと置いた。

「あんたに理解できんのは、お嬢さん」と、もったいぶった口調でいう。「こういうことだ——わしらはありきたりな捕虜ではない。おぬしらの斥候隊の待ち伏せにあったとき、わしらは大事な知らせをたずさえて〈前部〉へ向かっておるところだった」

「そうなのか?」彼女は勝ち誇って眉毛を吊りあげた。「ついさっきおまえはいった、自分はどこことも知らない村からきた卑しい司祭だ、と。この矛盾にはうんざりさせられる」

「知識だ!」マラッパーがいった。「それがどこからきたかなぜ訊かん? 本気で警告するぞ、わしは価値のある人間だ、と」

ヴィアンは思わず口もとをゆがませ、冷淡な笑みを浮かべた。

「そうすると、なにか重大な情報をつかんでいるから、おまえたちの命を救うべきだというのだな。そういうことだな、司祭？」

「いっただろう、このわしがその知識を持っている、と」マラッパーは抜け目なく指摘し、頬をプッとふくらませた。「この哀れで無知な友人たちの命も助けてくれるというなら、もちろん、死ぬまで感謝するが」

「そうなのか？」はじめて、彼女はデスクの向こう側で腰を降ろした。口のまわりに一抹のユーモアが浮かんでおり、表情をやわらげていた。彼女はコンプレインを指さした。

「おまえは」という。「もしわたしたちの耳に入れる知識がないのなら、なにを提供できる？」

「ぼくは狩人だ」とコンプレイン。「この友人のファーモアーは農夫だ。知識がなくても、体力であんたたちの役に立てる」

ヴィアンはデスクの上で静かに手を重ねた。わざわざ彼に目をやりもせずに、

「おまえたちの司祭は正しい考えを持っているようだ。知性ならわたしたちを買収できる。筋肉ではできない。〈前部〉にはすでにありあまるほどの筋肉がある」

ファーモアーに目を向けて、

「そしておまえは、大男、自分を売りこむ言葉もないようだが。おまえはどんな贈り物をさしだせるのだ？」

ファーモアーは彼女をひたと見すえてから目を伏せた。

「頭が混乱したから、それを隠そうとして黙っていただけだ、お嬢さん」と彼は静かな口調でいった。「わたしたちの小さな部族には、どんな形にしろ、あなたと肩を並べられる女性はいなかった」

「その手のお世辞も賄賂にはならない」ヴィアンは口調を変えずにいった。「さて、司祭、おまえの情報が興味深いものであればいいが。それがなにか、教えてくれるな？」

マラッパーにすれば、ささやかな勝利の瞬間だった。彼はぼろぼろのマントの下に両手を突っこみ、きっぱりと首をふった。

「責任者のためにとっておく。残念だが、お嬢さん、あんたに託すわけにはいかん」

彼女が気を悪くしたようすはなかった。両手をデスクの天板の上でまったく動かさなかったのは、おそらく自信の表れなのだろう。

「ただちに上司を呼びにやる」と彼女はいった。衛士のひとりが送りだされた。彼が留守にしていたのはほんのわずかな間で、きびきびした中年の男を連れてもどってきた。

新来者はたちまち強い印象をあたえた。斜面を走る水路のように深いしわが顔に刻まれており、この浸食された外見の印象は、いまなお黄色い髪にまじる白髪によって強められていた。目はぎょろりとしており、口は独裁者を思わせる。彼はヴィアンにほほえみかけて攻撃的な表情をやわらげ、隅で彼女と小声で話しあい、彼女の言葉に耳をかたむけながら、ちらちらとマラッパーに視線を投げていた。

「突っ走ってみないか？」ファーモアーが声を殺してコンプレインにささやいた。

「ばかをいうな」コンプレインはささやき返した。「この部屋から出られるもんか。障壁の衛士の前を通れっこない」

ファーモアーはよく聞こえないことをつぶやいた。まるで自分ひとりで脱走を試みるかのように見えた。しかし、その瞬間、ヴィアンと話しあっていた男が踏みだして、口を開いた。

「きみたち三人にあるテストを実施したい」と彼はおだやかな口調でいった。「きみはすぐにここへ呼びもどされる、司祭。そのあいだ——衛士諸君、この捕虜たちを三番監房へ移してもらえるかな」

衛士たちは即座にいわれたとおりにした。ファーモアーの抗議にもかかわらず、三人は部屋から追いたてられ、通廊を二、三ヤード行っただけのところにあるべつの部屋へ追いこまれた。そしてドアが閉められた。マラッパーはきまり悪げだった。ふたりを犠牲にして自分だけ助かろうとした先ほどの試みで、いささか信用を失ったかもしれないと悟ったのだろう。彼はすぐさまふたりを慰めることで、自分の地位を回復しようとしはじめた。

「さあさあ、子供たちよ」両腕をふたりのほうにのばし、「聖典に述べられておるとおり、〈長い旅〉はつねにはじまっておる。この〈前部〉の民はわしらより文明が進んでおる。恐ろしい運命がわしらを待っているのは確実だろう。おぬしらのために、最後の儀式をとり行わせてくれ」

コンプレインは背中を向け、部屋の遠い隅へ行って腰を降ろした。ファーモアーも同じようにした。司祭はふたりについてきて、どっしりした尻ですわりこみ、両腕を膝にのせた。

「ぼくから離れてろ、司祭！」コンプレインはいった。「ほっといてくれ！」

「おぬしには根性がないのか、敬意はないのか？」司祭がたずねた。その声は冷えた糖蜜なみにねばついた。「最後のとき、〈教え〉がおぬしに平和をもたらしてくれると思わないのか？　おぬしは最後を迎えるさい、〈意識〉にまぜ合わされるにちがいない。なぜここで絶望の淵に沈んでおるのだ？　おぬしのみじめな冴えない人生を呪いから解き放つものはなんだ？　無造作に消してはならないほど貴重なものが、おぬしの心のなかのどこにある？　おぬしは病気だ、ロイ・コンプレイン、おぬしにはわしの助けが必要なのだ」

「ぼくはもうあんたの教区にいるわけじゃない。それを肝に銘じといてくれないか」

とコンプレインが弱々しくいった。「自分の面倒くらい自分で見られる」

司祭は顔をしかめ、ファーモアーのほうを向いた。

「友よ、なにかいいたいことはあるか？」

ファーモアーは薄笑いを浮かべた。彼は自制心をとりもどしていた。

「あの色っぽいヴィアン審問官とふたりきりで一時間を過ごしたいだけだよ――そのあとなら喜んで旅に出る。お膳立てをしてもらえるかい、マラッパー？」

マラッパーがその場にふさわしい道徳的な返事をする暇もなく、ドアが開いて、醜い顔がのぞいた。つづいて手がはいってきて、司祭を招いた。マラッパーはわざとらしく衣服のしわをのばしながら立ちあがった。

「おぬしらのために口ぞえしてやる、子供たちよ」彼はそういうと、衛士のあとから威張った態度で通路へ出ていった。一分後、彼は審問官とその上司とふたたび向かいあっていた。デスクの角に腰をのせた上司が、ただちにしゃべりはじめた。

「あなたに拡張を。あなたは司祭のヘンリー・マラッパーだね。わたしの名はスコイト、マスター・スコイトだ。異人の取り調べを担当している。〈前部〉へ連れてこられた者は、だれであれわたしとヴィアン審問官の前へやって来る。あなたが自分の主張するとおりのものであれば、危害を加えられることはない――だが、異様なものが〈死道〉から現れ出るから、それに対しては防備しなければならん。あなたがほかでもないここへきたのは、われわれに情報をもたらすためだそうだが」

「わしははるばるやってきた、多くのデッキを抜けて」とマラッパー。「それなのに、いまここでの待遇は気に入らん」

マスター・スコイトは首をかしげた。

「あなたの持っている情報とはどんなものだ？」

「キャプテンにしか明かせん」

「キャプテンだって？　なんのキャプテンだ？　衛士の隊長のことか？　ほかにキャプテンはいない」

マラッパーは困った立場に追いこまれた。機が熟する前に「船」という言葉を使いたくなかったからだ。

「おぬしの上司はだれだ？」

「ヴィアン審問官とわたしは、〈五人会議〉にのみ答弁する」と怒りのにじむ口調でスコイト。「われわれがあなたの情報の重要性を評価するまで、あなたが〈評議会〉に面会することはできない。さあ、司祭——ほかにも問題が山積しているんだ！　忍耐は、わたしが持ちあわせていない古臭い美徳だ。あなたがそれほど後生大事にかかえこんでいる情報とは、どんなものだ？」

マラッパーはためらった。機はまったく熟していない。スコイトは出ていくかのように立ちあがっているし、ヴィアンは見るからにじれている。にもかかわらず、これ以上のいい抜けはできない。

「この世界は」と彼はもったいをつけていいはじめた。「〈前部〉と〈死道〉から、はるかな〈船尾階段〉の領域まですべてが一体、〈船〉なのだ。そして〈船〉は人が作ったものであり、宇宙空間と呼ばれる媒質のなかを移動する。これについては証拠がある」彼はいったん言葉を切り、ふたりの表情をうかがった。スコイトの表情は曖昧だった。マラッパーは言葉をつづけ、自分の理論の枝葉末節を流暢に説明した。締めくくりにこういった。「おぬしらがわしを信用し、わしを信用して権力をあたえれば、わしはこの〈船〉を――そういうものだと思ってもらうしかないが――目的地に向かわせる。そうすれば、わしらはみな〈船〉とその抑圧から永久に解放されるだろう」

彼は口ごもって言葉をとぎれさせた。ふたりが、おかしくてたまらないといった顔をしていたのだ。顔を見あわせ、陰気な笑い声を短くあげる。マラッパーは不安げに頬をこすった。

「わしが小さな部族の出身なので信じないのだな」と彼はつぶやいた。

「そうじゃないわ、司祭」と若い女。彼女がやってきて、司祭の前に立った。「そう――〈前部〉では、船と宇宙空間を抜ける長い旅については、ずっとむかしから知られているのよ」

マラッパーの顎がガクンと下がった。

「ならば——船のキャプテンを——彼を見つけたのか？」と、なんとか言葉を絞りだす。

「船長は存在しない。何世代も前に〈長い旅〉に出たにちがいないわ」

「ならば——〈司令室〉は——それは見つけたのか？」

「それも存在しない」と若い女。「それにまつわる伝説がある、それだけよ」

「そうなのか？」不意に用心深くなり、興奮してマラッパーがいった。「わしらの部族では、その伝説さえ消えかけておった——おそらく、それがあるはずの場所からおぬしらよりも遠いからだろう。だが、それは存在しなければならん！ ちゃんと探したのか？」

ふたたびスコイトとヴィアンが顔を見あわせた。スコイトが口にだされない問いに答えてうなずいた。

「あなたは秘密の一部に行きあたったようだから」とヴィアンがマラッパーに告げた。「その全体を教えてもかまわないでしょう。これが〈前部〉の民のあいだでさえ一般的な知識でない点は理解して——それが狂気や不穏を引き起こす場合にそなえて、われわれ選ばれた者たちはそれを仲間内にとどめているの。ことわざにあるように、真実はだれも自由にしない。あなたのいうとおり、〈船〉は船よ。船長はいない。船は導く者なしで宇宙空間を突進しつづけている、無寄港（ノンストップ）で。迷子になっているとしか思えない。永遠に旅をして、やがて乗っている全員が〈長い旅〉に出るのでしょう。それは止められない――〈前部〉を隈なく探したけれど、〈司令室〉は存在しないのだから！」

彼女は黙りこみ、マラッパーがこの不快な情報を消化するあいだ、同情のまなざしを注いでいた。それはおぞましすぎて、受け入れがたかった。

「……わしらの祖先は、なにかとんでもないまちがいをしでかしたのだ」と彼はつぶやき、迷信に基づいて右の人さし指で喉をかっ切る仕草をした。それから気をとり直し、「だが、すくなくとも〈司令室〉は存在する」といった。「見ろ、証拠がある！」

汚れたチュニックの下から、彼は回路図をのせた〝見る物〟をとりだし、ふたりに向かってふってみせた。

「障壁で身体検査を受けたはずだ」とスコイト。「いったいどうやってそれを隠しとおしたんだ？」

「そうだな――ふさふさと生えた腋毛のおかげといっておこうか」司祭はヴィアンにウインクした。ふたたび彼らの度肝を抜いたのだ。そしてすぐに本題にもどった。いまは審問官のデスクの上で小さな〝見る物〟を広げ、以前コンプレインに見せた図面を芝居がかった仕草で指さす。〈司令室〉の小さな半球が、船の前端にはっきりと示されていた。ほかのふたりが目をみはるなか、彼はその〝見る物〟を手に入れた経緯を説明した。

「このしろものは巨人族によって作られた。彼らが船を所有していたのは疑問の余地がない」

「それくらいは知っている」とスコイト。「しかし、この本は価値がある。これで〈司令室〉を探す場所が明確になった。さあ、ヴィアン、いますぐ行って調べよう」

彼女はデスクの深い引き出しをあけ、デーザーとベルトをとりだして、ほっそりした腰に巻いた。それは、マラッパーがここではじめて目にしたデーザーだった。数が足りないにちがいない。グリーン一族があれほど武装を固められているのは、老バーガスの父親が、〈前部〉から多くのデッキをへだてた〈死道〉でその倉庫に行きあたったからにすぎないのだ——そのことを彼は思いだした。

ふたりが出ていこうとしたそのとき、ドアが開いて、背の高い男がはいってきた。上等のローブをまとい、髪は長くのばしているが、こざっぱりとしている。まるでその男に敬意を示すかのように、スコイトとヴィアンが直立不動の姿勢をとった。

「捕虜をつかまえたという知らせがきた、マスター・スコイト」と新来者が言葉を選ぶようにしていった。「とうとうグレッグの手下を何人かとらえたのかな？」

「残念ながら、デイト評議員」とスコイト。「〈死道〉からきた三人の放浪者にすぎません。これがそのひとりです」

評議員はマラッパーをひたと見すえ、マラッパーは目をそらした。

「ほかのふたりは?」と評議員がうながした。

「三番監房におります、評議員」とスコイト。「あとで尋問します。ヴィアン審問官とわたしは、いまこの捕虜を取り調べています」

一瞬、評議員はためらったように見えた。それからうなずき、おとなしく引きあげた。感銘を受けた司祭は、まじまじとそのうしろ姿を見送った——司祭が感銘を受けるのは、めったにあることではなかった。

「いまのは」とスコイトがマラッパーのためにいった。「ザック・デイト評議員、〈五人会議〉のひとりだ。彼らの前では礼儀に気をつけろ。とりわけデイトの前では」

ヴィアンは司祭の回路に関する〝見る物〟をポケットにしまった。三人が部屋を出たとき、老評議員はちょうど通廊の曲線をまわりこんで姿を消すところだった。それから〈前部〉の先端——図面によれば、操縦装置があるところ——に向かう長い行進がはじまった。もし地図にのっておらず、ポニックがはびこっており、それにつきものの障害物だらけだとしたら、いくつかの〈眠りとめざめ〉がかかってしまう距離だ。

マラッパーは将来の計画に夢中になっていた——船の操縦装置が発見されれば、立場が強くなることはまちがいないからだ――それでも興味津々という顔で周囲に目を配りつづけた。まもなく悟ったのは、〈前部〉が〈死道〉の噂が描きだすような、あるいは彼がひと目見たとき考えたようなすばらしい場所とはかけ離れていることだった。三人は多くの人々とすれちがった。そのかなりの割合が子供だった。だれもが〈居住区〉よりも薄着だった。目にしたわずかな衣服はきれいに洗われているように見えたし、清潔さの水準は一般的に高かったが、体は痩せており、骨が浮きだしていた。食料不足は火を見るよりも明らかだ。繁みとの接触がすくないので、〈前部〉は〈居住区〉ほど狩人を当てにできず、ひょっとしたら狩人の質も劣っているのかもしれない、とマラッパーは抜け目なく推測した。進むにつれ、二十四番デッキの障壁から一番デッキのどん詰まりまで、〈前部〉のすべてが〈前部人〉の支配下にあるものの、人が住んでいるのは二十二番デッキから十一番デッキまでにすぎず、それも部分的であることもわかった。

十一番デッキを通過したとたん、司祭はその理由の一端が呑みこめた。丸々デッキ三つにわたり照明回路が故障していたのだ。マスター・スコイトがベルトの明かりのスイッチを入れ、三人は薄闇のなかを進んだ。〈死道〉でさえ暗闇がのしかかってくるようだったが、足音がうつろにひびき、なにひとつそよとも動かないここではさらにそうだった。まわりこんで七番デッキへはいり、照明がまたついたり消えたりしはじめたときも、先行きが暗いことには変わりなかった。こだまがあいかわらずあとを追ってきた。荒廃は四方に広がっていた。

「あれを見ろ！」スコイトが大声をあげ、壁の一部がすっかり切りとられ、隔壁のほうへ丸まっている場所を指さした。「あんなことのできる武器が、かつては船の上にあったんだ！　壁をぶち抜けるものがあればいいんだが。それなら、まもなく宇宙空間への道が見つかるはずだ」

「せめてどこかに窓があれば、船の本来の目的は忘れられなかったかもしれない」とヴィアンがいった。

「見取り図によれば」とマラッパー。「〈司令室〉にはじゅうぶん大きな窓がある」

三人は黙りこんだ。周囲はすべての会話を途絶えさせるほど荒涼としていた。大部分のドアは開きっぱなし。そこからのぞく部屋は、しだいに音ひとつたてない壊れた機械でいっぱいになっていった。その機械は、数世代分のほこりの下で窒息していた。

「この船のなかでは、われわれの知らない多くのおかしなことが起きる」とスコイトが陰気な声でいった。「幽霊がわれわれにまぎれ、われわれに仇をなす活動をしている」

「幽霊だと？」マラッパーが訊いた。「幽霊を信じておるのか、マスター・スコイト？」

「ロジャーがいってるのは」とヴィアン。「わたしたちがここでふたつの問題に直面してるってこと。まず〈船〉の問題がある。どこへ行くのか、どうやったら止められるのかという問題ね。それは背景の問題で、つねにつきまとっている。もうひとつの問題はだんだん大きくなっている。わたしたちの曾祖父はその問題に直面しなかった。以前はいなかった異様な種族がこの船にいるのよ」

司祭はまじまじと彼女を見た。彼女は通りしな、それぞれのドアの奥に注意深く視線を走らせていた。スコイトも同じくらい用心深かった。司祭はうなじの毛がぞわぞわと逆立つのを感じた。

「つまり――〈よそ者〉のことか？」

彼女はうなずいた。

「人間の仮面をかぶった超自然の種族よ……。あなたのほうがよく知ってるでしょうけど、船の四分の三はジャングル。繁みの熱い腐植土のなか、どこかで、どういうわけか、人間の仮面をかぶった新しい種族が生まれている。彼らは人間じゃない。彼らは敵よ。わたしたちをスパイし、殺すために秘密の場所からやって来る」

「われわれはつねに警戒していなければならない」とスコイトがいった。

そのときから、マラッパーもドアというドアをのぞきこむようになった。

やがて間取りに変化があった。各デッキで三重の同心円をなす通廊が二重になり、湾曲が鋭くなった。二番デッキは周囲に部屋が一列だけリング状に並んだ通廊一本から成っており、そのまんなか、〈主通廊〉のはじまる部分に永遠に封印された巨大なハッチがあった。スコイトがそれを軽くたたいた。

「もし船内でただひとつまっすぐなこの通廊が開かれれば、船の反対端にある〈船尾階段〉まで、いちどの〈めざめ〉が終わらないうちに歩いていけるのだ！」

きつく巻いた螺旋階段が、いまや前方へ通じる唯一の道だった。心臓を重々しく打たせながら、マラッパーが先頭に立って進んだ。図面が真実を語っているなら、〈司令室〉は階段を登りきったところにあるはずだ。

登りきったところでは、ほの暗い明かりが小さな円形の部屋を照らしていた。ひとつの家具もなく、床はむきだし、壁もむきだし。ほかにはなにもない。マラッパーは壁に身を投げ、ドアを探した。なにもなかった。彼は憤怒の涙を流しはじめた。

「嘘だった！」彼は叫んだ。「嘘だったのだ！　わしらはみんな犠牲者だ、途方もない……途方もない……」

しかし、いいたいことに見あうほど大きな言葉は思いつかなかった。

2

ロイ・コンプレインは退屈のあまりあくびをして、これで二十回めになるだろうか、監房の床の上で姿勢を変えた。ボブ・ファーモアーは背中を壁にあずけてすわり、右手の指にはめた重そうな金属の指輪を果てしなくまわしていた。おたがいにいうことはなにもなかった。いうべきことはなかった。考えるべきことはなかった。外で警備についていたパグ犬のように醜い男が、ドアの向こうから顔を突きだし、選りぬいた二、三の罵倒の言葉とともにコンプレインを呼んだときには、ほっとしたくらいだった。

「〈旅〉の途上で会おう」とファーモアーが元気づけるようにいったのは、コンプレインが出ていこうとして立ちあがったときだった。

コンプレインは彼に手をふり、衛士についていった。心臓がますます速く打ちはじめた。連れていかれた先は、ヴィアン審問官が三人を取り調べた部屋ではなく、最初に連れてこられた道の途中、バリケードに近い二十四番デッキのとあるオフィスだった。醜い衛士は外にとどまり、彼のうしろでドアをバタンと閉めた。

コンプレインはマスター・スコイトとふたりきりだった。異人取り調べ官は、周囲に山積するトラブルの増大する圧力にさらされて、前にもましてしわ深く見えた。まるで頬がうずいているかのように、長い指で頬を支えていた。それは人を安心させる指ではなかった。芸術的な手腕で残酷なことのできる指だった。もっとも、そのやつれた顔に当てられているいまは、みずからを拷問する者の指のように思えたが。

「あなたに拡張を」と彼はものうげにいった。

「拡張を」とコンプレインは答えた。これから試されるのは知っていたが、彼の関心の大部分は、ヴィアンという若い女がいないという事実に向けられた。

「いくつか訊きたいことがある」とスコイトがいった。「理由はいろいろだが、ちゃんと答えたほうがいい。まず、生まれはどこだね？」

「〈居住区〉だ」

「きみの村をそう呼んでいるのかね？　兄弟姉妹は？」

「〈居住区〉では〈教え〉にしたがう」とコンプレインはきっぱりといった。「母親の尻まで背丈がのびたら、ぼくらは兄弟姉妹を見分けられなくなる」

「〈教え〉なんてくそくらえ――」スコイトはだしぬけに言葉をとぎれさせ、かろうじて自制心を保っている者のように額をなでた。顔をあげずに、疲れた声でいう。「もしそれとわかるとすれば、何人の兄弟姉妹を見分けることになる？」

「姉妹三人だけ」

「兄弟は？」

「ひとりいた。ずいぶんむかしに気が狂った」

「きみが〈居住区〉の生まれだという証拠はなんだ？」

「証拠だって！」コンプレインはオウム返しにいった。「証拠はなんだ？」

「証拠がほしいなら、母親を連れてこい。まだ生きている。喜んでその話をしてくれるさ」

スコイトが立ちあがった。


「ひとつ理解してくれ。きみから文明人らしい答えを引きだしている暇がない。船上のだれもが恐ろしくまずい状況にあるのだ。知ってのとおり、それは船であり、だれも知らない場所へ向かっている。古くて、ガタがきているし、幽霊と神秘と謎と苦痛が蔓延している――手遅れになる前に、どこかの哀れなろくでなしが、すぐにでもそのすべてを解明しなければならないのだ。まだ手遅れでないとしたらだが！」いったん言葉を切る。彼は内心を明かしていた。彼のなかでは、自分がその哀れなろくでなしであり、重責をひとりで担っているのだろう。もっと落ちついた声で、彼は言葉をつづけた。「きみが頭にたたきこまなければならないのは、われわれ全員が捨て駒だということだ。もしなにかの役に立てないのなら、〈長い旅〉に出てもらう」

「あいにくだな」とコンプレイン。「自分がどっちの味方なのかわかれば、もっと協力してもいいんだが」

「きみはきみ自身の味方だよ。それくらい〈教え〉に教わらなかったのか？『人類の適切なる研究対象は自己である』。わたしの質問に答えることが、いちばんきみの役に立つのだ」

これまでのコンプレインなら、屈服していたとしても不思議はない。もっと自分というものを意識しているいまは、もうひとつ質問をした。

「ヘンリー・マラッパーは、あんたが知りたがったことすべてに答えたのか？」

「司祭はわれわれをあざむいた」とスコイト。「彼は〈旅〉に出た。わたしの忍耐をそこまで試そうとしたことに対する通常の懲罰だ」

そう聞いてコンプレインはまず茫然としたが、それがおさまると、本当だろうかという疑問が湧いてきた。スコイトが情け容赦ない点に疑いはない——大義のために殺す男は、ろくに考えずに殺すものだ——しかし、饒舌な司祭にもう会えないとはどうにも信じられなかった。心をよそに奪われたまま、彼はスコイトの質問に答えた。質問は主に〈死道〉を抜ける彼らの勇壮な旅程にかかわるものだった。コンプレインが巨人族につかまった件について説明をはじめると、それまではこれといった反応を見せなかった取り調べ官がいきなり激昂した。

「巨人族は存在しない！　とっくのむかしに絶滅した。われわれが彼らから船を相続したのだ」

露骨に話を疑っていたものの、やがて彼は、かつてのマラッパーと同様に、詳細を微に入り細に入り聞きだそうとした。コンプレインの話をしだいに真実として受け入れはじめたのは明らかだった。考えごとで顔を曇らせながら、彼はデスクを長い指でコツコツとたたいた。

「〈よそ者〉は敵として知られてきた」と彼はいった。「しかし、巨人族はつねにむかしの同盟者だとみなされてきた。彼らの承認を得て、われわれがその王国を受け継いだのだ、と。もし彼らが〈死道〉のどこかでまだ生きているとすれば、なぜ姿を見せないのだ——不吉な理由でもないかぎり。すでにトラブルは山ほど積みあがっているのだぞ」

コンプレインはこう指摘した——巨人族は自分を殺したほうが好都合だったかもしれないときに殺さなかった。アーン・ロフリーも殺さなかった。もっとも、鑑定人がどうなったのかは謎のままだが。要するに、この状況における彼らの役割ははっきりしないのだ、と。

「きみの話を信じてもいい気になっている、コンプレイン」とうとうスコイトがいった。「なぜなら、ときおり噂が流れるからだ——巨人族を目にしたと人々が誓うからだ。噂！　噂だよ！　確証はどこにもない。しかし、すくなくとも巨人族は〈前部〉にとって脅威ではないらしい——いちばんいい点は、彼らが〈よそ者〉と同盟していないらしいことだ。彼らとべつべつに渡りあえるなら、なんとかなるだろう」

彼はふと黙りこみ、やがて「きみが巨人族につかまったその海とやらは、どれくらい遠くにあるのだね？」とたずねた。

「たくさんのデッキをへだてたところに――四十くらいかも」

マスター・スコイトは両手をあげて嫌悪を表した。

「遠すぎる！　そこへ行ってもいいと思ったが……〈前部〉の人間はポニックを好まないのだ」

ドアが勢いよく開いた。息を切らした衛士が敷居に立ち、前置き抜きでしゃべりだした。

「障壁に襲撃です、マスター・スコイト！」彼は叫んだ。「ただちにおいでください――お力が必要です」

スコイトは険しい顔ですぐさま立ちあがった。ドアまで行きかけて足を止め、コンプレインをふり返る。

「そこにいろ」と彼は命じた。「帰れるようになったら帰ってくる」

ドアがバタンと閉まった。コンプレインはひとりきりになった。信じられないという面持ちで、彼はゆっくりと周囲を見まわした。遠いほうの壁、スコイトの座席のうしろに、もうひとつのドアがあった。注意深くそこまで行き、ノブをまわしてみる。

ドアは開いた。その向こうはべつの部屋で、小さな控えの間になっており、その遠い側にまたべつのドアがあった。控えの間には、一方の壁に壊れた計器のついた傷んだパネル、そして床の上に四つの背嚢があるだけだった。コンプレインはそれらを自分の、マラッパーの、ボブ・ファーモアーの、ワンテージの背嚢だと即座に見てとった。乏しい所持品はなにひとつなくなっていないようだ。もっとも、中身が探られたのは明らかだったが。コンプレインはさっと視線を走らせただけで、部屋を渡り、もうひとつのドアをあけた。

その先は側面の通廊だった。一方向から人声が聞こえてくる。反対方向には、さほど離れていない場所に――ポニックがあった。そちらへ向かう道は見張りがいないように見えた。心臓を早鐘のように打たせながら、コンプレインはドアを閉めなおし、それにもたれて判断をくだそうとした。脱走を試みるべきか、否か？

マラッパーは殺された。自分も同じくらい冷酷に始末されないともかぎらない。立ち去るほうがいいかもしれない――だが、どこへ行くというのだ？〈居住区〉は遠すぎて、ひとりぼっちの男にはたどり着けない。だが、もっと近い部族は狩人を歓迎するだろう。自分たちのグループを〈前部〉へ略奪に来るどこかの部族の一員だとヴィアンが誤解したことが思いだされた。つかまったときは頭がいっぱいで、彼女のいったことにろくに注意を払わなかった。しかし、いまバリケードを包囲しているのは、その略奪団と同じ一味かもしれない。〈前部〉に関してわずかとはいえ知識を持っている狩人は、高く買ってもらえるはずだ。

彼は自分の背嚢をかつぎ、ドアをあけると、左右に目をやり、繁みに向かって走りだした。

側面回廊のほかのドアは、ひとつをのぞいてすべて閉まっていた。本能的にコンプレインは、通りしなになかをのぞいた——ぴたりと足が止まった。根が生えたように敷居に立ちつくす。

部屋にはいってすぐのところ、寝椅子の上に、まるでただ眠っているかのようにくつろいだ姿勢で体が横たわっていた。だらしなく両腕を広げ、脚を交差させ、ぼろぼろのマントを丸めて枕がわりにしている。顔には食べすぎたブルドッグの憂鬱な表情が浮かんでいた。

「ヘンリー・マラッパー!」その見慣れた横顔に目を釘づけにして、コンプレインは叫んだ。その髪とこめかみに血がこびりついていた。コンプレインは身を乗りだし、司祭の腕にそっと触れた。完全に冷えきっていた。

たちまち、〈居住区〉の古い精神的情調が、コンプレインのまわりでカチリと所定の位置にはまった。〈教え〉は反射と同じくらい本能的なものだった。彼はなにも考えずに平伏の最初の動作にはいり、恐怖の儀式をまっとうした。恐怖を無意識に浸透させてはならない、と〈教え〉はいう。恐怖を表現する複雑な儀式を通じて、即座に身心から排出しなければならない、と。頭(こうべ)を垂れ、悼(いた)み、お辞儀するあいだに、コンプレインは脱走への情熱をすっかり忘れた。

「残念だけど、その立派な儀式をとりやめてちょうだい」背後で冷ややかな女の声がした。ぎょっとしてコンプレインは背すじをのばし、ふり返った。ふたりの衛士を両わきにしたがえ、デーザーをかまえたヴィアンがそこに立っていた。彼女の唇は美しかったが、その微笑は魅力的とはいえなかった。

　こうしてコンプレインのテストは終わった。

　つぎはファーモアーが、二十四番デッキの部屋に招き入れられる番だった。コンプレインのときと同じように、マスター・スコイトがそこにすわっていたが、こんどはあからさまに態度がぶっきらぼうだった。コンプレインのときと同じように、彼はファーモアーに出生地をたずねることからはじめた。

「繁みのなかのどこかだ」と、いつもの悠然とした口調でファーモアーは答えた。

「正確な場所は知らない」

「なぜ部族のなかで生まれなかった？」

「わたしの両親は自分たちの部族からの逃亡者だった。〈中間道〉の小さな部族のひとつだ——〈居住区〉よりも小さい」

「グリーン一族にはいつ加わった?」

「両親が死んだあとだ」とファーモアー。「ふたりとも生き腐れにかかったんだ。そのころ、わたしはもうおとなになっていた」

ふだんは厚ぼったいスコイトの唇が、横に引きのばされて切れ目のようになった。いつのまにか鉛入りのゴムホースが現れ、スコイトの両手のあいだに軽くかけられていた。彼はファーモアーから目を離さず、その前で行ったりきたりしはじめた。

「わたしにいったことの証拠になるようなものはあるのか?」

ファーモアーは青ざめ、体をこわばらせた。ごつい指輪をひっきりなしにひねっている。

「どんな証拠だ?」彼は口をカラカラにしてたずねた。

「どんな証拠でもいい。きみの出生にまつわるもので、われわれに確認できるものだ。われわれはネズミのはびこる〈死道〉の村の住民風情とはちがうのだよ、ファーモアー。繁みからふらふらと出てくる者があれば、何者なのか、あるいは人間ではないのかを知らなければならない……。それで?」

「司祭のマラッパーが保証してくれる」

「マラッパーは死んだ。おまけに、わたしが興味をいだいているのは、子供のころのきみを知っている人間だ。だれでもいい」彼がさっとふり向き、ファーモアーとは顔を突きあわせる形になった。「要するに、ファーモアー、われわれがほしいのは、きみではあたえられないらしいもの――きみが人間である証拠なのだ！」

「わたしはあんたよりも人間だぞ、このちびの――」そういいながら、ファーモアーはこぶしをふりまわして飛びかかった。

スコイトは機敏にあとずさり、鉛入りのゴムホースでファーモアーの手首をしたたかに打った。痺れが腕を駆けのぼり、ファーモアーは空気が抜けたようにおとなしくなった。その顔は敵意でゆがんでいた。

「きみの反射神経は鈍すぎる」とスコイトが厳しい口調でいった。「さっき簡単にわたしの不意をつけたはずだ」

「〈居住区〉ではいつものろまと呼ばれていたんだ」袖を握りながら、ファーモアーがつぶやいた。

「グリーン一族に加わってからどれくらい経つ？」スコイトは語気を強め、ふたたびファーモアーに近寄って、鉛入りのゴムホースをくねらせた。まるでつぎの一撃をくりだしたくてたまらないかのように。

「いや、時間の経過がわからないんだ。千二百回の〈眠りとめざめ〉を倍にしたくらいかな」

「ここ〈前部〉では、原始的な時間を計る方法を用いないのだよ、ファーモアー。われわれは四度の〈眠りとめざめ〉を一日と呼ぶ。そうすると、きみが部族とともにいたのは……六百日だ。人の一生においては長い時間だな」

なにかを待っているかのように、彼はファーモアーを見つめていた。ドアが乱暴に押し開かれ、息を切らせた衛士が敷居に姿を現した。

「障壁に襲撃です、マスター・スコイト！」彼は叫んだ。「ただちにおいでください──お力が必要です」

ドアへ向かう途中、スコイトは立ち止まり、険しい顔でファーモアーのほうをふり返った。

「そこにいろ！」と彼は命じた。「できるだけ早くもどって来る」

隣の部屋で、コンプレインがゆっくりとヴィアンのほうを向いた。彼女のデーザーは腰のホルスターにしまわれていた。

「そうすると、障壁が襲撃されたという話は、マスター・スコイトを部屋から連れだすための口実にすぎないんだな？」

「そのとおりよ」と彼女は落ちつき払っていった。「ファーモアーがこれからどうするか見ましょう」

長いあいだコンプレインは、彼女の目をのぞきこんでいた。視線をそらせなかったのだ。彼はヴィアンの間近にいて、彼女が観察室と呼んだもののなかにふたりきりだった。いまはファーモアーがいて、先ほどはコンプレインがいた部屋の隣の部屋である。と、顔に出た内心を読みとられないようにコンプレインは体を引き、向きを変えると、またのぞき穴ごしに視線をこらした。

ちょうどファーモアーが部屋の隅で小さなストゥールをつかむところだった。まんなかまで引いてきて、その上に立ち、個室の例にもれず天井にはまっている鉄格子のほうに手をのばす。指が鉄格子の下、わずか数インチのところでなすすべもなく曲がった。ジャンプしたり、爪先立ちになったり、何度かむなしい試みをしたあと、ファーモアーは必死の形相で部屋を見まわし、もうひとつのドアの向こうにころがっている自分の背嚢に気づいた。ストゥールを蹴りとばして、急いでドアを抜けたので、彼はコンプレインの視界から消えた。

「行ってしまった、ぼくとまったく同じように」コンプレインはそういうと、向きを変えて、もういちど灰色の目と目を合わせた。

「ポニックの繋みにたどり着く前に、わたしの部下が彼をつかまえるわ」と、そっけなくヴィアンがいった。「あなたの友人のファーモアーは、ほぼまちがいなく〈よそ者〉だけれど、あと何分かすれば、はっきりするわ」

「ボブ・ファーモアーが！　そんなわけがない！」

「その話はあとにしましょう。いっぽう、ロイ・コンプレイン、あなたは自由の身

──わたしたちとまったく同じように自由よ。あなたには知識と経験があるから、厄介の種をとりのぞく手伝いをしてもらえるといいんだけど」

彼女はグウェニーよりもはるかに美しく恐ろしかった。そわそわし、興奮しているのを隠せない声でコンプレインはいった。

「できるかぎり力になるよ」

「マスター・スコイトはお喜びでしょう」彼女はいきなり声をとがらせて身を離した。そのため彼は現実に引きもどされ、同じくらいとがった声で、それほど恐れられるとは、〈よそ者〉はなにをするのかとたずねた。グリーン一族も彼らを恐れていたが、それは彼らが異様であり、人間とは似ていないからにすぎない。

「それでじゅうぶんじゃないの？」とヴィアン。それから〈よそ者〉の力について彼に教えた。マスター・スコイトのさまざまなテストで数人がつかまった──だが、ひとりをのぞいて脱走した。手足を縛られて監房に放りこまれ、ときには気絶していたのに──煙のように消えてしまったのだ。監房のなかに衛士がいっしょにいた場合は、外傷なしで失神している状態で見つかるのだった。

「で、脱走しなかった〈よそ者〉は？」とコンプレイン。

「圧迫機で拷問中に命を落としたわ。そいつからはなにも聞きだせなかった。ポニックの繁みからきたということをのぞいては」

彼女はコンプレインを部屋から連れだした。彼は背嚢を背負い、疲れた足どりで彼女と並んで歩いた。彼女の横顔にちらちらと目をやる。電灯の明かりのように鋭く、明るい。つい先ほどとは打って変わり、もはや親しげには見えなかった。彼女の気分はくるくる変わるようだ。コンプレインは彼女に対してかたくなになろうとした。〈居住区〉の女性に対する態度を思いだそうとした——しかし、〈居住区〉は千回の〈眠りとめざめ〉も時代遅れに思えた。

二十一番デッキで、ヴィアンが足を止めた。

「ここがあなたの個室。わたしの個室はドアを三つ行った先。ロジャー・スコイトの部屋は、わたしの部屋の向かい。じきに彼かわたしがあなたを食事へ連れていく」

ドアをあけ、コンプレインはなかをのぞいた。

「こんな部屋はいままで見たことがない」と感銘を受けた声でいう。

「まともな部屋を見たことがないんでしょう」彼女は皮肉っぽい口調でいうと、立ち去った。コンプレインはその遠ざかっていくうしろ姿を見送り、汚れた靴を脱ぐと、部屋にはいった。

贅沢とはいえなかった。調度は水がじっさいにチョロチョロと流れだす蛇口のついた洗面台と、葉ではなく目の粗い織物でできたベッドがあるくらい。だが、彼をなによりも感心させたのは、壁にかかった一枚の絵だった。あざやかな色の渦巻きで、なにをかたどっているわけでもないが、それ自体の意味がある。鏡もあり、そのなかにコンプレインはべつの絵を見つけた。こちらは土で汚れた毛むくじゃらの生き物の肖像である。髪には乾いた樹液(ミルテックス)がこびりつき、服は破れている。

彼はこのすべてを変える仕事にとりかかった。これほど野蛮な人物をヴィアンはいったいどう思っただろう、と陰気に考える。体をごしごしこすり、背嚢から清潔な服をだして着ると、疲れきってベッドにくずおれる――疲れきっていたが、眠れなかった。すぐに頭脳が猛然と働きはじめたからだ。

グウェニーはいなくなった。ロフリーはいなくなった。ワンテージ、マラッパー、こんどはファーモアーもいなくなった。コンプレインはひとりぼっちだった。だが、新しい出発の見通しが向こうからさしだされている――その見通しはワクワクするものだ。ただし、宗教的情熱と気さくさで輝いていたマラッパーの顔を思うと後悔の念に駆られた。

彼の心がまだ猛回転しているうちに、マスター・スコイトがドアの向こうから顔をのぞかせた。

「食事に行くぞ」と彼はあっさりといった。

コンプレインは彼に同行し、自分に対する相手の気持ちを推し量ろうと慎重に観察したが、取り調べ官は考えごとに没頭しているようすで、なんの感情も見せなかった。

やがて、顔をあげて、自分に注がれたコンプレインの目をとらえると、こういった。

「そうだ、きみの友人ファーモアーは〈よそ者〉と証明されたよ。ポニックの繁みに向かっているとき、きみの司祭の体を目にしたが、まっすぐに進みつづけたのだ。待ち伏せしていた斥候隊が簡単につかまえた」

コンプレインのとまどい顔を見て、じれったげに首をふりながら、スコイトが説明した。

「彼は船のふつうの地域で生まれたふつうの人間ではない。さもなければ、無意識のうちに足を止め、友人の体の前で恐怖を鎮めようと平伏していただろう。あの儀式は、生まれたときからどんな人間の子供にもたたきこまれている。最終的にきみが人間であるとわれわれが納得したのも、きみがあの儀式をとり行ったからだった」

食堂に着くまで、彼はまた沈黙に引きこもり、途中で話しかけてきた数人の男女にもろくに挨拶をしなかった。食堂では、数人の士官が着席して食事をしていた。あるテーブルにヴィアンがひとりですわっていた。彼女を目にして、スコイトはたちまち破顔し、彼女のところまで行って、片手をその肩にのせた。

「やあ、ローア。待っていてくれたとは、じつに元気が出る。すこしエールを飲まないといけない——またひとり〈よそ者〉をつかまえたお祝いをしないとな——この男は逃がさないぞ」

スコイトにほほえみかけて、彼女がいった。

「ちゃんと食事もしてくれるといいんだけど、ロジャー」

「わたしの愚かな胃袋のことをご存じと見える」彼は給仕を手招きしながら、ただちにファーモアー捕獲の詳細を彼女に語りはじめた。あまり愉快な気分ではないコンプレインは、ふたりのわきの席にすわった。ヴィアンに気軽に接するスコイトがうらやましくて仕方がなかった。もっとも、取り調べ官は彼女の倍の年齢だが。エールが彼らの前に置かれ、食べ物も置かれた。見慣れない白い肉で、ほっぺたが落ちそうなほどうまかった。ブヨに囲まれずに食べられるのも快適だった。〈死道〉では食べ物を口にするたびに、ブヨがほしくもないソースになるのだ。しかし、コンプレインはスコイトが示すほどには熱意を示さずに皿をつついていた。

「元気がないわね」スコイトの言葉をさえぎってヴィアンがいった。「いまは上機嫌でいるはずなのに。ファーモアーといっしょに監房に閉じこめられているよりは、このほうがましではないの？」

「ファーモアーは友だちだった」意気消沈しているのを説明しようとしてとっさに出た言葉がそれだった。

「彼は〈よそ者〉でもあった」とスコイトが重々しい口調でいった。「彼はやつらの特徴をすべて見せた。のろまで、かなり体重があり、口数がすくなく……。やつらを見れば、すぐにそうとわかるようになってきたよ」

「あなたは聡明ですわ、ロジャー」笑いながらヴィアンがいった。「魚を召しあがられたら？」そして愛情をこめて彼の手に自分の手を重ねた。

コンプレインを発火させたのは、それだったのかもしれない。彼はフォークを放りだした。

「なにが聡明なもんか！　マラッパーはどうなんだ？　異人じゃなかったのに殺された。ぼくがそれを忘れられると思うのか？　彼を殺しておいて、よくもぼくの助けを当てにできるな」

トラブルが持ちあがるのを予期して緊張していたコンプレインは、ほかの人々が食べ物から顔をあげてこちらを見るのがわかった。スコイトは口をあけてから閉じなおし、コンプレインの向こうに目をこらした。そのときどっしりと重い手がコンプレインの肩にかかった。

「わしの死を悼むのは、愚かなばかりか、未熟でもあるぞ」と聞き慣れた声。「まだひとりで世界をしょって立っておるのか、ええ、ロイ？」

コンプレインはふり返り、愕然とした。そこに司祭が立っていたのだ。満面に笑みを浮かべたり、顔をしかめたり、手をこすり合わせたりしながら。コンプレインは信じられずにマラッパーの腕をつかんだ。

「そうだ、わしだよ、ロイ、ほかのだれでもない。大いなる無意識はわしを拒んだのだ——そしてわしは冷えきったまま残された。おぬしの企みはうまくいったのかな、マスター・スコイト」

「大成功だよ、司祭」とスコイト。「この消化に悪い動物を食べて、きみの友人に自分の口から説明したまえ。そうすれば、彼もあまり腹を立てずにわれわれを見るようになるだろう」

「あんたは死んでいた！」とコンプレイン。

「短い〈旅〉に出ただけだ」マラッパーはそういうと、腰を降ろし、エールの大瓶に手をのばした。「このまじない師、マスター・スコイトは、おぬしとファーモアーをテストする不愉快な方法を考えだした。わしの頭にネズミの血を塗りつけ、わしになにかろくでもない薬を盛って、おぬしのために死の場面をこしらえたのだ」

「抱水クロラールをすこし過剰投与しただけだ」と笑みを嚙み殺してスコイト。

「でも、ぼくはあんたにさわった——冷たかった」とコンプレインが抗議する。

「いまも冷たいぞ」とマラッパー。「薬の効果だ。おぬしの部下がわしに注射したあのろくでもない解毒剤はなんだったんだ？」

「ストリキニーネ、たしかそんな名前だった」とスコイト。

「えらく不愉快だった。なんと、わしは英雄なのだ、ロイ。ずっと聖人だったが、いまは英雄だ。息を吹きかえしたとき、計画を立てた者たちが熱いコーヒーをふるまってくれた。〈居住区〉じゃ、あんなにうまいものは味わったことがない……。だが、このエールはもっといい」

彼はマグのへりごしに、あいかわらず呆然としているコンプレインと目を合わせた。ウインクし、わざとらしくげっぷをする。

「わしは幽霊ではないぞ、ロイ」と彼はいった。「幽霊は酒を飲まん」

食事を終える前に、マスター・スコイトは見るからにそわそわしていた。謝罪の言葉をつぶやき、彼は立ち去った。

「あの人は働きすぎ」食堂から出ていく彼を目で追いながらヴィアンがいった。「わたしたちはみんな働きすぎ。眠る前に、あなたたちはひととおりの説明を受けて、わたしたちの計画を聞いてちょうだい。つぎの〈めざめ〉は忙しくなるから」

「ほお」とボウルをきれいにしながら、マラッパーが勢いこんでいった。「その言葉を聞きたかった。この一件に関するわしの興味が純粋に神学的なものであることは理解してもらえるだろうが、わしが知りたいのは、そこからなにを得られるか、だ」

「わたしたちはまず〈よそ者〉を追い払う」彼女はにっこりした。「適切に尋問すれば、ファーモアアーが彼らの秘密の隠れ処を明かすはずよ。そこへ行って、連中を殺す。

そうしたら、船の謎を解くことに心おきなく集中できる」

彼女はこれを早口でいった。まるでその点に関する質問を避けたがっているかのように。そしてただちにふたりを食堂から連れだして、通廊をいくつか進んだ。いまやすっかり自分をとりもどしたマラッパーが、この機会をとらえて、失敗に終わった〈司令室〉の捜索についてコンプレインに教えた。

「すっかりさま変わりしてしまった」とヴィアンが不平をもらした。三人は鋼鉄製の昇降階段を通過するところだった。両開きのドアがいまは開いており、デッキからデッキへ行きできるのだ。彼女はそのドアを軽く示して、こういった。「たとえば、あの手のドアは――開いている場所もあれば、閉まっている場所もある。そして〈主通廊〉にそったドアは全部閉まっている――ありがたいことにね。さもなければ、船じゅうの略奪者が〈前部〉へ殺到して来るでしょう。でも、わたしたちは思いどおりにドアを開け閉めできない。巨人族が船を所有していたときは、できていたはずなのに。いまの状態は、何世代ものあいだ変わらないできたのよ。でも、すべてを制御できるレヴァーがどこかにあるにちがいない。わたしたちはあまりにも無力。なにひとつ制御できない」

彼女の顔はこわばっており、顎の好戦的な感じがことさらに目立った。われながら驚いたことに、コンプレインはこんな直感がひらめいた。〈彼女はスコイトと同じような職業病にかかりかけている。なぜなら、自分の仕事と彼を同一視しているからだ）。だがすぐに自分自身の直観を疑い、自分たち全員を乗せた大きな船が永遠に旅をつづけるという身の毛のよだつ絵を思い浮かべて、その事実を憂慮しない者はいないはずだと思った。しかし、「この問題にとり組んでいるのは、きみとマスター・スコイトだけなのか？」とヴィアンにたずねたのは、彼女の反応をたしかめるという考えを捨てていないからだった。

「まさか！　わたしたちはただの下っ端。〈生存チーム〉と名乗る集団が先ごろ結成されて、その集団と、衛士をのぞく〈前部〉の士官全員もその問題に注意をふり向けているわ。ついでにいうと、〈五人会議〉のうちふたりがその責任者。片方には会ったでしょう、司祭――ザック・デイト評議員よ。背が高くて、髪を長くのばした男性。もうひとりは、これから会わせに連れていく相手――トレゴニン評議員よ。彼は司書。あなたたちに世界を説明してくれるにちがいないわ」

こうしてロイ・コンプレインと司祭は、最初の天文学の授業を受けることになった。トレゴニンは、ふたりに話しかけながら、ものからものへと部屋じゅうを飛びまわった。彼はばかばかしいほど小柄で、神経質だった。本人は女のようにこぎれいにしていたが、彼の支配する部屋には、〝見る物〟や種々の骨董品が雑然と積みあげられていた。ここでは混沌が芸術にまで高められている。トレゴニンはまずこう説明した。

つい最近まで〈前部〉では——〈居住区〉ではいまだにそういう掟があるように——〝見る物〟やヴィデオのようなものは破壊されてきた。迷信から、あるいは支配される者を無知にとどめておくことで支配する者の権力を保持しておきたいという欲望から。

「そもそも船という観念はこうして失われたにちがいない」彼らの前を気どって歩きながらトレゴニンがいった。「そして、諸君のまわりに集められているものが、〈前部〉地域に無傷で残った記録のほぼすべてであるのも、そのためだ。残りは消滅した。残っているものからは、真実の断片しかわからない」

評議員が話をはじめたとたん、彼のする奇妙な仕草をコンプレインは忘れた。つなぎ合わされる話の驚異、この小さな部屋のなかで継ぎあわされる壮大な歴史以外のいっさいを忘れた。

彼らの世界がそのなかを移動している宇宙空間を、ほかの世界も移動している——ほかの世界には二種類ある。熱と光を放出するために太陽と呼ばれるものと、惑星と呼ばれるもの。惑星は熱と光を太陽に依存している。ソルと呼ばれる太陽に付随する、とある惑星に人が住んでいた。この惑星は地球と呼ばれ、人々はその表面全体に住んでいた。内部は空洞ではなく、光がなかったからだ。

「下側に住んでいるときでさえ、人はそこから落っこちはしなかった」トレゴニンが説明した。「重力と呼ばれる力を発見したからだ。われわれが円形デッキを歩いて一周しても落ちずにすむのは、重力のおかげなのだ」

ほかにも多くの秘密を人間は発見した。惑星を旅立ち、彼らの太陽に付随するほかの惑星を訪れる方法を見つけた。これは厳重な秘密だったにちがいない。発見するのに長い時間がかかったのだから。ほかの惑星は彼らの惑星とは異なっており、光と熱がすくなすぎるか、多すぎるかのどちらかだった。このため、その上に住んでいる人間はいなかった。そのせいで地球の人間は落胆した。

最終的に彼らは、ほかの太陽の惑星を訪れ、そこでなにが見つかるかたしかめることにした。地球がひどく混雑してきていたからだ。ここでトレゴニンの所有する乏しい記録は混乱した。なぜなら、宇宙空間は空虚そのものだという記録もあれば、無数の太陽——ときには星と呼ばれる——をおさめているという記録もあるからだ。

いまとなっては失われたいくつかの理由で、どの太陽へ行くべきかの判断はむつかしいとわかった。しかし、最後には、奸智に長けた道具の助けを借りて、プロキオンと呼ばれる明るい太陽を選びだした。それには惑星が付随しており、十一光年と呼ばれる距離しか離れていなかったのだ。この距離を渡ることは、創意工夫に富んだ人間にとってもかなりの難事業だった。なぜなら、宇宙空間には熱も空気もなく、旅は非常に長くなるからだ。あまりにも長いので、旅が終わる前に、数世代の人間が生きて死ぬだろう。

したがって、人間はいま彼らが乗っているこの船を建造した。八十四のデッキを持つそれを疲れ知らずの金属で建造し、必要なものを片っ端から詰めこんで、知識をたくわえ、イオンと呼ばれる荷電粒子を動力とした。

トレゴニンは足早にある角まで行き、

「見ろ！」と声をはりあげた。「ここにわれらの祖先が遠いむかしに旅立った惑星の模型がある——地球の！」

彼は球体を頭上にかかげた。無造作にあつかわれて一部が欠け、峻厳な時の経過で鮮明さは薄れていたが、海と大陸の痕跡がいまも表面に残っていた。

理由はわからなかったが心を動かされたコンプレインは、ふり返ってマラッパーを見た。老司祭の頬を滂沱（ぼうだ）の涙が伝いおちていた。

「なんと……なんという美しい物語だ」マラッパーは嗚咽した。「あんたは賢明な方だ、評議員。わしはすべてを信じる、片言隻句（へんげんせつく）まで信じるぞ。その人間たちはなんという力を持っていたことか、なんという力を！　わしは哀れな老いぼれ田舎司祭にすぎん。なにも知らん、無知もいいところだ。しかし……」

「芝居がかった真似はやめたまえ」意外なほど厳しい声でトレゴニンがいった。「あんたの自我から精神をはずし、わたしのいうことに集中するのだ。事実は物事だ——

事実だ。感情ではない！」

「あんたはその話の壮大さに慣れておる。わしはちがう」マラッパーは人目もはばからずに号泣した。「考えてみろ、その力のすべてを……」

トレゴニンは球体を慎重に降ろし、不機嫌そうな声でヴィアンにいった。

「審問官、このけしからぬ輩（やから）がメソメソするのをやめなければ、連れ去ってもらうしかない。メソメソするのには耐えられん。わたしには耐えられんと知っておるだろう」

「そのプロキオンの惑星にはいつ着くんです？」とコンプレインがすかさず訊いた。話を最後まで聞かずにここを立ち去るという考えに我慢できなかったのだ。

「いい質問だ、若者よ」トレゴニンはそういうと、事実上はじめて彼に目を向けた。「だから、いい答えを授けるべく務めよう。プロキオンの惑星への飛行には、主にふたつの目的があったようだ。船が非常に大きく作られたのは、小さい船に閉じこめられてそれほど長い旅をするのは耐えがたいからだけではなく、植民者と呼ばれる人々を大勢運ばなければならなかったからでもあった。この植民者は、新しい惑星に着陸し、そこに住んで人口を二倍、三倍にふやすことになっていた。船は彼らのための機械も大量に輸送した――なかには目録が見つかったものもある――トラクター、コンクリート・ミキサー、杭打ち機――たしか、そんな名前だった。

ふたつめの目的は、新しい惑星で情報を集め、サンプルを採取して、地球の人間が研究できるように、そのすべてを持ち帰ることだった」

トレゴニン評議員はぎくしゃくした動きで、ある戸棚まで行き、なかを手探りした。とりだした金属の台には、人間の手にすっぽりおさまるほど小さな丸いブリキ缶が十二個おさまっていた。彼は缶をあけた。透明な爪の切りくずのような、パリパリと壊れる薄片がこぼれ落ちた。

「マイクロフィルムだ！」トレゴニンはそういうと、足で薄片をテーブルの下に掃きこんだ。「〈前部〉の遠い一角からわしのもとへもたらされた。湿気でだめになっているが、たとえ無傷であっても、われわれには無用の長物だっただろう。機械がなければ読めないのだよ」

「それならどうして――」コンプレインがとまどい顔でいいかけたが、評議員が片手をあげた。

「ブリキ缶のラベルを読んで進ぜよう。そうすればわかるだろう。ラベルだけが生き残った。これにはこうある。『フィルム――新地球探査、空中、大気圏、軌道上。夏至、北半球』。こいつはこうだ。『フィルム――A大陸の植物相(フローラ)と動物相(フォーナ)、新地球』。こういう調子だ」

彼は缶を置き、もったいぶって間を置いてからいいそえた。

「そういうわけで、若者よ、これがきみの質問に対する答えだ。この缶が証拠となり、船がプロキオンの惑星へ無事に到着したのは火を見るよりも明らかだ。われわれはいま地球へ帰還する旅をしているのだ」

乱雑をきわめる部屋に深い沈黙が降りた。ひとりひとりが想像力を限界まで酷使していたのだ。とうとうヴィアンが立ちあがり、呪縛をふり払うと、もう行かなくては、といった。

「待ってください！」とコンプレイン。「あなたはとてもたくさんの話をしてくださった。それなのに、ほとんどなにも答えてくださらない。もしぼくらが地球へ帰る旅をしているのなら、いつそこへ着くんです？　どうすればわかるんです？」

「若者よ」トレゴニンはいいかけてから、ため息をつき、気を変えてべつのことをいった。「若者よ、わからないのか、あまりにも多くが破壊されてしまったのだ……。答えはかならずしも明快ではない。ときには質問さえ失われている。話についてこれるかね。こんなふうに答えさせてくれ。われわれは新地球、というのは植民地の呼び方だが、それから地球までの距離を知っている。さっきいったとおり、十一光年だ。しかし、船がどれくらいの速さで旅をしているか、知るすべがない」

「でも、わかっていることが、すくなくともひとつはある」とヴィアンが割っては いった。「〈前部の巻物〉についてロイ・コンプレインに話してやってください、評議員」

「ああ、いま話そうとしていたところだ」一抹の厳しさのにじむ声でトレゴニンがいった。「われわれ〈五人会議〉が〈前部〉を掌握するまで、総督と名乗る歴代の男によって統治されていた。彼らのもとで、〈前部〉は哀れをもよおす一部族から現在の強力な国家にまで発展した。これらの総督は〈巻物あるいは遺言〉を大切に代々伝えてきた。そして最後の総督は、亡くなる前にこの〈巻物あるいは遺言〉をわたしの管理にゆだねたのだ。それは総督の名前を羅列したものにすぎない。しかし、初代の総督に名前の下にはこうあるのだ――」彼は目を閉じ、繊細な手をふって暗誦の助けにした――「『わたしは本船の復路第四代船長である。しかし、この称号はいまでは皮肉にすぎないから、総督と名乗ることにする。たとえそれがあまり華々しい名称ではなくとも』」

評議員は目をあけた。

「これでわかったね。最初の三人の名前は失われているものの、〈巻物〉のなかには、地球へ帰りはじめてから、何世代がこの船の上で生きてきたかの記録がある。その数は二十三だ」

マラッパーは長いあいだ口を閉じていが、ついにたずねた。

「ならば、それは長い時間だ。わしらはいつ地球に着くんだ？」

「それはきみの友人が発した問いだ」とトレゴニン。「わたしには、何世代が旅してきたかわかるとしか答えられん。いつ、あるいはいかにして止まるかは、いまやだれにもわからない。初代総督より前の時代に、災厄が訪れた――それがなんであったにしろ――それ以来、船は宇宙空間を無寄港でひたすら進みつづけている。船長なし、操舵なしで。こういってかまわないだろう。希望なしで」

その〈眠り〉の大部分を通じて、疲れているのに、コンプレインは休めなかった。心は恐ろしいイメージで沸きたち、憶測でみずからを波立たせた。何度も何度も、彼は評議員のいったことを頭のなかで反芻し、消化しようとした。

心をざわつかせることばかりだった。それなのに、そのまんなかで、図書室への訪問とは無関係の些細なことが、歯痛のようにぶり返してくるのだった。あのときは、あまりにもつまらないことに思えたので、ただひとり気づいたコンプレインはなにもいわなかったのだ。いまは、その意味が大きくなり、とうとう星々についての考えさえおおい隠すようになった。

トレゴニンが講義しているあいだ、コンプレインはたまたま図書室の天井をちらっと見あげた。そこの鉄格子ごしに、まるで耳をすまし、理解しているかのように警戒した、ちっぽけなネズミの顔がのぞいていたのである。

3

「深入りすると自我をとられるぞ、ロイ」マラッパーが怒鳴った。「〈前部人〉の考えと自分を混同するでない。そうさせておるのはあの娘だ、そうに決まっておる――わしの言葉に耳をかたむけろ。あの女はおぬしを相手に自分のゲームをしておるんだ！おぬしはあの女のスカートの香ばしい秘密を夢見るのに忙しすぎて、ポニックを見ても木が見えんのだ。忘れるでないぞ。わしらは自分たちなりの目的を持ってここへきた。それはまだわしらの目的なのだ」

コンプレインはかぶりをふった。彼と司祭は、つぎの〈めざめ〉の早い時間にふたりだけで食事をしていた。食堂は士官たちで混雑していたが、ヴィアンもスコイトもまだ姿を見せていなかった。マラッパーはいま古い話を蒸しかえしていた。ふたりで権力を奪取しようとするべきだ、と。

「あんたは時代遅れだ、マラッパー」彼はそっけなくいった。「それにヴィアン審問官は関係ない。この〈前部〉の人々には、権力を求めるなんてつまらないことより大事な目標がある。おまけに、彼らをたくさん殺したらどうなる？　それがなんの役に立つんだ？　それで船が助かるのか？」

「船なんぞ放っておけ。いいか、ロイ、おぬしの老いた司祭を信用しろ。まだおぬしをがっかりさせたことはないだろう。ここの連中は、自分たちの目的のためにわしらを使っておるのだ。わしらも同じことをするのが常識だと思ってな。それに〈教え〉が、つねにみずからを探し求めろと教えているのを忘れるな。そうすれば、内なる葛藤から解放されるやもしれぬのだ」

「ひとつお忘れだ」とコンプレイン。「〈連禱〉は『そして船は帰港した』と終わるんだ。それは〈教え〉の主な教義のひとつだ。あんたはむかしからびっくりするほどひどい司祭だったよ、マラッパー」

ヴィアンの登場で話はさえぎられた。彼女は見るからに潑剌としていて魅力的だった。朝食はもうすませた、と彼女はいった。ふだん示すよりもっといらいらした態度で、マラッパーが失礼するといった。ヴィアンの物腰から、マラッパーを行かせてやるほど上機嫌でいることがわかった。コンプレインとしても望むところだった。

「ファーモアーはまだ尋問されてるのか？」と彼はたずねた。

「いいえ。〈五人会議〉のひとり、ザック・デイトが彼に面会したけれど、それだけ。ロジャー――つまり、マスター・スコイト――があとで尋問するでしょう。でも、いまのところ彼はべつの予想外の仕事で手がふさがっているの」

その仕事がどういうものか、コンプレインはたずねなかった。彼女をふたたびこれほど間近で見られて胸がいっぱいになり、いうべきことをろくに考えられなかったのだ。なにはともあれ、きみの髪がこれほど黒いのは天の配剤以外のなにものでもない――そう口にしたくてたまらなかった。かわりに、自分はなにをすればいいのかと、苦労して訊いた。

「のんびりしてちょうだい」と朗らかな声で彼女はいった。「あなたに〈前部〉を見せてまわるためにきたの」

それは印象的な見学となった。〈居住区〉と同じように、ここでも多くの部屋がからっぽだった。ヴィアンの説明によれば、プロキオンの惑星、新地球に中身が置いてこられたからにちがいないという。それ以外の部屋は、規模において〈居住区〉をはるかに凌(しの)ぐ農場に転換されていた。動物の多くの種類は、コンプレインがこれまで見たことのないものだった。彼は生まれてはじめて魚を見た。水槽のなかで泳いでいた――彼が舌鼓を打った白い肉はこの魚のものなのだ、とヴィアンが説明した。農場部屋は舟さお(クワント)ピュータで管理されているという。そういわれてもチンプンカンプンだったので、彼は黙っていた。驚くほど多様な穀物があり、なかには特別な照明のもとで育っているものもあった。栽培種のポニックも生えており、色あざやかな花を咲かせた灌木(かんぼく)もあった。ある細長い部屋では果実が育っていた。壁ぎわに木が並び、中央の盛り土に低木と苗が植わっている。コンプレインはここではじめてグレープフルーツを味見した。この部屋の気温は高く、園丁たちは腰まで肌脱ぎで仕事をしていた。コンプレインの顔に汗が噴きだした。気がつくと、ヴィアンのブラウスが乳房にはりついていた。彼にとって、それは船上でいちばん甘い果実だった。

大勢の男女がこうした農業デッキで働いていた。雑用や複雑な作業に従事していたのだ。基本的には平和な共同体である〈前部〉は、農業をその主要産業とみなしていた。それでも、ヴィアンによれば、どれほど骨身を惜しまずに働こうと、収穫はなぜか乏しく、動物はこれといった理由もなしに死んでいくのだという。飢えは絶え間ない脅威のままだった。

ふたりはべつのデッキへ移動した。ときどき道は黒ずみ、壁は推測もつかない忘られた武器の跡で傷だらけになっていた。災厄の置き土産である。いまや孤独感を味わいながら、ふたりは〈駆動フロア〉へやってきた。ヴィアンによれば、厳重に立入が禁止されており、例外は数人の士官だけだという。ここにはだれも住んでいない。すべては静寂とほこりにゆだねられている。

「そのむかしはどんなようすだったか、ときどき想像してみるの」と電灯で左右を照らしながら、ヴィアンが小声でいった。「とても忙しかったにちがいないわ。クワントピュータは壊れていなくて……。ここは、船を進めるじっさいの力が生み出される部分なの。多くの人間がここで働いていたにちがいないのよ」

ふたりの行く手に並ぶ開いたままのドアは、がっしりした輪が組みこまれたドアで、船の通常の金属ドアとはまったくちがっていた。最後のアーチを通りぬけると、そこは高さ数階分におよぶ広大な部屋だった。電灯の円錐形の光芒が、モニターの点在する奇妙な形の配電盤を浮かびあがらせた。左右のモニターの目はどんよりと曇り、死んでいた。そのあいだには、輪の上に不格好な構造物があった。四爪錨とスコップと金属の手がついている。

「かつてあれは生きていた。いまはすべてが死んでいる！」ヴィアンが小声でいった。ここではこだまは生じなかった。金属の激しい起伏が、あらゆる音を吸いとるのだ。

「見つかるとしたら、〈司令室〉はここにあるはずなの」

ふたりは引きかえした。ヴィアンが先に立ってべつの部屋へはいった。最初の部屋とそっくりだが、こちらのほうが小さい。とはいえ、ふつうの基準からすれば、巨大だった。もっとも、ほこりは同じくらい厚く、野太い音が絶えずあたりを満たしていた。

「ほら――力は死んでいない！」とヴィアン。「このプラスチックの壁の向こう側でまだ生きているのよ。ここへきて、見てちょうだい！」

彼女は先に立って隣の部屋へはいった。一台の機械の巨体にほぼふさがれていた。完全にパネルでおおわれたその機械は、ハブにハブをはめこんだ三重の巨大な輪のような形をしており、直径数フィートもあるパイプが両側から出て、湾曲しながら隔壁につながっていた。ヴィアンにうながされて、コンプレインはそのパイプに手を置いた。それは小刻みに震えていた。巨大な輪のひとつの側面に点検用のパネルがあった。ヴィアンは掛け金をはずして、パネルをあけた。即座にオルガンの音が高まった。のばした和音（サステイン・コード）を奏でる楽器、プロスランバノメノスのように。

　ヴィアンが電灯で開口部を照らした。

コンプレインはうっとりとして目をこらした。暗闇のなかで、チカチカまたたくなにかがくるくるまわり、光を反射しながら、ブーンという低いうなりをあげていた。その中心で、小さなパイプが回転するハブに液体を絶え間なくしたたらせている。

「これが宇宙空間なのか？」彼は声をひそめてヴィアンに訊いた。

「いいえ」彼女はパネルを閉じなおした。「これは三大換気扇のうちのひとつ。まんなかの小さなパイプは潤滑油をさしているの。こうした換気扇はけっして止まらない。船全体の空気を循環させているのよ」

「どうして知ってるんだ？」

「ロジャーがここへ連れてきて、説明してくれたから」

　たちまち、現在の状況がコンプレインには無意味なものとなった。その言葉を口にだしてはならないと思う暇もなく、彼はいった。

「ロジャー・スコイトはきみにとってなんなんだ、ヴィアン？」

「彼を心から愛しているわ」彼女はこわばった声でいった。「わたしは孤児なの――ひどく幼かったころ、母も父も〈旅〉に出たの。生き腐れにかかったのよ。ロジャー・スコイトと石女（うまずめ）だった奥さんが、わたしを養子にしてくれた。何当直（ウオッチ）も前に〈前部〉への襲撃で彼女が殺されたときから、彼はわたしを絶えず訓練して、面倒を見てくれているの」

安堵の念がこみあげてきて、コンプレインは有頂天になり、ヴィアンの手をつかんだ。即座に彼女は電灯を消し、暗闇のなかで嘲るように笑いながら身を引いた。

「いちゃつくためにここへ連れてきたわけじゃないわ。わたしとそういうことをしようとする前に、自分の力を証明してもらわないと」

コンプレインは彼女をつかもうとしたが、暗闇のなかで頭をぶつけた。すると彼女がただちに電灯をつけた。自分のしくじりに腹を立て、すねた彼はヴィアンに背を向け、ヒリヒリする頭をこすった。

「なぜここへ連れてきたんだ？　いったいなぜぼくと親しくする？」

「あなたは〈教え〉を真剣に受けとりすぎるわ――田舎の部族からきた人間なら、当然なのかもしれないけど！」彼女はすねたようにいった。それから、すこしだけ口調をやわらげて、「ねえ、そんなにへそを曲げないで。だれかが親しみを見せたからって、あなたを傷つけるつもりだと考えなくてもいいのよ。その古臭い考えは、あなたの友だちマラッパー司祭のほうにお似合いだわ」

コンプレインはそう簡単には機嫌を直さなかった。とりわけ、マラッパーの名前が出たせいで、司祭の警告を思いだしたからには。彼はむっつりと黙りこみ、それを破るにはヴィアンは気位が高すぎた。ふたりはかなり落胆して引きかえした。一度か二度、コンプレインは探るように彼女の横顔に目をやった。彼女に話しかけさせようとしたのだ。とうとう彼女は口を開いた――彼のほうを見ずに。

「頼まなければいけないことがあるの」しぶしぶといった口調で彼女がいった。「〈よそ者〉の巣を見つけないといけないのよ。略奪者の部族は滅ぼさなければいけない。わたしたちはもっぱら農作の民だから、狩人はいない。訓練を積んだ衛士でさえ、繁みの奥深くへは行こうとしない――あなたたちがここへ来るまでに踏破した広大な地域を踏破できないのは確実。ロイ――わたしたちを率いて、敵に立ち向かってもらいたいのよ。彼らがあなたの敵でもあることを納得してもらえるだけのものを見せたいと思ってる」

いま彼女はコンプレインを見つめていた。やさしげで、悲しげな笑みを浮かべる。

「そんなふうにきみに見つめられると、ぼくは外へ出て、地球まで歩いていけそうだ!」と彼は大声でいった。

「そこまでは頼まないわ」笑みを浮かべたまま彼女がいった。こんどばかりはよそよそしさをかなぐり捨てて、「さあ、行って、ロジャーの仕事がどうなってるかたしかめないと。彼が船全体の仕事を自分の肩に担っているのはまちがいない。わたしは〈よそ者〉についてあなたに教えた。彼がグレッグの略奪団について説明するでしょう」

先を急ぐあまり、彼女はコンプレインの顔に浮かんだ驚きの表情を見逃した。

マスター・スコイトは忙しいどころではなかった。成功をおさめていたのだ。今回だけは、なにかを達成した気分で、その顔は晴れやかだった。彼は旧友のようのコンプレインに挨拶した。

依然として近くの監房で監視下にあるファーモアーの尋問は、〈死道〉の騒ぎのせいで延期されていた。繁みのなかの騒ぎを聞きつけた〈前部〉の斥候隊は、はるばる二十九番デッキ（コンプレインとマラッパーがつかまったデッキだと判明した）まで遠征した。〈前部〉の最前部を越えてわずか二デッキのところにあるこのデッキは、ひどく損傷しており、斥候隊はその先へ行こうとしなかった。彼らは空手で帰ってきて、三十番デッキでなんらかの闘いが起きているようだと報告した。ときおり男女のかん高い悲鳴があがるのだという。

そこで一件落着となっても不思議はなかった。ところが、この出来事の直後に、グレッグ配下のごろつきのひとりが障壁に近づいてきて、休戦を呼びかけ、責任者に会わせてくれと乞うたのだった。

「彼を隣の監房に入れた」とスコイトがヴィアンとコンプレインに告げた。「彼はおかしな化け物で、ハウルと名乗っている。だが、ボスを『船長』と呼ぶ以外は、頭はまともらしい」

「そいつの望みはなんですか？」とヴィアン。「脱走者ですか？」

「そうではない、ローア」とスコイト。「斥候隊が報告した〈死道〉での闘いは、グレッグ一味ともうひとつの略奪団とのあいだのものだった。ハウルは理由をいおうとせんが、その出来事に彼らは心の底から震えあがったのだ。そういうわけで、グレッグはこのハウルという男を通じてわれわれと和平を結ぼうと訴えており、彼の部族を連れてきて、〈前部〉に住まわせるよう、保護を求めている」

「謀略です！」ヴィアンが大声でいった。「ここへはいりこむための策略です！」

「いや、そうは思わん」とスコイト。「ハウルが本気なのはまちがいない。障害があるとすれば、われわれのあいだで悪評をかこっているのを知っているグレッグが、同盟を結ぶに当たり、誠実さの証として〈前部〉の士官を寄越してもらいたがっていることくらいだ。だれが選ばれるにしろ、帰還するハウルに同行する」

「わたしにはうさん臭く思えます」とヴィアン。

「まあ、彼に会ったほうがいい。だが、ショックを受けるから覚悟しておきたまえ。彼は非常に麗しい人類の見本というわけではない」

〈前部〉の士官ふたりがハウルについていた。彼を警備しているはずだったが、結び目を作ったロープでハウルをこっぴどくたたいていたことは明らかだった。スコイトは鋭い声で彼らを退去させたが、しばらくのあいだ、ハウルから意味のある言葉は引きだせなかった。彼はうつぶせになり、うめき声をあげていた。やがて、また鞭を食らわせるぞと脅されて上体を起こした。彼は驚くべき生き物だった。事実上ミュータントと変わらない。脱毛症のせいで全身の毛がなくなっており、顎ひげも眉毛も見当たらなかった。歯もまったくない。そして不運にも生まれついての奇形のせいで、顔は異常に頭のてっぺんが大きかった。そして、下顎が小さすぎて、上の歯茎が宙にはみだしているし、外骨腫のせいで額が膨張しすぎていて、目をふさいでいるも同然だ。とはいえ、ハウルのもっとも特異な点は、人間のこぶしをふたつ上下に重ねたほどの大きさの頭蓋が、ふつうの大きさの胴体にのっていることであり、それにくらべれば、ほかの異常など些細なものだった。

判断できるかぎりでは、彼は中年だった。恐れおののくヴィアンとコンプレインの視線をとらえて、聖典の切れ端をつぶやいた。

「わが神経が気分を害さぬことを……」

「さて、はにかみ屋」とマスター・スコイトが親しげな声でいった。「きみのご立派な主人は、われわれの使節が――使節を送るとすれば――無事にここへ帰ってこられるということをどうやって保証をしてくれるのかな?」

「おれが船長のもとへ無事に帰り着けば」とハウルが口のなかでもぐもぐいった。「おまえたちの男は、無事におまえたちのもとへ帰り着くだろう。誓ってそうする」

「きみが船長と呼ぶその山賊は、どれくらい遠くにいるんだ?」

「おれといっしょに来れば、おまえたちの男が知るだろう」とハウルは答えた。

「たしかにそうだ。とはいえ、ここできみから引きだすこともできる」

「できっこないさ!」異様な生き物の口調には、敬意をいだかせるなにかがあった。スコイトも明らかにそれを感じたのだ。というのも、その男に立ちあがり、ほこりを払って、水を飲むようにいったからだ。彼がそうするあいだ、スコイトがたずねた。

「グレッグの一味は何人いる?」

ハウルは飲用の器を置き、両手を腰に当てて反抗的な姿勢をとった。

「おれといっしょにきて、同盟を結べば、おまえたちの男は教えられるだろう。もういうべきことは残らずいった。同意するかしないか、おまえたちに心を決めてもらうしかない。だが、忘れるなよ――おれたちがここへきても、もめごとは起こさない。おまえたちに敵対するのではなく、おまえたちのために闘おう。これも誓う」

スコイトとヴィアンは顔を見あわせた。

「向こう見ずな志願者がいれば、試す値打ちはある」とスコイト。

「〈評議会〉にかけなければなりません」とヴィアン。

コンプレインはまだ口をきいていなかった。機会をうかがっていたのだ。いま彼はハウルに声をかけた。

「あんたが船長と呼ぶその男だが。グレッグのほかに名前はあるのか？」

「同盟を結ぶとき本人に訊けばいい」とハウルは答えた。

「ぼくをよく見てくれ。船長になんとなく似てないか？　答えろ」

「船長は顎ひげを生やしてる」ハウルはぐらかそうとした。

「そのひげをもらって、頭をおおったらどうだ！」コンプレインは嚙みつくようにいった。「じゃあ、これならどうだ――ぼくには、ずいぶんむかし頭がおかしくなって〈死道〉へはいった兄がいた。名前はグレッグだ――グレッグ・コンプレイン。それがあんたの船長か？」

「こいつはたまげた！」とハウル。「船長に弟がいて、このパンジーの苗床でのらくらしてるとはな！」

コンプレインは興奮してマスター・スコイトのほうを向いた。スコイトのいかめしい顔には驚きでしわが刻まれていた。

「この男といっしょにグレッグのところへ行きます」とコンプレインはいった。

その申し出はマスター・スコイトにとって願ってもないものだった。彼は即座に、持ち前の膨大なエネルギーをふり向け、コンプレインをできるだけ早く出発させることに奔走した。温和だが容赦のない説得力を駆使して、〈五人会議〉の年長者たちを説き伏せにかかったのだ。彼の指示でただちに会議が招集された。トレゴニンは図書室からしぶしぶ引っぱりだされ、ザック・デイトはマラッパーとの神学的論争から解放され、〈評議会〉の残る三人、ビリヨー、デュポン、ラスキンもそれぞれの関心ごとから誘いだされた。自分たちだけで議論したあと、コンプレインを面前へ連れてこさせ、グレッグに提示する条件を教えこみ、拡張を願って退出させた。つぎの暗い〈眠りとめざめ〉が降りる前にもどってこれるよう、コンプレインは急がねばならないことになった。

グレッグ一味を〈前部〉に住まわせるのが好ましくないことはたしかだが、〈評議会〉は彼らを迎え入れることに熱心だった。〈前部〉の周縁部における哨戒の大部分を終了させられるうえに、〈よそ者〉に対する闘いで意外な同盟者を得られることを意味するからだ。

コンプレインのデーザーと電灯が本人に返却された。彼が自室でそれらを身に着けているとき、ヴィアンがはいってきてドアを閉めた。その顔には滑稽なほど挑戦的な表情が浮かんでいた。

「いっしょに行くわ」前置き抜きで彼女がいった。

コンプレインは抗議の言葉を並べながら彼女のところまで行った。きみはポニックに慣れていない。そこには危険がひそんでいるかもしれない。グレッグに騙されるかもしれない。きみは女だ——ヴィアンがその言葉をさえぎった。

「議論するだけ無駄よ。これは〈評議会〉の命令なの」

「連中を丸めこんだな！　きみが手をまわしたんだ！」とコンプレイン。自分の推測が正しいとわかり、急にうれしくてたまらなくなった。彼女の手首をつかみ、「どうして行きたくなったんだい？」とたずねる。

答えは、思っていたほどうれしいものではなかった。むかしからポニックの繁みで狩りをしたかったのだ、とヴィアンはいった。これは次善の策だ、と。不意にコンプレインは——喜びなしに——グウェニーと、狩りに対する彼女の情熱を思いだした。

「無茶はしないでくれ」彼は厳しい口調でいった。彼女が同行したがる理由が、もっと個人的なものであればよかったのに、と思いながら。

ふたりが旅立つ前にマラッパーが姿を見せ、コンプレインとふたりきりで話をしたいといった。彼は人生の使命を見つけていた。〈前部〉の人々を〈教え〉に再改宗させなければならない。より寛大な〈評議会〉の統治がはじまって以来、〈教え〉はその支配力を失ってきた。とりわけザック・デイトはそれに反対している――ゆえに、マラッパーは彼と議論を重ねているのだ。

「あの男は気に入らん」と司祭はぼやいた。「あの男には恐ろしく実直なところがある」

「頼むから、ここでもめごとを起こさないでくれ」とコンプレインは懇願した。「この人たちがぼくらを受け入れる気になっているときだ。後生だから肩肘張らないでくれ、マラッパー。自分をつらぬくばかりが能じゃない！」

マラッパーは、頬肉が揺れるほど悲しげに首をふった。

「おぬしも不信心者の一員に堕しておるのか、ロイ。わしはもめごとを起こさねばならん。イドのなかに擾乱を――そうでなければならん！　そこに救いがあるのだ。もちろん、同時に人々がわしのまわりに集まるなら、それに越したことはない。ああ、友よ、わしらはふたりでこれほど遠くまできたのに、おぬしを腐らせる女を見つけただけだったとは」

「ヴィアンのことをいってるんなら、司祭」とコンプレイン。「彼女をこの件に巻きこまないでくれ。前に警告したはずだ、彼女はあんたとはなんの関係もない」

彼の声は挑戦的だったが、マラッパーの返事はバターのようにやわらかだった。

「わしがあの女を嫌っているとは思うな、ロイ。司祭としては容赦できんが、男としては、本当のところ、うらやましいのだ」

コンプレインとヴィアンが、ハウルの待っている障壁へ向かったとき、司祭はわびしげに見えた。以前の傍若無人なところは、だれもが見知らぬ者である〈前部〉にきて影をひそめていた。マラッパーにすれば、大きな池の小さな魚でいるよりは、小さな池の大きな魚でいるほうがいいのは疑問の余地がない。コンプレインが自分を見つけた場所で、司祭は自分を失いはじめていたのである。

信じられないほど小さな頭をもたげたハウルは、ポニックの繁みにもどれるのがうれしくて仕方がないようだった。〈前部〉で受けた歓迎は、さほど温かいものではなかったのだ。三人から成る小さな遠征隊がひとたび障壁を抜けると、彼は慣れたようすで先頭に立ってはずむように歩き、ヴィアンがそのあとについて、コンプレインはしんがりを務めた。もはやたんなる化け物ではなくなったハウルは、コンプレインのなかの狩人が惚れぼれするほど機敏に動いた。葉の一枚も揺らさないように思えたのだ。これほどの男が怯えるあまり、〈前部〉の不慣れな規律と引き替えに、自由を進んで捨てる気になるとは、いったいなにが起きたのだろう。

デッキをふたつ踏破しただけで、三人はまもなくポニックの繁みから出た。すくなくともヴィアンとしては、これは申し分なかった。繁みはロマンティックではないとわかったのだ。どこまで行っても代わり映えせず、ちっぽけな黒いブヨだらけで、いらだたしいだけなのだ、と。ハウルが止まると、彼女はありがたさそうに足を止め、まばらになる茎を透かして前方に目をこらした。

「この辺に見憶えがあるぞ！」とコンプレインが声をはりあげた。「マラッパーとぼくがつかまった場所のそばだ」

破壊された黒い通廊が行く手に横たわっていた。壁はあばたや傷だらけ、天井は遠いむかしの爆発の力で引き裂かれている。〈居住区〉からの探検者たちが、不気味な無重力に出くわしたのがここだった。ハウルが電灯で行く手を照らし、音を震わせる口笛を吹いた。間髪をいれずに、天井の穴から一本のロープがゆらゆらと降りてきた。

「あれをつかめば、引っぱりあげてもらえる」とハウル。「あそこまでゆっくり歩いて、つかまえるだけでいい。簡単もいいところだ」

この請けあいにもかかわらず、それほど簡単にはいかなかった。無重力にとらえられたとき、ヴィアンは驚きのあまりあえぎ声をもらした。だが、コンプレインはもっと心がまえができていたので、彼女の腰をつかんで安定させた。威厳をそれほど失わずに、ふたりはロープのところまで行き、ただちに引きあげられた。天井を抜け、そのまた上の階層――損傷は広範囲にわたっている――の天井を抜けて引きあげられる。ロープの助けになるのを潔しとしないハウルは、頭から穴に飛びこみ、ふたりより先に平然と着地した。

ぼろをまとった四人の男が彼らに挨拶し、やりかけだった〈上への旅〉のゲームを前にしゃがみこんだ。ヴィアンとコンプレインが立っているのは荒れ果てた部屋で、依然として無重力に近かった。彼らが出てきた穴のまわりには家具が雑然と並べられている。攻撃を受けたとき穴を守らねばならない人間用の遮蔽物であることは一目瞭然だ。コンプレインはデーザーを没収されるものと思ったが、ぼろをまとった友人たちとふたこと三こと交わしたハウルは、ふたりをべつの通廊へ連れだした。ここで重力がすぐ元にもどった。

通廊は、枯れたポニックを積み重ねたものの上に横たわる怪我人でいっぱいだった。その大部分は顔や脚に包帯を巻いていた。おそらく最近の戦闘の犠牲者なのだろう。ハウルは同情するように喉を鳴らしながら、急いで彼らのわきを通りぬけ、貯蔵品と男たちでいっぱいの隣の個室へはいった。男たちの大半は布切れを当てられるか、包帯を巻かれるか、裂き傷を見せているかしていた。そのなかにグレッグ・コンプレインがいた。

まぎれもなくグレッグだった。目と薄い唇のまわりにおのずと現れる見慣れた不満の表情は、もじゃもじゃの顎ひげがあっても、あるいはこめかみのひどい傷跡があっても変わらなかった。コンプレインとヴィアンが近づくと、彼は立ちあがった。

「こちらが船長だ」とハウルがいった。「弟さんと、すてきな彼女を交渉相手として連れてきましたよ、船長」

グレッグは彼らのところまでやってきた。まるで自分の命がかかっているかのように、目でふたりを探る。他人と目を合わさないという〈居住区〉の古い習慣を彼はなくしていた。ふたりをじろじろと見るあいだ、その表情は変わらなかった。ふたりは木のかたまりも同然だった。彼は木のかたまりも同然だった。血縁は彼にとってなんの意味もなかったのだ。

「おまえは正式な身分で〈前部〉からきたのか？」とうとう彼は弟にたずねた。

「そうだ」とコンプレイン。

「やつらに気に入られるまで、あまり時間がかからなかったな」

「あんたがなにを知ってるっていうんだ？」とコンプレインが挑戦的にいった。外見からして、兄の傲慢な独立心は、遠いむかしに〈居住区〉から飛びだして以来、強まっているようだった。

「〈死道〉で起きることはいろいろと知っているんだ」とグレッグ。「おれはほかでもない、〈死道〉の船長だ。おまえたちが〈前部〉へ向かっているのは知っていた。どうやって知ったかはどうでもいい――交渉をはじめよう。なんのために女を連れてきた？　鼻をふかせるためか？」

「あんたがいったように、交渉をはじめよう」と鋭い声でコンプレインがいった。

「この女はお目付役で、おまえがすることを見張っているらしいな」とグレッグがつぶやいた。「いかにも〈前部人〉のやりそうなこった。おれについてこい。ここにはうめき声が多すぎる……。ハウル、おまえも来い。デイヴィス、ここはおまえに任せる——できるなら、連中を静かにさせておけ」

グレッグのたくましい背中のあとを追ったコンプレインとヴィアンは、筆舌につくしがたいほど混乱した部屋にはいった。乏しい家具調度すべての上に、血まみれのぼろや衣服がかけられていた。赤く染まった包帯が、おびただしい数のちぎれたジャムパンのように床一面をおおっていた。礼儀作法のなごりがまだグレッグのなかにひそんでいたらしい。というのも、ヴィアンの顔に浮かんだ嫌悪の表情を目にして、混乱状態を詫びたからだ。

「おれの女は、昨夜の闘いで殺された」と彼はいった。「八つ裂きにされたんだ——うう、あんな悲鳴を聞いたことはないはずだ！　あの女のところへ行けなかった。どうしても行けなかった。いまごろはあの女がこのゴタゴタを片づけてるはずだった。ひょっとして、おれのために片づけてくれる気はないか？」

「わたしたちはあなたの申し出について話しあい、そのあとできるだけ早く出発する」と硬い声でヴィアン。

「あんたをこれほど怯えさせるとは、いったいどういう闘いなんだ、グレッグ？」とコンプレインがたずねる。

「おまえにとっては『船長』だ」と兄はいった。「面と向かっておれをグレッグと呼ぶ者はいない。それに勘ちがいするな、おれは怯えちゃいない。いままでおれを怯えさせたものはない。おれは自分の部族のことを考えているだけだ。もしここにとどまればまちがいなく殺される。移住しなけりゃならん。で、〈前部〉は移住先としては安全な場所だ。そういうわけで――」彼は疲れたようすでベッドに腰かけ、弟にもそうしろと手をふった――「ここはもう安全じゃない。人間となら闘えるが、ネズミが相手じゃ無理だ」

「ネズミですって？」ヴィアンがオウム返しにいった。

「そうだ、ネズミだよ、べっぴんさん」と強調のために犬歯をむきだしにしてグレッグ。「ばかでかくて汚いネズミ、人間みたいに頭を働かせて、計画を立てたり、組織を作ったりできるネズミだ。なんの話かわかるか、ロイ？」

コンプレインは真っ青になった。

「わかる。そいつらに調べられたことがある。そいつらはおたがいに合図して、ぼろを着て、ほかの動物をつかまえる」

「ほお、やつらを知ってるのか。こいつは驚いた……思った以上に知ってるらしいな。やつらは脅威だ、ネズミの群れは。船でいちばんでかい脅威だ。やつらは協力して、隊列を組んで襲撃することを学んでる――前の〈眠り〉のときにおれたちとそうやって闘ったんだ――だから、おれたちは逃げだすんだよ。やつらが全力でかかってきたら、二度と撃退できっこない」

「そんなばかな!」とヴィアンが声をはりあげた。「〈前部〉はそんな襲撃を受けたことはないわ」

「かもしれん。だが、〈前部〉が世界のすべてってわけじゃない」とグレッグがいかめしい声でいった。彼は自説を開陳した。ネズミの群れが〈死道〉から離れないのは、邪魔されずに襲いかかり、血祭りにあげられる単独の人間が見つかるからだ。やつらの最新の襲撃は、増大した組織化の証拠でもあり、グレッグ一味の実力を当初は理解していなかったために偶然起きたことでもある。しゃべりすぎたと思ったのか、グレッグはだしぬけに話題を変えた。

〈前部〉へ移住する計画は単純だ、と彼はいった。およそ五十人を数えるグループは、自治権のある集団として維持され、〈前部〉の人々とは交わらない。いま過ごしているように〈めざめ〉を過ごし、〈死道〉を哨戒して、〈眠り〉のためだけにもどって来る。〈よそ者〉、巨人族、ネズミ、その他の略奪者から〈前部〉を守る責任を負う。

「で、見返りは?」とコンプレイン。

「見返りは、おれが自分の民を罰する権利を手放さないことだ」とグレッグ。「それにおれに話しかけるときは、だれもが船長と呼ぶこと」

「かなり子供っぽい条件じゃないか？」

「そう思うのか？　おまえはなにが自分にふさわしいか知らないんだよ。おれの持ち物のなかには古い日記があり、それを見れば、おれが――もちろん、おまえも――この船の船長の子孫だとわかる。彼の名前はコンプレイン船長――グレゴリー・コンプレイン船長だ。彼は船全体を所有していた。想像してみろ、もしおまえが……」

グレッグの顔がいきなり驚異の念で明るくなり、すぐに不機嫌のカーテンがまた降りた。その裏にちらりとのぞくのは、世界と折りあいをつけようとしている人間だった。それから彼は包帯の上にすわっている薄汚いけだものにもどった。その日記はどれくらい古いものかとヴィアンがたずねると、彼は肩をすくめ、知らないと答えた。そのしろものの扉以外は目を通したことがないといった。そしてコンプレインは鋭敏にも、それでさえ読むにはかなりの時間がかかったにちがいないと推察した。

「日記は、おまえのうしろにあるロッカーのなかだ」とグレッグ。「いつか見せてやる――交渉がまとまれば。その件は心が決まったか？」

「あんたの申し出は、じつは取り決めをすこしも魅力的にしないんだ、兄さん」とコンプレインは答えた。「たとえば、そのネズミの脅威――自分の目的のために過大評価している」

「そう思うのか？」グレッグは立ちあがった。「それなら、いいものを見せてやる。ハウル、おまえは残って、そのお嬢さんから目を離すな――これから目にするものは、女の見るもんじゃない」

彼はコンプレインの先に立って荒れ果てた通廊を進んだ。進みながら、この隠れ処を離れなくてはならないのがどれほど残念かを口にした。そのむかしの爆発と、閉じたデッキ間ドアの偶然の配列が、コンプレインとヴィアンがはいってきた傷だらけの天井を抜けてしか近づけない要塞を彼の集団にあたえてくれたのだ。依然としてしゃべりながら――いまやふだんの苦虫を嚙みつぶしたような顔の向こうに、弟を目にしてうれしいというしるしが現れていた――グレッグは戸棚のような部屋へ飛びこんだ。

「ここにおまえの旧友がいる」彼はそういうと、あたりを払う紹介の仕草をした。

そういわれても、コンプレインは目にしたものに対する心がまえができなかった。ザラザラした汚い寝椅子の上に横たわっているのは、鑑定人のロフリーだった。彼はほとんど見分けがつかなかった。三本の指が失われており、顔の肉の半分もそうだった。片目はなくなっていた。立派な口ひげの大部分も嚙みちぎられていた。これがネズミの仕業であることは、教えられるまでもなかった――突き出た頰骨にネズミの歯形が見えたのだ。鑑定人は身じろぎひとつしなかった。

「こいつが〈旅〉に出ていたとしても意外じゃない」とグレッグがそっけなくいった。

「哀れな野郎は絶えず痛みに襲われてる。胸の半分が食いちぎられてるんだ」

彼はロフリーの肩を乱暴に揺すり、頭を起こしてから、また枕に落とした。

「まだ温かい――たぶん意識を失っているんだ。でも、おれたちがなにを相手にしているか、これでわかっただろう。この前の〈めざめ〉に、数デッキ離れたところでこの英雄は見つかった。ネズミにやられた、とこいつはいった。こいつからおまえのことを聞いたんだ――おれを見分けたよ、哀れな野郎は。悪いやつじゃなかった」

「最高の男のひとりだ」とコンプレイン。喉が詰まって、まともにしゃべれなかった。想像力が――勝手に――猛然と働き、この恐ろしい出来事を描きだした。彼はロフリーの破壊された顔から目を引きはがせなかった。兄の話がつづくあいだ、めまいに襲われながら立っていた。ロフリーは水泳プールでネズミたちに見つかったのだという。巨人族のガスの効果でまだ無力なうちに、担架のようなものに乗せられ、巣まで引きずっていかれた。そこで尋問されたのだ、拷問にかけられて。

巣は壊れたデッキとデッキとのあいだにあり、人間にはたどり着けない。そこはネズミと、呆れるほど種々雑多な骨董品――彼らが拾ってきて、巣穴や洞穴に組みこんだもの――で足の踏み場もない。ロフリーは、すさまじい状況下で生きる囚われの動物たちも目にした。これら無力なものの多くは、人間のミュータントのように奇形であり、なかには精神でほかの生き物の精神に探りを入れる能力を持つものもあった。

これらの突然変異した生き物が、ネズミによってロフリーの尋問に用いられた。

コンプレインは身震いした。ウサギに精神にはいりこまれ、支離滅裂な尋問をされたときのおぞましい感覚が思いだされたのだ。ロフリーの尋問は、さらに長くつづいた分、かぎりなくひどかった。連中が彼からなにを学んだにしろ——人間の流儀に関する知識をたくさん獲得したにちがいないが——ロフリーのほうも彼らからあることを学んだ。ネズミたちは、人間のだれよりも船について知っている。すくなくとも災厄からこのかた人間が知っていたよりも。彼らにとって繁みは障害ではない。デッキとデッキとのあいだにある天井の低い道を伝って移動するからだ。人間がネズミをめったに見かけないのは、それが理由なのだ。巨大な船の動脈である無数の配管と下水管とチューブを伝って移動するのである。

「おれがここじゃしあわせでいられない理由がもうわかっただろう」とグレッグ。「頭の肉を噛みちぎられたくはない。ネズミどもは、おれにいわせればこの世の終わりだ。おまえの女のところへもどろう。あんな女をつかまえられて運がいいな、弟よ。おれの女はきれいじゃなかった——脚の軟骨が全部骨になっていたから、膝を曲げられなかった。でも……ベッドじゃ気に病まずにすんだ」

ヴィアンのもとへもどると、彼女は満足げな顔で熱い液体を飲んでいた。ただし、ハウルはうしろめたそうな顔をしていて、血まみれの包帯のせいで彼女の気分が悪くなったので、飲み物をとりに行くはめになったのだ、と弁解を試みた。

「あんたのためにすこしとっておいたよ、船長」と頭の小さな男はつけ加えた。「ぐいっと飲みほしてくれ」

グレッグが飲むあいだ、コンプレインは出発の準備をした。ロフリーの姿にいまも心が震えていた。

「あんたの申し出を〈評議会〉に伝えるよ。ネズミの話を聞いたら、受け入れるはずだ。もどってきて、彼らの意見を報告する。さあ、ぼくらはもどらなくちゃならない。つぎの〈眠りとめざめ〉は暗闇だ。その前にやることがたくさんある」

グレッグは弟をひたと見つめた。気むずかしげで無関心な表情の下に、不安がうごめいていた。彼が自分の仲間をできるだけ早く〈前部〉へ連れていきたがっているのはまちがいない。ひょっとしたら、自分の弟が交渉相手であることをはじめて理解したのかもしれない。

「おまえに持っていってもらいたい贈り物がある」彼はぎごちなくいい、ベッドからなにかをつまみあげると、コンプレインに向かって突きつけた。「前の前の〈めざめ〉に槍で刺した巨人から奪ったデーザーの一種だ。熱で殺す。あつかいにくいし、気をつけないと自分を焼き殺しちまうが、ネズミ相手の武器としては重宝する」

〝デーザーの一種〟はずんぐりした金属の物体で、グレッグのいったとおり、あつかいにくかった。コンプレインがボタンを押すと、目に見えるか見えないかの熱の扇が前端から広がった。扇から離れていても、コンプレインにはその熱が感じられた。しかし、射程が短いのは歴然としていた。にもかかわらず、コンプレインはそれをありがたく受けとった。そして思いのほか誠意のこもった声で兄に別れを告げた。こういう個人的関係でうれしくなるなんておかしな気分だ――彼はそう思った。

ヴィアンとコンプレインは護衛なしで〈前部〉へと引きかえした。ヴィアンは出てきたときよりも不安でたまらず、ネズミにそなえて五感を研ぎすましていた。無事に帰り着いたが、騒ぎの渦中にある〈前部〉を見いだすことになった。

4

巨人が〈前部〉にはいっていたのだ。障壁のどれかを抜けてきたのではない。もちろん、障壁は絶えず警備されている。そうではなく、十四番デッキで家へ帰ろうとしていた女性労働者の前にいきなり現れたのだった。悲鳴をあげる暇もなく、その不運な若い女性はつかまえられ、猿ぐつわをかまされて、縛りあげられた。乱暴はまったくされず、彼女を縛りおえるや否や、巨人は姿を消した。ほどなくして、娘はなんとか猿ぐつわを噛み切り、助けを呼んだ。

警察と衛士たちが即座に侵入者の捜索を開始していた。巨人族の実在を確認した――〈前部〉ではいまだに確認が必要だった――この事件に対する驚きは、巨人の無意味に見える行動でさらに大きくなった。なにか不吉な動きが進んでいるにちがいない。大方の意見は、巨人族が長い眠りからさめて、船をとりもどしに来るのだという点で一致した。そのあとつづいた追跡にマスター・スコイトと部下の大半が参加し、いまは事件現場に近い階層をしらみつぶしに調べていた。

ヴィアンとコンプレインは、障壁のところで、興奮した歩哨からこのことを聞かされた。自分たちの個室へ向かう途中、遠くに警笛が聞こえた。通廊はほとんど人けがなかった――大部分の人々が追跡に加わっているにちがいない。〈居住区〉と同じように、気晴らしは〈前部〉でもつねに歓迎されるのだ。

ヴィアンが安堵のため息をついた。

「おかげでひと息つけるわ。あなたと話をする前に、〈評議会〉に臨みたくなかったの。あなたの気持ちはわからないけど、ひとつたしかなことがある。あなたのお兄さんの暴徒をここに住まわせるわけにはいかない――手に負えないわ」

コンプレインには彼女の気持ちが本能的にわかっていた。同意したかったが、にもかかわらず「彼らをネズミにゆだねてしあわせな気分なのかい？」といった。

「グレッグはネズミの能力をわざと過大評価している、ここへはいりこむための手段としてね。もしネズミのことが本当にそれほど心配なら、〈死道〉のもっと奥へ移動すればいいのよ。ここへ来させるわけにはいかないのはたしか。わたしたちの組織が崩壊する」

ヴィアンはまた口もとに頑固な表情を浮かべた。彼女があまりにも落ちついているので、反逆心の波がコンプレインの全身を走りぬけた。彼の目に浮かぶ反抗の色をとらえて、ヴィアンが口もとをほころばせ、「わたしの部屋で話しましょう、ロイ」といった。

それはコンプレインの個室とそっくりだった。殺風景で軍隊調。例外は床の色あざやかな敷物だけ。ヴィアンはドアを閉め、いった。

「どんな犠牲を払ってもグレッグ一味を寄せつけてはいけない――ロジャーと〈評議会〉にそう具申しなきゃ。気づいたかもしれないけど、彼の部下の半分はなんらかの奇形をかかえている。どうやら〈死道〉の奇形児たちから選んで補充するしかないようね。でも、そういうことをここで許すわけにはいかない」

「彼は船のあの地域について、ここのだれよりも知識が豊富だ」とコンプレイン。彼女の声にこもった蔑みが気にさわったのだ。「ポニックの繁みに襲撃をかけるなら、彼の価値は計り知れない」

ヴィアンはそっと手をふって、それを彼の腕にのせた。

「喧嘩はやめましょう。決定は〈評議会〉にまかせればいい。とにかく、あなたに見せたいものがあるの――」

「話題を変える前に」とコンプレインがさえぎって、「グレッグが気になることをいった。きみがぼくに同行したのは、ぼくから目を離さないためだというんだ。それは本当なのか？」

彼女はコンプレインを探るように見てから、深刻な表情をやわらげていった。

「わたしがあなたから目を離したくなかったとしたら？」

彼は引きかえせないところまできていた。これから自分がするはずのことがなぜか前もってわかり、血はすでにたぎっている。彼はグレッグにもらった不格好な武器をベッドに落とした。彼女の背中に両手をまわし、彼女を——浅黒く、高嶺の花のヴィアンを！——抱きよせて、彼女の唇にキスをするという、このめくるめく出来事と引きかえなら、肘鉄を食らってもかまわないと思った。肘鉄は食らわなかった。彼女がふたたび目をあけたとき、そこには彼の目と同じくらい荒々しい興奮があふれていた。

「『狩人は帰る、船体から帰る』（A・E・ハウスマンの詩のもじり）……」と子供のころに憶えた詩を引用して、彼女は小声でいった。「これからも〈前部〉にとどまるんでしょう、ロイ？」

「訊くまでもないだろう」彼は声をはりあげ、片手を彼女の髪に押しあてた。それはつねに彼をそそるのだ。ふたりは長いこと抱きあっていた。ただ見つめあい、ただ生きていた。とうとうヴィアンがいった。

「いまはだめ。あなたに見せなくちゃいけないものを見てちょうだい——ゾクゾクするようなものを！　運がよければ、船について知らなければならないことをたくさん教えてくれるわ」

ヴィアンは他人行儀にもどった。コンプレインが気をとり直すには、もうすこし長くかかった。彼女はベッドに腰かけた。コンプレインがその隣にすわると、彼女はチュニックのボタンをはずし、細長い黒い物体を引っぱりだして、彼に渡した。それは彼女の体温で温かかった。それを落とすと、コンプレインは手を彼女のブラウスに押しあて、乳房のまろやかな輪郭をなぞった。

「ねえ、ローア——」コンプレインが彼女のファースト・ネームを口にしたのは、これがはじめてだった。「——いまこのみすぼらしいものを見なくちゃいけないのかい？」

ヴィアンはそのしろものをおどけた仕草で、だが、きっぱりと彼の手にもどした。

「ええ、見なくちゃいけないの。それはあなたのご先祖さまの日誌。あの恐ろしい怪物のハウルに飲み物をとりに行かせたとき、グレッグのロッカーから盗んだの。いつかの時点でこの船の船長だったグレゴリー・コンプレインの日記よ」

ファイルをあけると、言葉が徐々に浮かびあがってきた。

ヴィアンにその日記を盗ませた本能にまちがいはなかった。記入は比較的すくなかったものの、そこから開ける展望は啓示のように現れたのだ。ヴィアンのほうが読むのが速かったので、コンプレインはすぐにあきらめ、彼女が朗読するあいだ、頭を彼女の膝にのせていた。ふたりともこれ以上は夢中になれなかっただろう。たとえその小さなファイルが、長年にわたり存在できたのは、幸運な偶然のおかげだと知っていたとしても。

最初のうち、記述についていくのは骨が折れた。ヴィアンとコンプレインの知識にないものが言及されているせいだ。しかし、日記の書き手とその同時代人たちのおちいった驚くべき窮地をじきに理解できるようになった。遠いむかしに起きたのであっても、その往古の危機が不意にごく身近なものに思えた。というのも、グレゴリー船長は——じきにヴィアンが発見したように——プロキオンから帰還する船の初代船長だったからだ。

光明を投ずる記述は、日記がはじまってから数行後にあった——

「28・11・2221。農業区画（アグリカルチャル・ベイ）でまたもトラブル（と亡くなって久しいグレゴリー船長は書いていた）。植物業（フロリカルチャー）の責任者、グラッサーが午前の当直のあと面会にきた。彼の報告によれば、鉄分を絶え間なく投与しているにもかかわらず、多くの種（スピーシーズ）の植物を苦しめている白化現象に好転のきざしはないという。促進スペクトルの出力は二度増大している。ストヴァー中尉——水兵たちの奉った愛称は、たしか〝ノア〟——がその直後にやってきた。彼は動物受精部門の責任者であり、グラッサーが担当の高等な植物に関して心配しているのと同様、担当の下等な動物たちに関して気にしている。どうやらハツカネズミはすさまじい速さで繁殖しているのだが、生まれるのは未熟児ばかりのようだ。モルモットも同様の傾向を見せている。これは主要な心配ごととはいえない。これらの生き物の大部分は、計画どおり新地球（プロキオン第五惑星のしゃれた名前）で降ろされた。船上の少数は、ノアの感傷に譲歩したものだ——もっとも、研究室の実験に役立つかもしれないという彼の主張には一理あるが。

「30・11・2221。昨夜は毎月恒例の舞踏会だった。わが愛妻イヴォンヌは、つねにこの手の催しをとり仕切るのだが、今回はひどい苦痛を味わった。彼女は麗しかった——しかし、もちろん、歳月がわれわれふたりに告げるのだ——フランクが十八歳だとは理解しがたい、と！ 不幸にして舞踏会は完全な失敗だった。これはX軌道を離れて以来最初の舞踏会であり、植民者たちの不在が身にしみた。船上に残っている人間はあまりにも少数に思われる。本船はいまプロキオン第五惑星から十日の距離にある。単調な歳月が、われわれの前に重荷のようにのびている。

今朝、植物業(フロリカルチャー)の面々に会いに船体中央部へ行った。グラッサーと、水耕農法(ハイドロポニックス)の専門家モントゴメリーは前より陽気に見える。穀物の多くは以前より状態が悪いように見えるものの、枢要な植物、つまり空気を供給してくれる五種類の栽培種は勢いをとりもどしている。鉄分の投与が功を奏したのは明らかだ。〝ノア〟・ストヴァーはそれほど上機嫌にはなれない——病気の動物をたくさんかかえているのだ。

「2・12・2221。いまは全力加速中。長い帰還の旅が本格的にはじまった、といってもいい。まるでだれかがそれに興奮をおぼえたかのように。士気は低い……イヴォンヌとフランクは気丈にふるまっている。おそらく、いまや数AU（天文単位）背後となった娘のジョイ——つい最近まで赤ん坊だったのに！——のことを忘れようとしているからでもあるだろう。内報の話では、不埒にも〝もう生まない〟クラブが乗務員区画で結成されたという。思うに、人間を駆りたてる根本的なものが、その連中をなんとかしてくれるだろう。もっと対処がむずかしいのは、哀れなベーシットだ……。二級鳥類飼育係だった男だが、ひと握りのツバメをのぞくすべての鳥が新世界で放たれてしまったいま、時間が彼の上に重くのしかかっている。彼は独自の陰気な宗教を編みだしている。古い心理学の教科書からでっちあげたもので、それを説教しながら〈主通廊〉を行ったりきたりしている。驚いたことに、人々は耳を貸す気になるようだ。時代を象徴しているのだろう。

以上は些細な問題だ。もっと深刻な問題——動物——について書こうとしたが、お呼びがかかった。またあとで。

「5・12・2221。日記を記入する時間がない。われわれの身に呪いが降りかかっているのだ！　船上の動物はいまや立つこともできない。多くが死亡した。残りは濁った目で体をこわばらせて横たわっている。ときおり筋肉に走る痙攣が、唯一の生きているしるしだ。動物業(フォーナカルチャー)の長ディスタフ——大学の同窓生——は病気だが、その部下たちとノアがいい仕事をしている。とはいえ、苦しんでいる生き物に薬物は効果がないようだ。いままではすべての薬の投与が中止されている。せめて動物たちが口をきければ！　農業技術者たちは研究室デッキと一致協力して、いかなる疫病がわれわれに降りかかってきたのかを突き止めようとしている。まさか、神の呪いでは！……もちろん、ベーシットにとっては、このすべてがもっけのさいわいということになるのだ。

「10・12・2221。毎朝モニターに積みあがる日課報告のなかに罹病報告がある。八日は九人の罹病、昨日は十九人、今日は四十一人——そして軍医長トインビーからの——ほとんど必要のない——面会要請。わたしは医務室へ直行し、彼と会った。彼によれば、問題は遺伝物質を破壊するウイルスだという。いつもどおりトインビーは、かなり尊大で博識だったが、決定的な知識を欠いていた。彼が説明するとおり、動物にはいりこんだなにかが患者に転移したのはまちがいない。患者は哀れを誘う。子供の割合が多いのだ。動物と同様に、彼らはこわばった体で横たわり、ときおり筋肉を引きつらせる。体温は高く、声帯は麻痺している模様。医務室は面会謝絶だ。

「14・12・2221。船上の幼児と思春期の若者は、いまやひとり残らず医務室に隔離されて苦しんでいる。成人にも影響が出た。罹病者の合計――百九。これは全体の四分の一に近い。さいわいなことに――すくなくとも、船の管理運営に関しては――年齢が高いほど免疫があるらしい。ディスタフは昨日亡くなった。だが、いずれにせよ彼は病気だったのだ。奇妙な麻痺により死亡した例は報告されていない。どこもかしこも不安げな顔。とても見ていられない。

「17・12・2221。ああ、主よ、もし打ち上げのときにこの船からご尊顔をそむけていらしたのなら、いまこそわれらをみそなわせたまえ。最初の九人の患者が報告されてから九日。罹病者のうち八名が今日亡くなった。彼らは回復しつつあると思ったし、トインビーがそう請けあってくれたのだ。硬直は一週間つづいた。この二日間、患者の硬直はほぐれた。もっとも、体温は高いままだったが。三人はまともに口をきき、気分がよくなったといった。ほかの六人は錯乱しているようだった。死はおだやかに訪れ、患者はもがくこともなかった。研究室デッキが検死解剖をおこなった。この最初のグループで生き残っているのはただひとり。十三歳の少女、シーラ・ペソリだ。彼女の体温は下がっている。彼女は生きのびるかもしれない。

九日周期なら、明日はさらに十の症例が予想される。不吉な予感がとめどなく湧きあがってくる。

いま百八十八人が病臥しており、その多くはそれぞれの部屋で横になっている。医務室は満員なのだ。動力スタッフが看護兵として徴用されている。ベーシットは引っぱりだこだ！　二十人の士官——全員が幹部であり、長はグラッサー——から成る代表団が、昼食後面会にきた。彼らの要求は、手遅れになる前に新地球へ引きかえすというものだった。もちろん、その要求を呑むわけにはいかなかった。代表団のなかに報道局の哀れなクルックシャンクがいた——彼の息子は今朝亡くなった八人のうちのひとりだ。

「18・12・2221。よく眠れなかった。今朝早くフランクが連れていかれた。かわいそうに。彼は死骸のように硬直して横たわり、じっと見つめている——なにをだろう？　それでも、彼は二十の新しい症例のひとつにすぎない。いままでは年長者たちも罹病しつつある。船の日課を修正するしかなくなった。あと数日で、日課は完全に放棄しなければならない。大部分の装置が自動であり、自給式であるのが不幸中のさいわいだ。

九日周期が今日終わった十名の患者のうち七名が死亡。残る三名は意識が朦朧としたままだ。若いシーラに変化はない。寄るとさわると、いまや〈九日硬直熱〉と呼ばれるものの話だ。ベーシットを投獄した。士気を低下させる話を広めるからだ。

農業部門の視察が長引いたので疲れている。グラッサーも対象のひとりで、昨日の代表団が失敗に終わったあとだけあって、かなりよそよそしかった。ノアによれば、生きている家畜の九十五パーセントが〈硬直熱〉にかかったという。そのうち約四十五パーセントが回復した——人間の数字もそれくらいよいといいのだが！　不幸にして、大きい動物ほど回復の度合いが低い。馬は生き残らず、さらに深刻なことに、牛も生き残らなかった。羊もひどいものだ。豚と犬は比較的ましだ。ネズミは全快した。彼らの繁殖力は損なわれていない。

土壌で育つ通常の植物も似たりよったりの生存率を示している。ここでは身を粉にする労働がつづいている。疲れ果てたスタッフが、何エーカーにもおよぶ苗床を清掃する仕事に気高くも従事しているのだ。

隣の部屋で、モントゴメリーが水耕植物を誇らしげに見せてくれた。白化——かりに白化であったのなら——からすっかり回復したそれらは、前にもまして生命力旺盛であり、水耕植物版の〈九日硬直熱〉から利益を得たようにすら見える。五種類の酸素供給植物が育てられている。二種類が〝湿式〟、一種類が〝半湿式〟、二種類が〝乾式〟だ。とりわけこの乾式のひとつ——土壌で育つ祖先から数世紀前に改良された食用種——が繁茂しており、砂礫の苗床からデッキへこぼれだしそうな勢いを見せている。植物業（フロリカルチャー）の気温は高いままだ。それが役に立つ、とモントゴメリーは考えている。研究室に電話。調査部門は（前にも約束したように）この疫病の治療法が明日にも見つかると約束。不幸にして、そこの科学者の大半は硬直熱で伏せっており、ベスティという名前の女性がひとりで、切り盛りしようとしている。

「21・12・２２２１。司令室から去った——ひょっとしたら、永久に。シャッターは身の毛のよだつ星々に対して閉ざしてある。薄闇が船じゅうに立ちこめている。人口の半分以上が〈九日硬直熱〉にかかった。周期をひとめぐりした六十六人のうち、四十六人が死亡した。死亡率は日々下がっているが、生存者は昏睡状態にあるようだ。たとえば、シーラ・ペソリは身じろぎもしない。

なんらかの組織の運営はしだいに困難になる。船の遠隔区域との接触は実質的に失われた。重要なケーブル複合体が破壊されてしまったのだ。いたるところで、男女の集団が寄り集まって待っている。放縦が無感動と覇権を争っているのだ。われわれ全員の死ぬところが目に浮かぶ。どこかの太陽の重力にとらえられるまで、この恐ろしい墳墓は、ひょっとしたら一千年も疾走するのだ。

この悲観主義は弱さだ。イヴォンヌさえわたしを元気にさせられない。

調査部門はいまや病原となるウイルスを特定したが、どうも、あまり重要ではないように思える。判明するのが遅すぎた。値打ちはどうあれ、彼らが突き止めたことはこうだ。新しい惑星を発つ前に、水をすっかり積みかえた。船上にあった水はすべて軌道に投棄し、新鮮な水を運びあげた。空気から水分を抽出し、船体のタンクにもどす自動システムは、これまでずっと有効だった。しかし、くり返し使われるそういう水は、当然ながら――穏当ないい方をするならば――風味がなくなってしまう。

プロキオン第五惑星の小川から運びあげられた新しい水は、まさに美味だった、もちろん、微生物は検査され、濾過されていた。しかし、そうあってしかるべきほどには徹底していなかったのかもしれない――科学的方法は、当然ながら数世代にわたり停滞していたのだ。とはいえ、だれかを責めても現在の窮状に変わりがあるわけではない。簡単にいえば、ウイルスのタンパク質が分子溶液の形で水中に浮遊しており、われわれのフィルターをすり抜けたのだ。

調査部門のジューン・ベスティ――聡明ながらうぬぼれの強い小娘。強度の広場恐怖症のせいで、プロキオン第五惑星の夫と別れるほかなかった――は専門用語を使わずに出来事のつながりを説明してくれた。タンパク質はアミノ酸が複雑に凝縮したものだ。アミノ酸は塩基であり、結合してペプシン連鎖の形でタンパク質を形成する。既知のアミノ酸は二十五種類を数えるのみだが、アミノ酸の作るタンパク質の組みあわせは無限である。不幸にして二十六番めのアミノ酸が、プロキオン第五惑星の水のなかに出現した。それは致死性ウイルスの媒介物(ヴェクター)となった。

タンク内で、タンパク質はじきに加水分解して成分にもどった。惑星上でそうなっていたことは疑いの余地がない。いっぽう、人類、家畜、植物から成る船の乗員は、毎日何ガロンもの水を吸収する。それらの器官はアミノ酸をふたたびタンパク質に組みあげ、それは体細胞へと移送される。そこで燃料として使われ、新陳代謝という燃焼プロセスを経て、ふたたびアミノ酸に分解される。ふつう起きるのはこういうことだ。

二十六番めのアミノ酸は、この流れを阻害する。それは結合して、どんな器官――植物、動物を問わず――にも複雑すぎて処理できないタンパク質となる。この時点で手足が硬直し、ウイルスが増殖する。ペインが説明したように、ペプシン結合がより強力なのは、新地球のより強い重力も原因の一端かもしれない。ウイルスの進化や自由結合分子に対する重力の持続的な影響については、ほとんど知られていないのだ。

いまごろ、新世界の入植地もわれわれと同じくらい悲惨な目にあっているにちがいない。すくなくとも、彼らには外気のなかで死ぬという特権がある。

「22・12・2221。昨日は書きおえる暇がなかった。今日は世界のありったけの時間があるようだ。今朝はさらに十四人の死が、疲れきったトインビーによって報告さの最新の犠牲者。彼女をベッドに寝かせているが、彼女を見られない——悲惨すぎて。祈るのはやめてしまった。

若いベスティに教わったことを書きおえよう。最終的には人口のある割合が生きのびるという点に関して、彼女は慎重ながらも楽観的だった。〈硬直熱〉の犠牲者の体は活動しないのに対し、その内部の力はウイルスの侵入に対処している。関係する組織にじゅうぶんな順応性があれば、最後にはウイルスに打ち勝つだろう。「またべつの小さなウイルスが、わたしたちに危害を加えるということはありませんとミス・ベスティは小気味よくのたまう。タンパク質はすでにあらゆる生きている細胞のなかにあり、危険な時期を過ぎれば、ほんのわずかに異なったべつのタンパク質が許容されても不思議はない。ベスティンと名づけられた（この聡明な小娘は、なんのてらいもなくそう教えてくれた！）新しいアミノ酸は分離されている。既知のロイシンやリシンと同様に、それには生長作用がある——どんな作用かは、長期にわたる研究を待つしかないだろう。それだけの時間があるかどうかは疑問だが。

短期間の結果は目の前にある。植物は大部分がベスティンに適応しており、いったん適応すれば、繁茂するように思える。種にもよるが、動物も適応している。ただし、じっさいに繁栄しているらしいのは、豚の繁殖地だけだが。ベスティによれば、すべての生き残りは突然変異――彼女のいう〝低レヴェルの突然変異〟――とみなせるという。農業区画の熱気が助けになったとも思える。そこで船内動力を割いて船全体の気温を十度あげるよう命じておいた。打てる手は文字どおりそれしかない……。

まるで組織が複雑であればあるほど、新しいタンパク質とウイルスを拒絶するのがむずかしくなるように見える。人間には不運なことだ。とりわけ、われわれには。

「24・12・2221。トインビーが硬直熱にかかった。モントゴメリーも。今朝は五人だけだった新しい犠牲者のうちふたりが彼らだ。奇形のタンパク質はひとどおり仕事を終えたように思える。医務室が雄々しくもいまだに送ってくる報告を分析しようとして、わたしはあることに気づいた。年長者であればあるほど、当初は持ちこたえるが、いったんウイルスが増殖すると、生存のチャンスはすくなくなるのだ。ベスティがまったく自発的に会いにきたとき（彼女は調査部門の責任者を自任している。わたしには彼女の有能ぶりを賞賛することしかできない）この点について訊いてみた。その数字はあまり意味がない、と彼女は考えている――たいていのものに関して、年少者は年長者よりも多く生きのびるものだ。

シーラ・ペソリが回復した！　彼女は最初の症例のひとりだった。もう十六日も前の話だ。わたしは彼女を見舞いに行った。彼女は申し分なく健康に見えた。もっとも、動きがすばやく、神経質だったが。体温は依然として高い。それでも、最初に全快した患者だ。

この点に関しては、ばかげているほど楽観的な気分だ。せめて百人の男女が生きのびられれば、数をふやせるかもしれない。そして彼らの子孫は船を故郷とするだろう。絶滅を避けられる最低限の人数があるのではないだろうか？　答えが図書室のどこかにあることはまちがいない。ひょっとしたら、本船の過去の乗客が編纂した退屈なディスクのあいだに……。

今日、反乱が起きた。愚かな真似を。首謀者は船内警察のタグステン巡査部長と、生き残りの兵器係、〝スパッド〟・マーフィーだ。彼らはプロキオン第五惑星に降ろさなかった数すくない携帯式原子力兵器を持って荒れ狂い、六人の仲間を殺して、船体中央部に甚大な被害をもたらした。不可解にも、わたしを狙わなかったのだ！　彼らを武装解除し、営巣にぶちこんだ――ベーシットには説教を聞かせる相手ができたわけだ。神経麻痺銃、通称〝デーザー〟をのぞくすべての武器を回収して破壊した。船に対するこれ以上の脅威を防ぐために。〝デーザー〟は生きている神経にしか作用しないので、無機物を破壊することはないからだ。

「25・12・2221。またしても反乱の試み。農業区画にいたとき、それは起こった。

船の基本的な営みのひとつとして、いかなる犠牲を払っても農場は運営しつづけなければならない。水耕部門の酸素供給種は放置されている。自分の面倒くらいみられるだろう。そのなかのひとつ、前に触れた乾燥種は床一面にはびこっており、自力で生きていけるかのように思える。それに目を注いでいると、〝ノア〟・ストヴァーが〝デーザー〟を持ってやってきた。心配顔の若い女を大勢連れていた。彼は出力を抑えてわたしを撃った。

意識がもどると、司令室に運びこまれていた。そこで彼らはわたしを脅迫した。船をまわれ右させ、新地球へ引きかえさなかったら、殺すというのだ！　船が現在の速度、ＥＶ（地球）のおよそ千三百二十八・五倍で航行しているとき、船を百八十度回頭させる操船には五年ほどかかると理解させるには、しばらく時間がかかった。流体の因子を示すことで、ようやく理解させた。そうすると彼らは憤懣やるかたないようすで、いずれにせよわたしを殺そうとした。

だれが助けてくれたのか？　残念ながら、ほかの士官ではない。ジューン・ベスティなのだ。それもたったひとりで――調査部のわが小柄なヒロインだ！　彼女の剣幕があまりにもすさまじいので、とうとう彼らはノアを先頭にして退散した。いま彼らのたてる音が聞こえる。数字の若いデッキを荒らしまわっているのだ。酒の倉庫に押しいったのだろう。

「26・12・2221。いまやシーラをふくめて、六人の患者が全快したといってもかまわないだろう。ひとり残らず体温が高く、神経質なほどすばやく行動するが、気分はいいといっている。ありがたいことに、自分たちのこうむった苦痛の記憶はないという。いっぽう、〈硬直熱〉はいまだに犠牲者をだしている。医務室からの報告は届かなくなっているが、わたしの見積もりでは、いまだ活動できている人間は五十人を切る。五十人だ！　彼らの――わたしの――免疫期間は急速に終わりを迎えようとしている。とどのつまり、タンパク質の蓄積は避けるすべがないのだ。しかし、変種の結合は気まぐれなので、組織内で危険なほど密集するのをほかの者より長いあいだ避けられる者がいるのだろう。

すくなくともジューン・ベスティはそういっている。彼女はふたたびわたしといる。もちろん、彼女の助けには感謝している。それに、わたしは寂しいのだろう。気がつくと、彼女に情熱的なキスをしていた。彼女は肉体的に魅力があり、わたしより十五歳ほど年下だ。愚かなのはひとえにわたしのほうだった。彼女はいった――ああ、古い議論をくり返すまでもない――自分はひとりぼっちで、怯えている、自分たちにはほとんど時間がない、どうして愛を交わさないのか、と。わたしは彼女を退けた。彼女がわたしを誘惑する手管がわかり、急に腹が立ったのだ。あれほど性急だったのをいまは後悔している——数ヤード離れた隣の部屋で仰向けになり、無言で苦しんでいるイヴォンヌのことが頭から離れなかっただけなのだ。
明日は武装して、船の点検めいたことをしなければならない。

「27・12・2221。船の巡回に同行させる下士官がふたり見つかった。ジョン・ホールとマーガレット・プレステレンだ。人員はとても秩序立っている。ノアは救護活動を展開しており、〈九日硬直熱〉から回復した者たちに食事をあたえている。この災厄の長期的な影響はどんなものになるのだろう?

何者かがベーシットを解放した。彼のいうことは支離滅裂だ——それなのに説得力がある。わたし自身、彼の教えを信じられそうだ。この死体安置所では、神よりも精神分析のほうが信仰の対象にしやすい。

農業区画へ行った。荒廃しきっていた。家畜が穀物のあいだをわがもの顔で歩いているのだ。それに水耕植物(ハイドロポニックス)! 前にここで触れた乾燥種の酸素供給植物は、ベスティンの影響でとんでもない突然変異をとげている。それは水耕部門近くの通廊に侵入しており、その根が行く手にある土壌を一掃している。まるで植物が独自の知性を発達させたかのようだ。そのしろものが生長し、船全体にはびこるという、なんとなくばかげた光景を脳裏に描きながら、司令室へ行き、〈主通廊〉のデッキ間ドアをすべて閉めるボタンを押した。これで植物の生長に歯止めがかかるはずだ。

今日、フランクは硬直から脱した。わたしがだれかわからなかった。明日また彼に会うとしよう。

今日、ジューンが硬直熱にかかった。聡明で生きいきしたジューン！　プレステレンが彼女に会わせてくれた――自分で予言したとおり、身じろぎひとつせずに苦しんでいた。どういうわけか自分でもわからないが、彼女の姿はイヴォンヌの姿よりも応えた。叶うなら――いや、わたしがなにを望んだところで仕方がない。つぎはわたしの番だ。


「28・12・2221。プレステレンにいわれて気づいたのだが、クリスマスがきて、去っていた。あのばか騒ぎをすっかり忘れていた。酔っ払った反乱者たちが祝っていたのはそれだったのだ。哀れなやつらよ！

今日、フランクはわたしを見分けた。彼の目でわかった。口はきけなかったけれども。彼が船長になることがあるとしたら、まったくちがう船の船長になるだろう。

今日までに回復した者は二十名。事態は改善している――希望をいだく余地はある。

逆境は人を思想家にする。長い旅がせいぜい暗闇への撤退しか意味しなくなったいまになり、ようやくわたしは恒星間旅行という概念そのものの背後にある正気を疑いはじめた。この永遠の壁に閉じこめられたプロキオンへの往路で、いったい何人の不運な男女がその疑問にとらわれたのだろうか！　その壮大なアイデアのために、彼らの人生は無駄に費やされた。われわれの子孫がふたたび地球に歩をしるす前に、さらに多くの者がそうなるにちがいない。地球！　そこの人間の心が変化していることを祈る。彼らがあまりにも長いあいだ愛し仕えてきた、硬い金属とは似つかなくなっていることを。この奇跡の船を打ち上げられるものがあるとしたら、二十一世紀が知っていたような、科学技術時代の花盛りしかない。それでも、その奇跡は不毛で残酷だ。生まれてもいない世代をみずからの内に存在するよう運命づけられるのは、科学技術時代だけだ。まるで人間を感情や向上心のない原形質にすぎないかのようにあつかって。

科学技術時代の端緒に――わたしにいわせれば、ふさわしい象徴だ――アウシュヴィッツ＝ビルケナウの記憶が位置している。それ以上に長引くこの苦悶が終わりを迎えるのを望むことしかできない。それが永久に終わることを。地球で、そしてプロキオン第五惑星の新世界で」

日誌はそこで終わっていた。

読みあげるあいだ、ヴィアンは何度も中断し、声をととのえなければならなかった。

ふだんの軍人風の物腰は消えてなくなり、いまにも泣きだしそうな若い女がベッドの上にいるだけだった。そして読みおえると、心を鬼にしてあともどりし、コンプレインが見逃した最初のページのある文章を読みなおした。グレゴリー・コンプレイン船長は書いていた——「われわれは地球をめざす。その空を目にする人間が、六世代を経たのちまで生まれないことを知りながら」と。ヴィアンは震え声でそれを読みあげてから、とうとう涙の雨を降らせはじめた。

「わからないの！」彼女は叫んだ。「おお、ロイ——その旅は七世代で終わるはずだったのよ！ それなのに、わたしたちは二十三番めの世代！ 二十三番めよ！ 地球をとっくに通りすぎてしまったにちがいないわ——もうわたしたちを救えるものはないのよ」

なすすべもなく、言葉もなく、コンプレインは彼女を慰めようとしたが、人間の愛には、彼らがはまりこんだ罠の非人間性をやわらげる力がなかった。ヴィアンの嗚咽が多少はおさまったとき、コンプレインはとうとうしゃべりはじめた。自分の声がしゃがれているのがわかった。根本的な窮地から彼女の気をそらそうとして——自分たちふたりの気をそらそうとして——無理やり絞りだしたからだ。

「この日誌でいろんなことの説明がつく、ローア」と彼はいった。「ぼくらは試さなきゃならない。そして知ったことに感謝しなけりゃならない。なにより、これで災厄の説明がつく。それはもう身の毛のよだつ伝説じゃない。対処できるかもしれないものだ。ひょっとしたら、グレゴリー船長が生きのびたかどうか、わからずじまいになるかもしれない。でも、彼の息子は生きのびて、名前を伝えたにちがいない。ひょっとしたらジューン・ベスティも生きのびたかもしれない——なんとなくきみを思わせるんだ……。とにかく、じゅうぶんな数の人々が生きのびたのはたしかだ——小さなグループが部族を形成し……。そのころには、水耕植物（ハイドロポニックス）が船を埋めつくしかけていた」

「ポニックが本当は存在するはずじゃなかったなんて、だれも思わないわね。あれは……あれはものごとの自然な秩序の一部なのに！　まさか——」

「ローア！　ローア！」彼は大声をあげて、急に彼女の言葉をさえぎった。上体を起こし、兄にもらった奇妙な武器をわしづかみにする。「この武器！　日記によれば、デーザー以外の武器は破壊された。そうすると、こいつは武器とはべつのなにかにちがいない！」

「見逃されただけかもしれないわ」と弱々しい声でヴィアン。

「かもしれない。あるいは、そうでないかもしれない。これは熱線発生器だ。特別な使い道があるにちがいない。ぼくらの知らないことができるにちがいない。試してみよう——」

「ロイ！　気をつけて！」ヴィアンが叫んだ。「火事を起こすわよ！」

「燃えないもので試すよ。ぼくらはなにかをつかんだんだ、ローア、誓ってもいい！」

彼は銃を慎重に持ちあげ、銃口を壁に向けた。なめらかな上面に表示器とボタンがついていた。前にグレッグがしたように、ボタンを押す。見えるか見えないかの強烈な熱の狭い扇が開き、壁に触れた。壁のつや消しされた金属の上に、まばゆい線が現れた。線はだらしなく広がった。鮮紅色の唇の形が盛りあがり、分かれて微笑を形作る。あわてて、コンプレインはもういちどボタンを押した。レーザーが止まり、唇が色を失って、栗色に変わり、ぱっくりと開いた黒い口の形に固まった。それを通して、通廊が見えた。

ヴィアンとコンプレインは、電撃を浴びたかのように目を見あわせた。

「〈評議会〉に教えないと」畏怖に打たれた声でようやくコンプレインがいった。

「待って！　ロイ、その武器を試してみたい場所があるの。だれかに伝える前に、いっしょにきてもらえない？」

通廊に出ると、いささか驚いたことに、巨人狩りがまだつづいているとわかった。つぎの〈眠りとめざめ〉をおおう暗闇の落ちるときが急速に近づいていた。狩りに加わっていない者はみな、閉じたドアの裏で眠る準備をしていた。船は人けがないように思えた。〈九日硬直熱〉の支配のもとで乗員の半分が死にかけていた遠いむかしも、きっとこう見えたにちがいない。ヴィアンとコンプレインはだれにも気づかれずに早足で進んだ。闇のとばりが降りたとき、若い女はなにもいわずにベルトの電灯をつけた。

コンプレインは、敗北を認めようとしない彼女を賞賛するしかなかった。彼の自己分析はじゅうぶんではなかったので、それが自分にもある程度はそなわっている資質だとわからなかったのだ。ネズミや巨人族や〈よそ者〉に、あるいはその三つの組みあわせに遭遇するかもしれないという不安をそそる考えが頭から離れず、彼は右手に熱線銃、左手にデーザーをかまえていた。しかし、なにごともなく進み、無事に一番デッキと、きつく巻いた螺旋階段までやってきた。

「お友だちのマラッパーの見取り図では」とヴィアンがいった。「〈司令室〉はこの階段を登りきったところにあるはず。見取り図の上で、〈司令室〉は大きく見えている。それなのに、階段を登りきったところには、なんの変哲もない円形の壁に囲まれた小さな部屋しかない。その壁が、人々を〈司令室〉に近づけないために設けられたものだとしたら？」

「つまり――グレゴリー船長の手で、ということか？」

「かならずしもそうじゃないわ。おそらく、もっとあとのだれか。さあ、行って、あなたの銃で壁を狙って……」

ふたりは螺旋階段を登り、円形の金属壁と向かいあった。謎に直面しているというおののきがじわじわとこみあげてきた。ヴィアンが痛いほどの力で彼の腕をぎゅっと握った。

「そこを試して！」彼女は適当に指さしながら小声でいった。

彼女が電灯を消すと同時に、コンプレインは銃のボタンを押した。

暗闇のなかで、水平にした銃口の向こうで、赤っぽい輝きが生まれ、まばゆい光にまで覚醒すると、コンプレインの指揮のもとで動き、やがて煌々と光る正方形を形作った。正方形の辺がみるみるたわんでいく。その内部の金属が皮膚のようにはがれ落ち、通りぬけられる空間が生じた。刺激臭が鼻孔をくすぐる。ふたりは熱がおさまるまでいらいらと待った。その向こう、ぼんやりと現れた大きな部屋のなかに、細長いなにかの輪郭が見えた。彼らの経験を超えているために判然としないなにかだ。

正方形が冷えて通りぬけられるようになると、その招いている線を越えることに、ふたりの意見が一致した。

二百七十度におよぶ展望室の眺望をおおい隠す巨大なシャッターは、遠いむかしにグレゴリー船長が閉めていったままだった。無造作に放りだされたスパナまでそのままだった。窓枠の上にのっているので、一枚のシャッターが閉まりきらないままになっていたのだ。このパネルと隣のパネルとのあいだに隙間ができており、ポニックが光を求めるのと同じくらいたしかに、コンプレインとヴィアンはそれに惹きよせられた。

床面からはるかな頭上までのびている狭い亀裂ごしに、宇宙空間の切れ端がのぞいていた。船の住人があの壮大な虚空を最後に目にしてから、どれだけ多くの無意味な歳月が過ぎたのだろう？　頭を寄せあわせて、コンプレインとヴィアンは透明タングステンの気密窓ごしに目をこらし、目に映るものを理解しようとした。もちろん、たいして見えなかった。ちっぽけな楔形の宇宙にすぎず、それなりの数の星が散らばっているだけだ――目をくらませるほどではなかったけれど、それでも、勇気と希望で彼らを満たしてくれた。

「船が地球を通り越したからって、関係ないわ」と小声でヴィアン。「わたしたちは操縦装置を見つけたのよ！　使い方をおぼえれば、船を方向転換させて、最初に行きあたった惑星へ降ろせるわ――トレゴニンの話だと、たいていの恒星に惑星があるとか。ああ、できるのよ！　できるに決まっている！　こうなったからには、あとは簡単よ！」

かすかなうえにもかすかな光のなかで、彼女にはコンプレインの目に浮かぶ上の空の表情が見えた。呆然として考えこんでいる目の色が。彼女は両腕を彼にまわした。

つねにスコイトを守ってきたように、急に彼を守りたくなったのだ。というのも、〈居住区〉で辛抱強く育まれてきたコンプレインの独立心が、一時的に失われていたからだ。

「生まれてはじめて」と彼はいった。「わかった——よくわかった、骨の髄まで——ぼくらが船に乗っていることが」彼の脚は水のようだった。

彼女はその言葉を個人的な挑戦と解釈したかのようだった。

「あなたのご先祖が船を新地球から運んできたのよ。あなたが新々地球へ着陸させることになるんだわ！」

そして電灯をつけて、光線を勢いよくふりまわし、これまで闇に沈んでいた操縦装置の列また列を照らした。かつてはこの部屋を船の神経中枢にしていたダイアルの方陣につぐ方陣、トグルの列、兵士のパレードのように並ぶ表示器、レヴァー、ノブ、スクリーン——それらはあいまって、いまだに船のなかで脈打っている力を目に見える形にしている——がめちゃくちゃになり、溶岩のように固まっていた。どちらを見ても計器盤は溶けたシャーベットのようで、それと同じくらい役立たずだった。被害を免れているものはなかった。電灯の光がペースを速めてあちこちをかすめたものの、無傷なスイッチはひとつも照らしださなかった。操縦装置は徹底的に破壊されていた。

第四部　なにか大きなもの

1

ときおり気が抜けたように輝く表示灯だけが、螺旋状にのびる通廊を照らしだしていた。船の片端では、ポニックが死を――闇の降りる〈眠りとめざめ〉が来るたびにかならずもたらされる死を――とげはじめていた。船の反対端では、マスター・スコイトがいまだに部下を駆りたて、電灯の光のもとで巨人の捜索をつづけていた。〈駆動フロア〉の下層を捜しているスコイトの一隊は、〈前部〉の二十番台デッキから生命をほぼ一掃してしまっていた。

闇のとばりが降りるころ、トレゴニン評議員の部屋から電灯なしで自分の部屋へ帰ろうとしていた司祭のヘンリー・マラッパーは暗闇につかまった。マラッパーはこの司書の好意を勝ちとろうと慎重にふるまってきた。〈五人会議〉が〈六人会議〉に再編成されるときをにらんでのことだ――もちろん、マラッパーは六人めの評議員となる自分の姿を思い描いていたのだ。そのとき彼は用心深く薄闇のなかを歩いていた。巨人が目の前にポンと現れ出るかもしれないと戦々恐々としながら。

じっさいに起きたのは、ほぼそのとおりのことだった。

前方のドアがさっと開き、照明の波が通廊へあふれだした。不意を打たれたマラッパーはすくみあがった。その光は不気味に揺らめき、飛びまわって、ものの影を驚いたコウモリに変えた。電灯を持っている者が、部屋のなかで夜の仕事に精をだしているのだ。つぎの瞬間、ふたりの大きな人物が現れ出た。まるで病気にかかっているかのようにぐったりした、もっと小柄な人物をあいだにはさんでいた。まぎれもなく、彼らは巨人族だった。身の丈が六フィートを超えていたのだ。

見たことがないほどまばゆい光は、片方の巨人の頭に装着されたものだった。それを着用した者が身をかがめ、小柄な人物をかかえあげるようにしたとき、ふたたび不安を誘う影が散らばった。彼らは通廊を六歩進んだだけで、通廊のまんなかで足を止め、マラッパーから顔をそむける形でそこにひざまずいた。とそのとき、光が小柄な男の顔に落ちた。それはファーモアーだった!

巨人族にひとことかけて、身を乗りだしたファーモアーが、奇妙な仕草で握った手の甲をデッキに押しつけた。指先を上に向けた手が、一瞬、円錐形になった電灯の光のなかにそれだけ浮かびあがった。と思うと、彼の押す力に反応して、デッキの一部がせりあがり、巨人族がそれをつかんだ。つかんだそれを持ちあげると、大きなマンホールが現れた。巨人族はファーモアーが降りるのに手を貸し、自分たちも降りると、頭上でハッチを閉めた。壁の四角い表示灯の輝きだけが、人けのない通路でふたたび唯一の明かりとなった。

マラッパーはようやく言葉を発せるようになった。「助けてくれ！」と声をはりあげる。「助けてくれ！　やつらが追ってくる！」

彼は最寄りのドアを乱打し、返事がないので片っ端からあけた。これらは労働者の個室で、ほとんどの持ち主が不在だった。スコイトと〈生存チーム〉にしたがって留守にしていたのだ。ある部屋で、ほの暗い光のわきで赤ん坊に授乳している母親を見つけた。彼女と赤ん坊は、恐怖のあまり火がついたように泣きはじめた。

まもなくガヤガヤいう騒音とともに、走る足音とひらめく電灯がやってきた。マラッパーは人々に囲まれ、首尾一貫した話ができる状態にまで落ちついた。群衆は大規模な巨人狩りに従事していた男たち、慣れない興奮で血をたぎらせた男たちが主だった。巨人族がここに、自分たちのどまんなかにいたと聞かされて、彼らはマラッパーよりもけたたましい叫び声をあげた。群衆がふくれあがり、騒音は大きくなった。気がつくとマラッパーは壁に押しつけられ、つぎつぎとやって来る士官たちに際限なく同じ話をくり返すはめになっていた。やがて〈生存チーム〉の副隊長、パグワムという名の冷徹な男が人ごみをかき分けてやってきた。

パグワムはマラッパーのまわりを手早くあけさせた。

「巨人族が姿を消したというその穴を見せろ」と彼は命じた。「指さすんだ」

「わしより勇気のない男だったら、震えあがっていたはずだ」と、まだ身震いしながらマラッパーがいった。彼は指さした。デッキに走る長方形の線が、巨人族の出入口の輪郭を示していた。髪の毛ほども細い亀裂で、かろうじて気がつく程度だ。長方形の内側、片方の端に奇妙な八角形のへこみがあった。さしわたしは半インチもない。それをべつにすれば、跳ねあげ戸をデッキのほかの部分から区別するものはなかった。

パグワムの命令で、ふたりの男が跳ねあげ戸をこじあけようとしたが、亀裂が細すぎて、爪をこじ入れるのが精いっぱいだった。

「どうしても持ちあがりません」と片方の男。

「そいつはありがたい！」とマラッパーが声をはりあげた。巨人族が続々と現れて、襲ってくる場面を思い描いたのだ。

このときにまでに、だれかがスコイトを呼びにいっていた。マスターの顔はいつにもまして厳しかった。パグワムとマラッパーの話に耳をかたむけるあいだ、その長い指は頰のしわを落ちつきなくなぞっていた。彼は疲れたようすだったが、口を開けば、その場にいるだれよりも冴えた頭脳の持ち主であることが判明した。

「これがどういう意味かわかるだろう」と彼はいった。「この跳ねあげ戸は、およそ百歩間隔で船じゅうの床に設けられている。あけることができなかったので、まさか、跳ねあげ戸だとは思わなかったが、巨人族はやすやすとあけられるのだ。もはや疑いの余地はない。これまで正反対の考えをいだいていたが、巨人族はまだ実在する。彼らなりの理由で、長いあいだ鳴りをひそめていた。いまになってもどってこようとしている――船をとりもどす以外に目的があるだろうか？」

「だが、この跳ねあげ戸は――」とマラッパー。

「この跳ねあげ戸は」とスコイトがさえぎった。「問題全体に関する鍵だ。きみの友人コンプレインが巨人族につかまったとき、穴に引きこまれ、われわれの知らない船の一部分と思われる、天井の低い窮屈な空間を運ばれたといったのを憶えているかね？　明らかに、デッキとデッキのあいだの空間だったのだ。これとそっくりの跳ねあげ戸をくぐらされたのだよ。すべての跳ねあげ戸は相互に連絡しているにちがいない――ひとつあけられるのなら、巨人族はどれもあけられるのだ！」

通廊の群衆から不安げな声が湧きあがった。彼らの目はぎらぎらしていたが、電灯はほの暗かった。まるで慰めを求めるかのように、彼らはますます体を寄せあうように思えた。マラッパーが咳払いし、小指の先を力なく耳にさしこんだ。まるでそうする以外に、ものごとをはっきりさせられる方法は世界にはないかのように。

「これが意味するのは――いやはや、これが意味するのは、わしらの世界が薄い世界のようなものにすっぽりと囲まれていて、その世界へ巨人族ははいれるが、わしらにははいれんということだ」と彼はいった。「そうではないか？」

スコイトはそっけなくうなずいた。

「うれしくなるような考えではないな、司祭」

パグワムに腕をさわられ、スコイトがじれったげにふり向くと、〈五人会議〉のうち三人――ビリヨー、デュポン、ラスキン――が背後にやってきていた。見るからに不機嫌そうで、いらだっている。

「もうなにもいわないでくれたまえ、マスター・スコイト」とビリヨーがいった。「話はだいたい聞こえた。これは公衆の面前で議論するような問題とは思えない。きみはこの――あー、この司祭を連れて、会議室まできたほうがいい。そこで話しあおう」

スコイトはためらわなかった。

「その正反対ですよ、ビリヨー評議員」と、きっぱりという。「この問題は船上のあらゆる人間に影響します。だれもができるだけ早くそのことを知らなくてはなりません。危機の時代がなし崩しにはじまってしまいます」

〈評議会〉に異を唱えているものの、スコイトの顔にはひどい苦痛の表情が浮かんでおり、ビリヨーは賢明にもその話題を避けることにした。かわりに、「なぜ危機というのかね？」とたずねた。

スコイトは両手を広げた。

「こういうふうに見てください。ひとりの巨人が十四番デッキに突如として現れ、最初に出会った少女を縛りあげます。しかし、すぐ逃げられるような縛り方で。なぜでしょう？　警告があたえられるようにするためです。そのあと彼は〈駆動フロア〉にふたたび姿を現します――つけ加えれば、たいした危険も冒さずに。なぜなら、その気になれば、いつでもこういった跳ねあげ戸のどれかに潜りこめるのですから！　さて、巨人族を目撃したという報告は、これまでもたびたびありました。しかし、その場合、出会いがまったくの偶然であったのは明らかです。この場合は、そうでないらしい。はじめて、巨人が姿を見られたがったのです。そうでなければ、意味もなく少女を縛りあげることの説明がつきません」

「しかし、なぜ姿を見られ、狩りたてられたいと思うのだ？」とラスキン評議員が単刀直入にたずねた。

「わしには理由がわかる、評議員」とマラッパーがいった。「その巨人は、ほかの巨人族がファーモアーを監房から助けだすあいだ、注意をそらしたがったのだ」

「まさにそのとおり」とスコイトが憂い顔で同意した。「こんどの件は、われわれがファーモアーの尋問をはじめるのと同時に起きました。彼の口を割らせにかかる暇もありませんでした。巨人族がファーモアーの脱走を助けるための陽動作戦だったのです。巨人族がいることにわれわれが気づいたと知ったからには、連中はかならずなにかを仕掛けてきます――こちらが先手を打たないかぎり！　マラッパー司祭、四つん這いになって、ファーモアーが跳ねあげ戸をあけるためにしたと思うことを正確にやって見せてくれ」

ファーモアーはブツブツいいながら、いわれたとおり四つん這いになった。電灯という電灯の光が彼に集まった。彼は跳ねあげ戸の一角まで這っていき、疑わしげに顔をあげた。

「たしかファーモアーはこの辺にいた。それからこんなふうに身を乗りだして……こんなふうにこぶしをデッキにつけて――こんなふうに手の甲の関節を床に当てた。それから――ああ、そういうことか、わかったぞ、あいつのしたことが！　スコイト、見ろ！」

マラッパーは握った手を動かした。かすかにカチリという音がして、跳ねあげ戸がせりあがった。巨人族の道が開かれたのだ。


ローア・ヴィアンとロイ・コンプレインは、〈前部〉の人の住んでいる区画へのろのろともどった。操縦装置がめちゃくめちゃになっているのを発見したショックは、ふたりにとって耐えられないほど大きかった。またしても、だが、こんどは前にもまして執拗に、死にたいという気持ちがコンプレインにとり憑いて離れなかった。自分の人生がまったくの徒労だという理解が、毒のように全身に行きわたっていた。〈前部〉でのつかのまの休息、ヴィアンのくれた幸福など、生まれてからずっとかかえてきた圧倒的な憤懣にくらべれば、まったくの無に等しかった。

この破壊的な悲しみに沈みながらも、救いがひとつあった。ほんのすこし前に、彼がもう捨てたのだと誇らしげに自分にいい聞かせた〈居住区〉の古い〈教え〉である。

司祭の声がこだまとなって返ってきた――「われらは臆病者の子孫であり、われらの日々は不安のうちに過ぎる……。〈長い旅〉はつねにはじまっておる。激昂できるうちに激昂せよ。そうやって病的な衝動を発散することで、内なる葛藤から解放されるやもしれぬ……」本能的に、コンプレインは正式な激昂の仕草をした。自分のみじめさの奥底から怒りがこみあげるにまかせ、気力を失わせるような暗闇のなかでみずからが熱くなるのを許した。ヴィアンは彼の肩に頭をあずけて泣きじゃくりはじめていた。彼女もまた苦しんでいるということが、彼の怒りに油を注いだ。

興奮が高まるにつれ、彼はそのすべてを身内で沸きたたせた。顔をゆがめ、自分と自分以外のだれもがこうむった傷を呼びおこし、激しく揺り動かして、ボウルのなかのバターのようにかき混ぜた。どろどろで、血みどろの怒りが、彼の心臓を搏たせつづける。

それがすむと、頭がすっきりした気分で、ヴィアンを慰め、彼女を彼女自身の民の領域へ連れもどすことができた。

人の住む区画へ近づくにつれ、風変わりなガンガンという音が大きく聞こえるようになった。それはリズムを欠いた奇妙な騒音、不気味な騒音であり、その音を聞いてふたりは不安げに顔を見あわせながら、足どりを速めた。

最初に出会った人物――農民階級の男――が足早にふたりのもとへやってきた。「ヴィアン審問官」と彼はいった。「マスター・スコイトが捜していたよ。いたるところで大声で呼んでまわってるんだ！」

「まるで彼がわたしたちを捜して船をバラバラにしているみたいな口ぶりね」とヴィアンが意地悪くいった。「いま行くところだった。ありがとう」

ふたりは歩調を速め、二十番デッキでスコイトに行きあった。ファーモアーはそこから救出されたのだ。副隊長のパグワムが、一群の男たちとともに、通廊を行ったりきたりしながら、ときおり身をかがめ、デッキに連なる跳ねあげ戸をあけていた。わきへ放りだされる重い蓋が、ヴィアンとコンプレインが耳にした異様な金属音の正体だった。穴が暴きだされるたびに、警備の男がひとり残され、いっぽうほかの者たちはつぎの跳ねあげ戸へと急ぐのだった。

作戦を指揮しているスコイトが、視線をめぐらせてヴィアンを視界におさめた。こんどばかりは、歓迎の笑みがその口もとをほころばせることはなかった。

「こっちへ来い」彼はいちばん近いドアをあけた。だれかの個室で、ちょうどそのとき、たまたま留守だったのだ。三人ともなかにはいると、スコイトはドアを閉め、腹立たしげにふたりと向かいあった。

「ふたりとも監房にぶちこもうかと思ってる」と彼はいった。「グレッグの砦からいつ帰ってきた？　なぜわたしか〈評議会〉にまっすぐ報告に来なかった？　そう指示されていただろう。ふたりでどこにいたか、知りたいものだ」

「でも、ロジャー――」とヴィアンが抗議した。「さっき帰ってきたばかりなのよ！　おまけに、帰り着いたとき、あなたは追跡で外に出ていた。事態がこれほど切迫しているとは知らなかった。さもなければ――」

「ちょっと待て、ローア」とスコイトが彼女の言葉をさえぎった。「いいわけはとっておいたほうがいい。いまは危機に瀕しているのだ。そんなことはどうでもいい、いい逃れに興味はない。グレッグのことだけを話せ」

ヴィアンの顔に浮かぶ傷ついた表情と怒りの表情を目にして、コンプレインが割ってはいり、兄との面会の模様を手短に伝えた。話の最後まで来ると、スコイトはわずかに肩の力をゆるめてうなずいた。

「願ったり叶ったりだ」と彼はいった。「グレッグの一味をできるだけ早くここへ連れてこられるよう、斥候隊を送る。彼らがただちにここへ移住するのが得策だ」

「だめよ、ロジャー」とヴィアンがすかさずいった。「彼らをここへ来させるわけにはいかない。ロイには悪いけど、彼の兄さんは山賊以外のなにものでもないわ！　部下は烏合の衆以外のなにものでもないし、彼らとその妻たちは不具とミュータントばかりよ。もしわたしたちといっしょに住むことになれば、もめごとを数かぎりなく起こすでしょう。彼らはまったくの役立たずで、闘うことしか能がないのよ」

「まさにそれが」と、いかめしい声でスコイト。「われわれが彼らに求めるものだ。きみは事態の進展を把握しておいたほうがいい、ローア」彼はマラッパーが目にしたものと、いま起きていることを手早く彼女に教えた。

「ファーモアーを怪我させたんですか？」とコンプレイン。

「いいや——口を割らせるために、軽く鞭打っただけだ」

「彼は〈居住区〉でその手のことに慣れていたんです、哀れなやつ」とコンプレイン。同情を誘う記憶がよみがえり、彼自身の背中がチリチリした。

「なぜそんなに急いでグレッグ一味をここへ来させないといけないんです？」とヴィアン。

マスター・スコイトは重々しくため息をつき、答えを強調した。

「なぜなら、〈よそ者〉と巨人族が結託しているという動かぬ証拠が、今回はじめてあがったからだ——われわれに敵対しているという証拠が！」

この言葉がふたりの頭に浸みこむあいだ、スコイトはふたりをひたと見すえていた。

「うれしい立場に置かれたものじゃないか」と皮肉っぽい声でいう。「だから、わたしは船じゅうの跳ねあげ戸をあけ、そのわきに人員を配置しようとしているのだ。最後には敵を狩りだせる。そうするまでは休まないと誓おう」

コンプレインは口笛を吹いた。

「たしかにグレッグのごろつきどもが必要ですね。動員できる人数がものをいう。でも、マラッパーはいったいどうやってあの跳ねあげ戸をあけたんです?」

「ひとえにあの太った司祭があいう男だからだよ、いうなれば」スコイトはそういって短く笑った。「元の部族で、彼はかなり手癖が悪かったのではないかな」

「くすねられるものなら、なんでもくすねていました」とマラッパーの部屋のガラクタを思いだしてコンプレインは同意した。

「彼がくすねたもののひとつが指輪だった。八面の石をはめこんだ指輪で、いつかの時点で何者かが死体からはずしたにちがいない。じっさいは石ではなく、小型の機械装置なのだ。そして、それぞれの跳ねあげ戸にある鍵穴のようなものにぴったりとはまる。それを押しこむと、跳ねあげ戸は即座に開く。本来は――災厄の前までさかのぼれば――あの跳ねあげ戸のなかへ降りていく仕事をしていた者は、全員があいう指輪鍵(リングキー)を持っていたにちがいない。ところで、トレゴニン評議員によれば、デッキとデッキとのあいだの場所は点検用通路というらしい。あれに言及した記述が屑の山のなかに見つかったのだよ。われわれがやろうとしているのがまさにそれだ——連中を点検するのだ！　隅の隅まで調べてやる。いまわたしの部下がマラッパーの指輪をはめて、船上のあらゆる跳ねあげ戸を開いている」

「ボブ・ファーモアーもマラッパーのと似たような指輪を持っていました！」とコンプレインが大声をあげた。「彼の指にはまっているのをよく目にしました」

「〈よそ者〉は全員がその指輪をはめていると考えられる」とスコイト。「そうであれば、彼らがやすやすとわれわれの目を逃れるのも説明がつく。それでいろいろと説明がつくのだ——もっとも、過去において、外に厳重な警備の敷かれている監房から煙のように消えた件は説明がつかないが。その指輪をはめている者はすべてわれわれの敵だと仮定して、〈生存チーム〉の何人かに全人口を調査させている。ぼろをださないか探させているのだ。その指輪をはめているところを見つかった者は、だれであれ〈旅〉に出てもらうぞ！　さあ、行かなければ。拡張を！」

彼は金属音の鳴りひびく通廊へふたりを押しだした。間髪をいれずに、命令を求める部下が彼をとり囲んだ。スコイトはしだいにコンプレインとヴィアンから離れていった。彼がグレッグに伝えるメッセージをある下士官に託している声が聞こえた。それから彼は立ち去ったらしく、声は聞こえなくなった。

「グレッグと手を組むなんて……」ヴィアンがぶるっと身震いした。「これからどうするの？　ロジャーはわたしにもう仕事をさせないつもりみたいだけど」

「きみはベッドにはいるんだ」とコンプレイン。「見るからに疲れきってるよ」

「こんな騒音がつづいてるのに、眠れると思うの？」彼女は疲れた笑みを浮かべた。

「試しても損はない」

驚いたことに、彼女は逆らわずに手を引かれた。もっとも、側面の回廊をさまよっているマラッパーに出会ったとたん、身をこわばらせたが。

「目下のあなたは英雄らしいわね、司祭」と彼女はいった。

マラッパーの顔は陰気に曇っていた。傷ついた雰囲気をマントのようにまとっている。

「審問官」苦い威厳をこめて彼はいった。「わしを嘲っておるな。みじめな人生の半分のあいだ、わしはそうと知らずに計り知れない秘密を指にはめて動きまわっておったのだ。ようやくそうと知った瞬間――なんと、わしらしくもないパニックに襲われて、それをあんたの友人のスコイトにただでくれてやったのだよ！」

2

「なんとかして船から出ないといけないわ」とヴィアンがつぶやいた。彼女は黒髪の頭を枕にのせ、目を閉じてしゃべっていた。コンプレインは暗い部屋からそっと抜けだした。ドアを閉じる前に、彼女は眠りに落ちるだろう。デッキふたつ離れたすさまじい騒音にもかかわらず。彼はドアの外に立った。このまま行くのは気が進まなかった。めちゃめちゃになった操縦装置の件で〈評議会〉やスコイトをわずらわせるのに、いまはふさわしいときだろうか。迷った彼は、ベルトにはさんだ熱線銃をいじった。そのうち彼の思考は、もっと身近なことがらへと移っていった。

周囲の世界で自分はどんな役割を果たしているのだろう——コンプレインはそう自問せずにはいられなかった。人生からなにを得たいのか決められないから、出来事の潮に乗ってただよっているように思える。自分のいちばん身近な人々には、はっきりした目的があるように見える。マラッパーは権力しか頭にない。スコイトは船の際限のない問題にとり組むことに満足しているようだ。愛しのローアは、船上生活のくびきから解放されることだけを望んでいる。ならば自分は？　彼女はほしい。だが、ほかのなにかがある。そうとは知らずに子供のころ自分に約束したなにか、けっして言葉にできないなにか、大きすぎて思い描けないなにかが……。

「だれだ？」近くで足音がして、はっとわれに返ったコンプレインはたずねた。

間近にある四角い表示灯が、白いローブをまとった長身の男を浮かびあがらせた。特徴的な人影で、口を開くと、その声は力強く、まのびしていた。

「評議員のザック・デイトだ。そう驚くな。きみはロイ・コンプレイン、〈死道〉からきた狩人だね？」

コンプレインは相手の憂いをおびた顔と白髪を見てとり、本能的にその男に好意をいだいた。本能はかならずしも知性の同盟者ではないが。

「そうです」と彼は答えた。

「きみの司祭、ヘンリー・マラッパーはきみを高く買っていた」

「なんですって、彼が？」マラッパーはしばしば陰に隠れていいことをするが、かならず自分のためになることだ。

「そうだ」とザック・デイト。それから口調を変えて、「通廊の壁に穴があいているのだが、たぶんきみはなにか知っているんじゃないかね」

彼はコンプレインとヴィアンが先ほど彼女の部屋の壁にあけた穴を指さした。

「知っています。この武器であけたものです」コンプレインはそういうと、老評議員に武器を見せ、つぎはどうなるのだろうと思った。

「これを持っていることを、ほかのだれかに話したかね？」と興味津々といった顔で熱線銃をひっくり返しながら、ザック・デイトがたずねた。

「いいえ。ローア――ヴィアン審問官しか知りません。彼女はいま眠っています」

「〈評議会〉に渡し、できるだけ役に立ててもらうべきだな」とザック・デイトがおだやかな声でいった。「どうか理解してくれるね。わたしの部屋へきて、なにもかも話してもらえないかな？」

「その、たいしてお話しすることはないんです……」

「この武器が正しくない者の手に渡ればどれほど危険か、きみにはわかるはずだ……」老評議員の口調には有無をいわせぬものがあった。彼が向きを変えて、通廊を歩きだすと、コンプレインはそのいかつい背中を追った――喜んではいないが、逆らわずに。

　ふたりは昇降機に乗って下の層へ降りると、デッキ五つ分前方へ歩いて、評議員の個室まで行った。ここはまったく人けがなく、静まりかえっていて暗かった。ふつうの磁力鍵をとりだして、ザック・デイトはドアの錠を解き、わきへ寄ってコンプレインを通した。コンプレインがなかへはいった直後、ドアがバタンと閉まった。罠だったのだ！

　くるっとふり向いたコンプレインは、野生動物の憤怒に駆られてドアに突進した

――が、無駄骨だった。もう手遅れだ。デイトの持っている熱線銃があれば、ドアを焼き切って自由への道を開けたかもしれないのだが。コンプレインは乱暴に自分の電灯をつけ、部屋を探った。それは寝室で、いたるところに積もったほこりから判断して、しばらく使われていないらしかった。船の端から端まで並ぶこの手の部屋の例にもれず、質実剛健で、個性がない。

コンプレインは椅子をとりあげ、粉々になるまで閉ざされたドアにたたきつけた。そのあと気分がよくなり、頭が働くようになった。あるイメージが脳裏に浮かんできた。はじめてヴィアンのそばに立ったとき、スコイトがファーモアーをひとりきりで取り調べ室に残し、そのファーモアーをのぞき穴ごしに見ていたときのことだ。ファーモアーはストゥールに跳びのり、天井の鉄格子に手を届かせようとした。そうすれば逃走経路が見つかると思っていたのはまちがいない。とすると……。

彼は部屋の中央にベッドを移動させ、その上にロッカーを積み重ねると、すばやくよじ登って鉄格子をじっくり調べた。船のほかのどの部屋にもある、ほかのどの鉄格子とも変わらなかった。三フィート四方で、細い格子同士の間隔は、かろうじて指を一本さしこめるほど。電灯で探ると、格子の隙間は、目やにのようにねばねばしたほこりでふさがっているのがわかった。これでは部屋に風がろくにはいって来ないのはたしかだ。

コンプレインはおずおずと鉄格子を押しあげようとした。びくともしなかった。びくともしないわけがない。ファーモアーは、ただ体操がしたくてあのストゥールの上に立ち、背のびをしたわけではない。もし鉄格子が開けば、以前スコイトがつかまえた〈よそ者〉のなかに、警備のついた監房から逃げおおせた者がいることは、ここからも説明がつくのだ。コンプレインは鉄格子の隙間に指をねじこみ、内側のへりを手探りした。希望と不安が冷ややかに血管を走りぬけた。

まもなく人さし指が、つまみのある単純な留め金にぶつかった。似たような留め金が、鉄格子のほかの三辺の上面にもついていた。ひとつずつはずしていく。鉄格子は簡単に持ちあがった。コンプレインはそれを斜めにずらし、降ろすと、ベッドにそっと置いた。心臓が早鐘のように搏った。

開口部に手をかけて、彼は体を引きあげた。

身動きできないほどの狭さだった。点検用通路に出るのだと思っていたが、そこは通気システムのなかだった。この配管は、点検用通路から成る奇妙なデッキ間世界を貫通しているのだろう、と彼はすぐさま推測した。電灯を消し、天井の低いダクトの先に目をこらす。絶えず顔に吹きつけてくるそよ風は気にしないことにした。

トンネルを照らす光はひとつだけ。つぎの鉄格子からもれて来る光だ。自分は瓶のコルク栓そっくりに見えるにちがいない——そう思いながら、コンプレインは肘を使って前進し、鉄格子ごしにのぞいてみた。

見おろした先はザック・デイトの部屋だった。ザック・デイトがひとりでいて、機械に話しかけていた。背の高い戸棚がいまは部屋のまんなかに立っているのだが、それを見れば、ふだんその機械のおさまっている壁のくぼみがどうやって隠されているかがわかった。コンプレインは一瞬この目新しい視点に夢中になりすぎて、ザック・デイトの話の中身を聞きそこなった。が、それが突如として理解できた。

「……コンプレインという男がたくさんの厄介ごとを起こしている」と評議員が送話器に向かっていった。「そっちのアンドリューが二、三週間前に溶接機をなくしたのを憶えてるだろう。どういう風の吹きまわしか、いまそれがコンプレインの手もとにある。二十二番デッキの個室のひとつ、ヴィアン審問官の部屋の壁にあいている穴の前をたまたま通りかかったからわかったんだ……。そうだ、カーティス、聞こえてるか？　この回線はいつにもまして調子が悪い……」

つかのま、デイトは黙りこんだ。回線の向こう側にいる男が話しているのだろう。カーティスだって！　コンプレインは内心で大声をあげた――それは、彼をつかまえた暴漢たちの責任者だった巨人の名前だ。評議員を見おろしていたコンプレインは、素姓を明かす、八角形の石をつけた指輪がザック・デイトの指にはまっているのに気づき、自分はいったいどんなおぞましい陰謀の網にからめとられてしまったのだろう、と疑問に思いはじめた。

デイトがまたしゃべっていた。

「ヴィアンの部屋へはいりこむ機会があった。〈駆動フロア〉でそっちの陽動作戦が展開されている真っ最中だった。そこでめまい族が手に入れたほかのものが見つかった。われわれが存在を知らなかった日誌、プロキオン第五惑星からの帰路で船の初代船長を務めた男が書いたものだ。めまい族の知るべきでないことが山ほど書かれている。あれを読めば、連中はありとあらゆることに疑問を持つだろう。さいわい、日誌も溶接機もなんとか手に入れた……。どうも。さらに幸運にも、コンプレインとヴィアンという娘のほかはだれも知らない――あるいは、重要性を理解していないんだ――日誌についても、レーザーについても。ああ、めまい族の生活を侵してはならないという〈小犬〉の考えはよくわかっている。だが、連中はここでこの問題に対処しているわけじゃないし、事態は刻一刻とむずかしくなっているんだ――もし連中が貴重な秘密を守りたいなら、簡単な方法がひとつある。いまコンプレインを隣の部屋に閉じこめてある……。もちろん、ちがう、無理やりじゃない。やつは天使みたいに自分から罠へはいったんだ。ヴィアンは自分の部屋で眠っている。きみに頼みたいのはこういうことだ、カーティス。コンプレインとヴィアンを殺す許可がほしい……。そうだ、わたしだって気に入らない。だが、現状を維持する方法があるとすれば、それしかない。手遅れになる前にそうする覚悟はできている……」

ザック・デイトは黙りこみ、耳をかたむけた。もどかしげな表情が、その憂い顔にじわじわと広がっていく。

「〈小犬〉と連絡をとっている暇はない」相手の言葉をさえぎったのは明らかだ。「連中は先のばしするだろう。こっちの責任者はきみだ、カーティス、必要なのはきみの許可だけなんだ……。そのほうがいい……。そうだ、それは避けられないと考える。わたしがその仕事を楽しむと思うのかね？ ふたりとも部屋の通気口からガスを送りこむことにする。似たような厄介な状況で前にもやったように。とにかく、それなら苦痛はない」

彼は通話機を切った。戸棚を元の位置にもどす。しばらく決心がつかないかのように立っていた。こぶしの関節をかじり、顔を嫌悪でしわだらけにして。彼は戸棚をあけ、長い円筒をとりだした。考えこんだ顔で天井の鉄格子を見あげる。と、コンプレインのデーザーの一撃をまともに顔に食らった。

ザック・デイトの額から血の気が失せた。頭ががっくりと胸につき、彼は大の字になって床へくずおれた。

つかのま、コンプレインはその場に横たわっていた。頭を出来事に馴らそうとしていたのだ。ある身の毛のよだつ感覚がして、現在の状況に引きもどされた。異質な思考が、どういうわけか自分の思考のあいだにまぎれこんできたのだ。まるで舌ごけで分厚くおおわれた何者かの舌に脳をなめられているかのようだった。電灯をふりまわすと、途方もなく大きな蛾が目の前の空中に浮かんでいた。翅(はね)の幅は五インチ近くあった。その目の輝板(タペータム・ルシダム)が、ふたつの赤いピン先のように光を反射した。

胸が悪くなって、蛾をはたき落とそうとしたが、かわされた。蛾は通気ダクトをヒラヒラとすばやく去っていった。コンプレインは〈死道〉で出会ったべつの蛾を思いだした。それは、似たような、なんとなく汚らしい指紋を彼の心に残していった。いま彼はこう思った。

(これはウサギがそなえていた力だ――あれほど強くないにしろ、同じ力を蛾もそなえているにちがいない。そしてネズミはウサギや蛾の考えを読めるらしい……。ひょっとしたら、こういった蛾は、ネズミの群れのための空中斥候のようなものかもしれないぞ!)

この考えは、デイトに死刑判決をくだされるのを耳にしたときよりも、はるかに彼を震えあがらせた。

パニックに襲われて汗まみれになりながら、彼はザック・デイトの鉄格子を所定の位置にとどめている四つのつまみをパチンとはずし、鉄格子をダクトにそってずらすと、評議員の部屋へ跳びおりた。テーブルを引っぱってきて、その上によじ登り、鉄格子を正しい位置にもどす。そうすると、さっきよりは安全になった気がした。

ザック・デイトは死んでいなかった。コンプレインのデーザーは、半分のパワーしか出ないようになっていたのだ。しかし、至近距離だったので、しばらくは気絶したままでいるくらいのショックを受けたのだった。血の気のない額に髪がかぶさった状態でデッキの上にころがっていると、彼は無害に見えた。慈悲深くさえ見えた。コンプレインは良心のとがめをまったくおぼえずに評議員の鍵を奪い、熱線銃をとりもどすと、ドアの錠を解いて、ひっそりとしている通廊へ出ようとした。

最後の瞬間に立ち止まると、部屋のなかをふり返り、鉄格子を電灯で照らした。鋭い小さなピンクの手が格子をつかみ、十あまりの鋭い顔が憎々しげにこちらをにらんでいた。うなじの毛を逆立たせたコンプレインは、デーザーを浴びせた。爛々と光る小さな目が即座に輝きを失い、ピンクの手が握る力を弱めた。

金切り声が通廊を進む彼を追ってきた。どうやら、隠れていた援軍も怒らせてしまったらしい。

歩きながら、考えをすばやくめぐらせた。ひとつ彼が固く心に決めたことがあった。この一件におけるデイト評議員の役割、そして奇妙な機械を通じて彼がカーティス（カーティスはどこにいるんだ？）にいったことのすべては、ヴィアンと話しあうまで、だれの耳にも入れてはならないということだ。だれが味方でだれが敵か、もはやわからないのだから。

「もしヴィアンが……」と彼は声にだしていいかけた。しかし、その恐ろしい考えをすばやく押しのけた。不信は狂気へと変わっていくことがあるのだ。

コンプレインには気にかかることがあった。だが、それをはっきりと形にできなかった。ファーモアーの救出にかかわるなにかなのだが……。だめだ、あとまわしにするしかない。心配ごとが多すぎて、冷静に理性が働かない。あとでじっくり考えよう。いっぽう、熱線銃——デイトの呼び名にしたがえば溶接機——を、いちばん役立てられるだれかに渡したい。マスター・スコイトに。

スコイト周辺の興奮は甚だしく増大していた。彼は活動の渦の中心に身を置いていた。

〈前部〉と〈死道〉とのあいだの障壁はとり壊されていた。汗まみれの男たちが、せっせとバリケードを分解して、破壊の仕事を満喫していた。

「そいつを持っていけ！」とスコイトが叫んだ。「そいつが前線を守っていると思っていた。だが、前線にぐるりと囲まれているとあっては、まったくの役立たずだ」

壊された障壁を抜けてグレッグの部族がやってきた。男も女も両性具有も、健常者も負傷者も、徒歩の者も粗末な担架に乗った者も、ぼろをまとった不潔な者たちが、見物する〈前部人〉のあいだへ興奮してはいってきた。束にした荷、巻いた寝具、箱、背負い籠を運んでいる。なかには粗末な橇を引いてポニックを抜けてきた者もいた。ある女は、痩せこけた羊の背中に持ち物をのせ、うしろから追いたてていた。彼らとともに、〈死道〉の黒いブヨがはいってきた。〈前部〉をおおう興奮の熱はすさまじく、この活気のある不潔な一団は、歓迎のほほえみと、ときには喝采で迎えられた。ぼろをまとった軍団は手をふり返した。ロフリーは置き去りにされていた。いまにも死にそうなので、わざわざ運ぶ値打ちはないとみなされたのだ。

すくなくとも、はっきりしていることがひとつあった。ネズミとの遭遇で多くの者が負傷しているものの、はみだし者たちは闘うそなえができている。男はひとり残らずデーザー、ナイフ、間にあわせの矛で武装していた。

奇怪な子分のハウルをともなったグレッグ本人が、ある閉ざされたドアの裏でスコイト、パグワム、ラスキン評議員と協議していると、コンプレインがその場に登場した。前置き抜きで、彼は部屋に押し入った。彼はかつてないほど自信に満ちており、彼の闖入をとがめる叫び声にもひるまなかった。

「あなた方を助けにきました」と彼はいい、その場で自然とリーダーになっているスコイトと相対した。「知らせたいことがふたつあります。最初はちょっとした情報です。われわれは、あらゆるデッキのあらゆる階層に跳ねあげ戸を見つけ、巨人族と〈よそ者〉はその道でしか逃げられないと考えています。ところが、どの部屋にも手軽な出入口があるんです！」

彼はテーブルに跳び乗り、鉄格子のあけ方を実演してみせた。なにもいわずにテーブルを降り、一同の顔に浮かんだ驚きの表情を見て満足した。

「見てもらいたいものがほかにもあります、マスター・スコイト」と彼はいった。そのとき、彼を悩ませてきたファーモアーの脱走にまつわる疑問点が、するりと心にすべりこんできた。たちまち、謎のもう一片が明らかになった。

「船のどこかに、巨人族は司令部を設けています。ぼくをつかまえたとき、連中はぼくをそこへ連れていきました。でも、どこかはわかりません——ガスをかがされていたからです。でも、故意か偶然か、ぼくらとは切り離されたデッキなり階層なりの一部にあることはまちがいありません。船にそういう場所はたくさんあります——そこを探さなくてはいけません」

「それはもう決めた」と、じれったげにグレッグ。「問題はだ、事態がひどく混乱していて、たいていのデッキでは、いつ捜索をやめてよくて、いつそうでないかがわからないってことだ。どの隔壁の裏に軍隊が隠れていてもおかしくない」

「すぐ近くにあるそういう場所を教えましょう」とコンプレインが張りつめた声でいった。「二十一番デッキの、ファーモアーが閉じこめられていた監房の真上です」

「なぜそう思うのかね、コンプレイン？」とスコイトが興味深げに訊いた。

「推理したんです。すでにわかったように、巨人族はたいへんな労力を払ってみんなを通廊からおびきだしました。ファーモアーのもとへ行き、跳ねあげ戸経由で救出できるようにするためです。もし監房の鉄格子を通して、あっさり彼を引きあげられるなら、あんな手間はかけなかったはずです。一分とかからないはずですし、姿を見られないままでいられるんですから。では、なぜああしたのか？　できなかったからですよ。上の階層でなにかが崩れて、あの鉄格子をふさいでいるからです。いい換えれば、ぼくらには行きつけない部屋が上にあるかもしれないってことです。なかがどうなってるのか調べるべきです」

「そんな場所はいくらでもあるぞ――」とグレッグがいいかけた。

「たしかに調べる値打ちはありそうだ――」とラスキン評議員。

「きみのいうとおりだとして、コンプレイン」とスコイトがさえぎった。「もし鉄格子がふさがれているなら、どうやって通りぬけるんだね？」

「こうやってですよ！」コンプレインはいちばん近い壁に熱線銃を向け、熱の扇を水平に広げた。壁がポタポタと溶けはじめた。ギザギザのアーチができると彼はスイッチを切り、挑むように一同を見た。一瞬、全員が声を失った。

「こいつはたまげた！」と、しわがれ声でグレッグ。「そいつは、おれがおまえにやったものだ」

「そうだ。こうやって使うものだ。本当は武器じゃない。あんたが思ったようなものじゃない——炎を放射するものなんだ」

スコイトが立ちあがった。その顔は紅潮していた。

「二十一番デッキへ行こう。パグワム、できるだけ早くあの指輪をまわして、引きつづき部下に跳ねあげ戸をあけさせてくれ。コンプレイン、よくやった。いますぐその機械仕掛けを試そう」

彼らはひとかたまりになって外へ出た。先頭はスコイトだ。彼はうれしそうにコンプレインの腕を握った。

「時間があれば、その武器でこのろくでもない船をバラバラにしてやれるんだが」

コンプレインがその言葉の真意を理解したのは、だいぶあとになってからだった。ファーモアーの監房があった二十一番デッキの中層は、混乱のきわみだった。すべてのマンホールが暴きだされ、いまはそのひとつひとつを歩哨が警備している。蓋はわきへ放りだされ、雑然と積みあげられていた。ここに住むわずかな人々——大部分は障壁勤務の男たちとその家族——は、さらにトラブルが発生する前に避難しているところで、歩哨のあいだではぐれたり、おたがいの邪魔をしたりしていた。スコイトは乱暴に肘で彼らを押しのけ、わめきたてる子供たちを右へ左へと押しやりながら進んだ。

ファーモアーの監房のドアを勢いよくあけたとき、コンプレインは腕に手が触れるのを感じた。ふり向くと、ヴィアンだった。溌剌として、目をキラキラさせている。

「眠っているんだと思った！」彼は大声をあげ、ふたたび彼女の姿を目にした喜びで口もとをほころばせた。

「まだ一〈めざめ〉の当直（ウォッチ）のうちだとわかってる？　おまけに、これからなにが起きるのか聞かされたの。あなたがトラブルにはまりこんでないかどうか、たしかめにきたのよ」

コンプレインは彼女の手を握りしめた。

「きみが眠っているあいだに、トラブルにはまりこんで抜けだした」と陽気に彼はいった。

グレッグはすでに監房の中央にいた。ここでは椅子として使われているガタガタの木枠の上に立ち、頭上の鉄格子を見あげている。

「ロイのいうとおりだ！」と彼は声をはりあげた。「こいつの向こう側に障害物がある。ねじれた金属みたいなものが見えるぞ。その熱線銃を貸してくれ。いちかばちか、やってみよう」

「離れて立て」とコンプレインが警告した。「さもないと、溶けた金属のシャワーを浴びることになるぞ」

グレッグはうなずいて、スコイトに渡された武器の狙いをつけると、ボタンを押した。陽炎のような熱の円弧(アーク)が天井に食いこみ、その表面に赤いミミズ腫れを起こした。ミミズ腫れが広がり、天井がたわむと、金属が細切れ肉のようにボタボタと落ちてきた。その真っ赤な穴ごしに、ほかの金属が姿を見せた。それも真っ赤に輝きはじめた。騒音が部屋を満たし、一同の周囲へ煙が滝のようにくだってきて、通廊へ出ていった。目がヒリヒリするほど刺激の強い煙だった。その喧噪を圧してバチンと爆発音があがり、ほんの一瞬、予想外のまぶしさで閃光が走ったかと思うと、消えてしまった。

「うまくいったぞ！」グレッグが満足しきった声をはりあげ、木枠から降りると、頭上でぱっくりと口をあけている大穴を見つめた。その顎ひげが興奮でピクピク動いていた。

「これほど思いきったことをする前に、議員全員がそろった〈評議会〉を開くべきではなかったのかね、マスター・スコイト！」と監房の惨状を見まわしながら、ラスキン評議員がそっけなくいった。

「われわれは長年にわたり、〈評議会〉を開くばかりでした」とスコイト。「いまは行動する時です」

彼は通廊へ走り出て、大声で怒鳴った。あっという間に、十人あまりの武装した男たちと梯子が現れた。

ほかの者たちよりこの種のことに経験を積んでいると自負するコンプレインは、近くにある衛士の居住区画から水のはいったバケツをとってきて、痛めつけられた金属を冷やそうと穴のまわりに水をかけた。もうもうとあがった湯気のなか、スコイトが梯子を穴に入れ、デーザーをかまえて登った。ひとりまたひとりと、できるだけ早く、ほかの者たちがつづいた。ヴィアンはコンプレインから離れなかった。まもなく全員が、監房の上の奇妙な部屋のなかに立っていた。

うだるような暑さだった。空気を吸いこむのもひと苦労だ。電灯で照らすと、鉄格子がふさがれ、足もとの点検用通路が崩壊していた理由がまもなく判明した。この部屋の床は、遠いむかしの爆発で恐ろしいほどへこんでいたのだ。ある機械――ひょっとしたら〈九日硬直熱〉の時代に放置されたのかもしれない、とコンプレインは思った――が破裂し、その場のあらゆるものと壁をだいなしにしていた。膨大な量の割れたガラスとシリコンが、床一面に散らばっていた。壁は破片で穴だらけだ。しかし、巨人族のいた形跡はなかった。

「行くぞ！」スコイトが足首まで積もった残骸に踏みこみ、ふたつあるドアのうち片方へ向かった。「ここでグズグズしていても仕方ない」

爆発はドアをしっかりと楔止めにしていた。一行はレーザーでドアを溶かし、通りぬけた。電灯の光線の端に、夜の闇が威嚇するように浮かびあがった。静寂が投げナイフのように歌った。

「生命の影も形もない……」とスコイト。その声は不安のこだまをはらんでいた。

一同が立っているのは側面の通廊だった。船のほかの部分から切り離され、埋葬された形である。彼らは電灯の光線を発作的にふりまわした。あまりの熱気に、自分の頬骨の向こうもろくに見えない。

短い通廊の片端は両開きのドアになっており、その上に標識が刷りこまれていた。寄り集まった一同は、すり足で歩いて標識を読んだ――

関係者以外立入禁止
貨物用ハッチ――エア・ロック
危険！

どちらのドアにも施錠用の輪がついており、そのわきに標識が刷りこまれていた――「信号が灯るまであけようとしないこと」全員がその標識を呆然と見つめた。

「なにをしてるんだ――信号が灯るのを待ってるのか？」とハウルが耳ざわりな声でいった。「ドアを溶かしちまえ、船長！」

「待て！」とスコイト。「ここでは用心するべきだ。エアロックとはなんだ、わたしは知りたいね。磁力錠（マグネティック・ロック）と八角形の指輪錠（オクタゴナル・リング・ロック）なら知っている。だが、空気錠（エア・ロック）とはなんだ？」

「なんだってかまわないさ。溶かしちまえ！」ハウルがくり返し、グロテスクな頭を揺すった。「あんたのボロ船だ、船長——好きにしなよ！」

グレッグは熱線を放射した。金属が赤らみ、悲しげで生気のない薔薇のようになったが、溶けて流れはしなかった。おびただしい量の悪態をついても事情は変わらなかった。とうとうグレッグはとまどい顔で武器をしまった。

「特殊な金属にちがいない」と彼はいった。

武装した男たちのひとりが進み出て、片方のドアについている輪をまわした。ドアがするすると後退して、壁の隙間におさまった。緊張がゆるんで、だれかが鋭い笑い声をあげた。グレッグはきまり悪げな顔をしてみせる余裕があった。一同は自由に貨物用エアロックにはいれるようになった。

彼らは動くかわりに、容赦なく浴びせられる光の流れにとらわれて呆然と立ちつくした。エアロックは中規模の部屋にすぎなかったが、これまでだれも見たことのないものが、反対側の壁にはめこまれていた。彼らの畏怖に打たれた目には、エアロックの奥行きを無限にのばすように見えるものが。窓だ。宇宙空間を望む窓なのだ。

これは、ヴィアンとコンプレインが〈司令室〉で目にした宇宙空間の情けない切れ端などではなかった。これは広い正方形だった。しかし、前の経験のおかげで、ふたりはある程度の心がまえができていた。ほこりの積もった床を渡り、輝きそのものへ最初に惹きよせられたのは彼らだった。一行のほかの者たちは、入口に根が生えたように立ちつくしていた。

窓の向こう、皇帝の袋に放りこまれた宝石のように星々が数かぎりなく散らばるなか、宇宙空間の終わりなき静寂が吼えていた。それは目をこらしても理解を絶するものであり、この世で最大のパラドックスだった。というのも、漆黒の闇という印象をあたえるのに、色とりどりの光の点がいたるところできらめいていたからだ。

だれもが無言で、声を失ったかのように、その光景を呑みこもうとしていた。静謐(せいひつ)な宇宙空間を前にして、全員が嗚咽するかと思われた。だが、彼らの目を奪い、決定的に彼らをとらえて離さなかったのは、宇宙空間に浮かんでいるものだった。まろやかな三日月形に見える惑星だ。生まれたての子猫の目のように、まぶしいばかりの青色で、腕をのばして握った鎌よりも大きく見える。弧のまんなかあたりは目もくらむ白さにきらめいている。太陽がそこから昇ってくるようだ。そして華々しい光冠(コロナ)につつまれた太陽は、ほかのあらゆるものを凌いで燦然(さんぜん)と輝いている。

依然として口をきく者はいない。三日月がじりじりと幅を広げ、荘厳な太陽がそのうしろから昇りきるあいだ、彼らは無言だった。この奇跡に関してひとことも発することができなかった。その崇高さに打たれて口がきけなくなり、耳が聞こえなくなり、頭がくらくらした。

とうとう口を開いたのはヴィアンだった。

「おお、ロイ」と彼女は小声でいった。「けっきょく、どこかへ着いていたのよ！まだ望みはあるわ。まだ一縷の望みはあるのよ」

コンプレインはふり向いて彼女を見た。詰まった喉から無理やり返事を絞りだそうとした。だが、返事ができなかった。生まれてからずっとほしかった大きなものがなにか、不意にわかったのだ。

それはまったく大きくなかった。小さなものだった。ローアの顔を——陽射しのもとで見ることにすぎなかった。

3

一当直（ウォッチ）のうちに、その大ニュースはゆがめられた形で〈前部〉の老若男女に伝わっていた。だれもが、ほかのだれもとその話をしたがった。だれもが。ただし、マスター・スコイトをのぞいて。彼にとって、その出来事は付録にすぎず、巨人族とその同盟者〈よそ者〉を狩りだすという優先課題を邪魔するものに近かった。巨人族は見つかっていない。彼はいま新しい計画に注意を傾注した。軽い睡眠をとり、食べ物を腹に入れると、行動に移った。

　計画は単純だった。肝心なのは、船にとてつもない損傷をあたえることになっても、スコイトに思いとどまる気がこれっぽちもないことだった。二十五番デッキを完全に分解しようというのだ。

　二十五番デッキは、〈前部〉を出てすぐの〈死道〉のデッキだ。それをとりのぞけば、完璧な無人地帯ができあがり、姿を見られずに渡れるものはなくなるだろう。ひとたびこの巨大な一種の溝ができあがり、強力な警備態勢を敷けば、すべての点検用通路で狩りがはじめられ、巨人族は逃げられなくなるだろう。

　ただちに作業が大急ぎではじまった。志願者が続々とスコイトを支援するために集まってきた。手を貸せることならなんでもやろうというのだ。人間の鎖が熱狂的に動きだした。命運の定まったデッキの上で動かせるものを片っ端から手渡していき、受けとった者が壊すか、壊すのが無理なら、ほかのからっぽの部屋に放りこむかした。鎖の先頭で汗を流す戦士たちは——大部分がこういう仕事の経験があるグレッグの部下だったが——切り倒したり、根こぎにしたりして、ポニックを攻撃した。彼らのすぐあとに清掃係がやってきて、その場所を略奪し、腸（はらわた）を抜き、肉を削ぎとった。

そして部屋の清掃が終わるや否や、熱線銃を持ったマスター・スコイト本人がやってきて、壁が崩れ落ちるまで壁の四辺に炎を浴びせた。冷えて、さわれるようになると、壁はただちに運び去られた。レーザーは、デッキとデッキとを実質的に分けている金属を溶かさなかった——その金属は、エアロックのドアを作っている金属と同じものらしかった。途方もなく頑丈なものだ——しかし、ほかのいっさいがレーザーの前に屈服した。

作業がはじまってまもなく、ネズミの隠れ処が、〝洗濯室〟と記された大きな部屋で発見された。グレッグの部下ふたりがボイラーを切り開くと、ネズミの作った複雑怪奇な小迷路が現れたのだ。齧歯（げっし）類の村である。呆れるほど複雑なデザインの階層と階段が、骨と瓦礫と缶とゴミでボイラーのなかに組みあげられていた。ここにはちっぽけな檻があり、飢えた生き物が入れられていた。ハツカネズミ、ハムスター、ウサギ、あげくの果ては一羽の鳥。ここには蛾も棲んでいて、嵐となって舞いあがった。ネズミもいた。育児室と武器庫と食肉解体所に。スコイトがミニチュアの都市に熱線銃を突っこみ、火だるまにすると同時に、齧歯類が猛り狂ってあふれだしてきて、攻撃者に跳びかかった。

スコイトは銃で身を守り、ネズミを追い払いながらあとずさった。デーザーを持った援軍が駆けつけ、小さな復讐鬼たちを撃退する前に、グレッグの部下ふたりが喉を嚙みちぎられた。死体は人間の鎖を伝って後方へ運ばれ、破壊はつづけられた。

いまでは、二十四番デッキから十三番デッキにかけて、三つの階層すべてで通廊の跳ねあげ戸が完全に暴きだされていた。それぞれの穴には衛士がついていた。

「この船は急速に住めなくなりつつある」とトレゴニン評議員が抗議した。「これは破壊のための破壊だ」

彼は主立った人物がすべて招集された会議の議長を務めていた。評議員のビリヨー、デュポン、ラスキンが出席していた。パグワムをはじめとする〈生存チーム〉の士官たちも出席していた。グレッグとハウルも出席していた。コンプレインとヴィアンも例外ではなかった。マラッパーさえ、なんとか潜りこんでいた。スコイトとザック・デイトだけが姿を見せていなかった。

会議に呼びにきた伝令を通じて、スコイトは「多忙につき」という返事を送ってきた。トレゴニンの要請でザック・デイトを呼びにいったマラッパーは、もどってきて、評議員は自分の部屋にいないとだけいった。それを聞いて、コンプレインと、一連の事件におけるデイトの不吉な役割をいまは知っているヴィアンは視線を交わしたが、なにもいわなかった。デイトが裏切り者だったという知らせをぶちまけてしまえたら、肩の荷が降りた気分になれただろう──しかし、ほかの裏切り者がここにいないともかぎらない。それなら、警告しないほうが賢明ではないだろうか？

「巨人族にバラバラにされる前に、船をバラバラにしないといかん」とハウルが叫んだ。「わかりきったことだ。なんでその話をしないんだ？」

「おまえにはわからんのか。船がバラバラになったら、われわれは一巻の終わりだ！」とデュポン評議員が抗議した。

「とにかく、ネズミは始末できる」とハウルはいうと、ゲラゲラ笑った。

彼とグレッグは、はじめから〈評議会〉のメンバーと反りが合わなかった。どちらの側も相手の態度が気に入らなかった。会議はべつの理由でも紛糾していた。スコイトのやり方か、見慣れない惑星の発見か、どちらを先に議論したいのか、だれにも決められなかったのだ。

とうとうトレゴニン自身が、状況のふたつの局面を統合しようとした。

「詰まるところはこういうことだ」と彼はいった。「スコイトの方針は、成功するなら是認できる。成功するためには、巨人族をとらえなければならないだけではなく、とらえたとき、船をあの惑星の表面へ降ろす方法を訊きださなければならない」

この意見に対して、同意のつぶやきがいっせいにもれた。

「巨人族はそういう知識をそなえているにちがいない」とビリヨー。「そもそも、彼らが船を作ったのだから」

「それなら一件落着だ。スコイトのところへ行って、すこしは手を貸そう」とグレッグが立ちあがりながらいった。

「きみが行く前に、あとひとつだけいいたいことがある」とトレゴニン。「つまり、われわれの議論は純粋に物質的な線にそったものだった。しかし、われわれの行動は倫理的にも正当化できるのではなかろうか。船はわれわれにとって聖なるものだ。破壊していいのは、ひとつの条件下だけ。つまり、〈長い旅〉が終わったときだ。さいわい、その条件は成就された。諸君のうちの数人が船の向こう側に見たという惑星、それは地球だとわたしは確信する」

この発言には敬虔なひびきがあったが、グレッグと〈生存チーム〉の何人かが嘲りの声をもらした。ほかの者たちからは喝采と興奮が湧きあがった。トレゴニンは司祭になるべきだった、とわめきたてるマラッパーの声が聞こえた。

コンプレインの声が喧噪を切り裂いた。

「あの惑星は地球じゃありません！　失望させて申しわけありませんが、ほかの人が知らないたしかな情報をぼくは握っています。ぼくらは地球から遠く離れているにちがいありません――この船の上で二十三世代が過ぎているんです。地球には七世代で着くはずだったのに！」

怒りの声、痛々しい声、詰問する声に彼はとり囲まれた。

だれもが状況をありのままの形で知り、直面するべきだ、とコンプレインは判断していた。だれもがあますところなく教えられなければならない――めちゃくちゃになった操縦装置について、グレゴリー・コンプレイン船長の日誌について、ザック・デイトについて。あますところなく教えられなければならない――問題はあまりにも切迫していて、ひとりの男では対処できない。だが、彼がつぎの言葉を発する暇もなく、会議室のドアが勢いよく開いた。恐怖で顔をゆがめた男がふたり、そこに立っていた。

「巨人族の襲撃です！」と彼らは叫んだ。

悪臭を放ち、視界を閉ざす煙が、渦を巻きながら〈前部〉のデッキを流れていた。二十五番デッキから二十四番デッキと二十三番デッキに移されていたガラクタの山に火がつけられたのだ。気にする者はいなかった。だれもが突如として放火魔となっていた。船のたいていの場所では、出火に対処する単純な方法が自動装置にそなわっていた。それらは火事の起きた部屋を密閉し、空気を使いきるのだ。不幸にしてこの火事は、装置が故障していた部屋と開けた通廊で起こされた。

スコイトと、その配下の破壊者たちは、煙のなかで不平もいわずに作業しつづけた。公平な観察者がこの男たちを見たら、内なる憤怒が彼らにとり憑いているのがわかっただろう。自分たちを閉じこめている船への生涯にわたる憎悪が、ついに捌け口を見つけ、抑えようのない力で噴きだしているのだ、と。

巨人族の攻撃は用意周到だった。

スコイトは小さな化粧室の壁をひとつ焼ききったばかりで、部下の三人が壁をはずすあいだ休息していた。そのため、ほかの者たちの視界から一時的に隠された。その瞬間、頭上の鉄格子がはね飛ばされ、ひとりの巨人がスコイトめがけてガス弾を発射した。それはマスターの顔に命中した。彼は音もたてずにくずおれた。

縄梯子がくねくねと鉄格子から降りてきた。巨人族のひとりが身軽に降りてきて、スコイトのぐったりした手から熱線銃をつかみとった。だがそのとき、切断された壁が倒れてきて、彼を気絶させた。三人の作業員は不注意だっただけで、故意に倒したのではなかった。彼らは唖然として巨人を見つめた。見つめているあいだに、さらに三人の巨人が梯子を降りてきて、彼らに発砲し、仲間と熱線銃を回収して、安全な場所にもどろうとした。

煙が立ちこめていたにもかかわらず、ほかの人々がこの襲撃を目撃した。グレッグの有能な暗殺者のひとり、ブラックという名の男が飛びだした。ちょうど鉄格子に達したところだった最後尾の巨人が、ナイフで背中を刺されて落ちてきた。熱線銃がその手からころがり出た。大声で援軍を求めながら、ブラックはナイフを回収し、梯子に跳びついたが、彼もまたガスをまともに顔面に食らって、床へ落ちてきた。ほかの者たちは彼のうしろにいた。ブラックを跳びこえて殺到し、梯子に群がって、鉄格子を抜けた。

そのあと点検用通路という狭苦しい空間で、すさまじい追撃戦がはじまった。巨人族は空気ダクトを切り開いて、点検用通路本体にはいりこんでいたが、負傷した仲間がいるせいで撤退に手間どっていた。かつてコンプレインを運んだ、台座の低い点検用トラックの一台に乗って援軍が到着した。いっぽう、配管と支柱をまわりこんで、〈前部人〉が数を増しながら彼らを追いたてた。

闘う場所としては奇妙な世界だった。点検用通路はあらゆる階層と各デッキのあいだをとり巻く形で走っている。照明はない。いまは電灯が不規則にそれらを照らし、奇怪な蜘蛛の巣のような影を大梁のあいだに生みだした。孤高の狙撃手にとって、そこは理想の場所だった。狙撃手の集団にとって、そこはまさに地獄だった。味方はもはや敵と区別がつかないのだ。

　事件のこの段階で、グレッグが会議室から駆けつけてきて指揮権を握った。彼はまもなく行きあたりばったりの攻防から秩序を生みだした。スコイトが一時的に行動不能となったいま、〈前部人〉さえ彼にしたがった。

「だれか例の熱線銃を持ってきてくれ」と彼は怒鳴った。「ほかのみんなは二十番デッキまでついて来い。そこで点検用のハッチを降りれば、巨人族をうしろから襲える」

　それは名案だった。唯一の欠点――そして、すべての跳ねあげ戸がとりはずされたにもかかわらず、巨人族がいまだにデッキからデッキへ姿を見られずに移動している理由――は、点検用通路が船体のすぐ内側で船の円周をぐるっと一周する形でのびており、上層すべての部屋をとり巻いていることだった。このことを理解しないかぎり、巨人族の動きは防ぎようがない。船はグレッグが予想したよりも複雑だったのである。

　グレッグは野性のおもむくままに行動した。熱線銃で前方に道を切り開き、行く手跳ねあげ戸になだれこんだ彼の部下は、敵を見つけられなかった。

に立ちふさがるものを片っ端から溶かしたのだ。

　点検用通路が船の住民に対して開かれるのははじめてだった。狂ったようにふるわれるレーザーが、船の繊細な毛細血管のあいだを飛びまわるのははじめてだった。

熱線銃のスイッチを入れてわずか三分で、グレッグは下水管と水道の本管を破裂させた。水が噴きだし、這っていた男をたたき伏せ、その上を奔放に乗り越えて彼を溺れさせ、あらゆるものを呑みこんで流れ、デッキという金属のサンドイッチのあいだで逆巻いた。

「そいつのスイッチを切れ、このまぬけ野郎！」危険を察知した〈前部人〉のひとりが、グレッグに向かって怒鳴った。

返事をするかわりに、グレッグは熱線をその男に向けた。

つぎに動力ケーブルが切断された。コブラのように鎌首をもたげた電線が、シューシュー音をたてながら点検用トラックの走るレールを横切って跳ねまわった。ふたりの男が悲鳴もあげずに絶命した。

重力が吹っ飛んだ。そのデッキ全体に、突如として自由落下状態が発生した。墜落する感覚ほどすばやくパニックを引き起こすものはない。その狭い区画でつづいて起こった暴走は、さらに事態を悪化させた。無重力の経験はあったものの、グレッグ自身もとり乱し、銃を手放した。それはそっと跳ねかえってきた。顎ひげに火がついて悲鳴をあげた彼は、炎を吐きだす銃口をこぶしで払いのけ……。

この阿鼻叫喚がくり広げられるあいだ、コンプレインとヴィアンは、担架に乗せられて自室へ運びこまれたばかりのマスター・スコイトのわきに立っていた。自分もガスを味わったことのあるコンプレインは、まだ意識のないマスターに同情することができた。

スコイトの髪にしつこく残っているガスのにおいが嗅ぎとれた。ものが焼けるにおいもした。ちらっと視線をあげると、ひと筋の煙が頭上の鉄格子を抜けてのびてきていた。

「ばか者どもがデッキふたつ先で起こした火事のせいだ——空気ダクト・システムが、いたるところへ煙を運んでいく！」彼はヴィアンに向かって大声でいった。「止めないと」

「せめてデッキ間ドアを閉じられれば……」とヴィアン。「ロジャーをここから運びだすべきかしら？」

彼女がそういっているうちにも、スコイトが身じろぎして、うめき声をあげた。彼の顔に水をふりかけたり、腕をマッサージするのに忙しすぎた彼らは、通廊の叫び声に気づかなかった。それに叫び声はずっとつづいていたので、べつの声がしても、ドアがいきなり押しあけられ、トレゴニン評議員がはいって来るまで気づかなかった。

「反乱だ！」と彼はいった。「反乱だ！　恐れていたとおりになった。ああ、なんということだ、これからどうなるのだ？　〈死道〉の略奪者どもをここに入れてはいかん、と最初からいっておったのに。スコイトの目をさませないのか？　彼ならどうすればいいか知っているだろう！　わたしは行動の男になるようにはできておらんのだ」

コンプレインは無愛想な目で彼を見すえた。小柄な司書は爪先立ちで踊っているも同然だった。その顔は興奮でぶざまにゆがんでいた。

「厄介ごとはなんだ？」とコンプレインがたずねた。

その侮蔑のまなざしを前にして、トレゴニンは目に見える努力を払って落ちつきをとりもどした。

「船が破壊されている」もっとしっかりした声で彼はいった。「あのイカレたハウル——頭の小さい男——が熱線銃を持っている。きみの兄さんは負傷した。いまは彼の手下の大部分——そしてわれわれの男たちの多く——が、いたるところをひたすら分解している。やめて銃を渡せと命じたが、笑われただけだった」

「スコイトのいうことなら聞くだろう」と、いかめしい声でコンプレイン。スコイトを執拗に揺さぶりはじめる。

「怖いわ、ロイ。なにか恐ろしいことが起きそうな気がしてならないの」とヴィアンがいった。

彼女の顔に視線を走らせると、彼女がどれほど心配しているかがわかった。コンプレインは彼女のかたわらで立ちあがり、彼女の上腕をさすった。

「マスター・スコイトのことを頼む、評議員」と彼はトレゴニンにいった。「じきに息を吹きかえして、あんたたちにかわって問題を残らず解決してくれるだろう。ちょっと出かけてくる」

彼は驚き顔のヴィアンを急かして通廊へ出た。チョロチョロと流れる水がデッキを這っており、マンホールにしたたり落ちていた。

「これからどうするの？」とヴィアンがたずねた。

「前にこれを思いつかなかったとは、自分のばかさ加減に呆れるよ」と彼はいった。

「ぼくらは巨人族をつかまえるために、自分たちの住み処をぶち壊す危険を冒さなけりゃならない——べつの方法がないかぎり。そのべつの方法があるんだ。ザック・デイトの部屋にある装置があって、彼はそれでカーティス、巨人族のリーダーと話をした」

「忘れたの、ロイ、ザック・デイトはいなかったとマラッパーがいったのを？」

「彼がいなくても、装置の使い方はわかるかもしれない」とコンプレインは答えた。「さもなけりゃ、役に立つほかのなにかが見つかるかもしれない。ここにいても仕方がない、それはたしかだ」

彼が皮肉をこめてしゃべっていると、六人の〈前部人〉が無言で走ってきて、わきをかすめ過ぎていった。だれもが水しぶきをあげて通廊を走っているようだった。ものが焼ける刺激臭が彼らを急きたてているのはまちがいない。ヴィアンのやわらかな手をとると、コンプレインは彼女の先に立って十七番デッキを足早に進み、下の階層へと降りた。跳ねあげ戸の蓋が、見捨てられた墓石のようにあたりにころがっていたが、警備していた衛士はすでに持ち場を放棄し、興奮を求めてよそへ行ってしまっていた。

デーザーを食らった評議員を置き去りにした部屋の前で足を止め、コンプレインは電灯を水平にかまえて、ドアをさっと開いた。

ザック・デイトがそこにいた。金属のストゥールにすわっている。マラッパーもいた。その巨体を椅子に沈めている。彼はデーザーを握っていた。

「汝の自我に拡張を、子供たちよ」と彼はいった。「おはいり、ロイ、おはいり。それにあんたもだ、ヴィアン審問官、よくきてくれた！」

4

「ここでいったいなにをしようとしてるんだ、マラッパー、この脂ぎった老いぼれの悪党め？」と驚き顔のコンプレインがたずねた。

この不愉快な呼びかけの口調――かつてのコンプレインがけっして用いなかったもの――を無視して、司祭はただいつもどおり即座に説明した。自分がここにいるのは、と彼はいった。ザック・デイトから船の最後の秘密を拷問で聞きだすためだが、しばらく前からここにいるものの、まだそれをはじめるにいたっていない。評議員の意識をようやくとりもどさせたところだったのだ、と。

「でも、彼を捜しに行ったとき、ここにはいないと会議に報告したじゃない」とヴィアン。

「わしが尋問する前に、〈よそ者〉だという理由で、デイトを八つ裂きにしてもらいたくなかったのだ」とマラッパー。

「彼が〈よそ者〉だといつから知っていたんだ？」と疑わしげにコンプレインがたずねた。

「部屋にはいって、床にころがっている彼を見つけたときからだ――八角形の指輪をはめていた」マラッパーの口調は自慢げだった。「これまでにひとつのことを聞きだした。爪の下にナイフを入れてやってな。〈よそ者〉と巨人族は、おまえたちが目にした外側の惑星からやって来る。だが、船が迎えに来るまで、あそこへはもどれない。この船をあそこへ降ろすことはできんのだ」

「もちろん、降りられないわ、制御できないから」とヴィアン。「マラッパー司祭、あなたは時間を無駄にしている。あなたにこの評議員を、わたしが子供のころから知っている人を拷問させるわけにはいかない」

「こいつがぼくらを殺すつもりだったのを忘れるな!」とコンプレインが彼女に思いださせた。ヴィアンは頑固に彼をにらむだけで返事をしなかった。いかにも女らしく、自分の議論が理性を超えていることはわかっているのだ。

「ふたりとも抹殺する以外に選択肢がなかった」とザック・デイトがかすれ声でいった。「この恐ろしい化け物から救ってくれるなら、なんでもしよう——道理に反しない範囲内で」

司祭と若い女とのあいだで議論に巻きこまれることほど厄介な状況は、この世にめったにないだろう。コンプレインはその立場に立ちたくなかった。彼としては、手段を問わずマラッパーにデイトから情報を絞りとってもらいたいところだった。しかし、ヴィアンの手前、そういうわけにはいかない。司祭に対して急に思いやりを示す理由も説明できない。彼らは口論をはじめたが、それは近くの騒音にさえぎられた。風変わりな騒音だ。キーキーとこすれるような音。正体不明なので恐ろしい。それはどんどん大きくなった。不意に、その音が頭上でした。

ネズミたちが移動しているのだ！　この階層の上の通気ダクトを伝っているのだ。コンプレインがつい最近くぐり抜けた鉄格子を、ピンクの足がつぎつぎと渡っていく。部族が轟音をあげて去っていくのだ。ほこりが部屋に降り注ぎ、ほこりとともに煙もはいってきた。

「ああいうことが船じゅうで起こるだろう」暴走する群れが通過すると、コンプレインが重々しい口調でザック・デイトにいった。「ネズミたちが火事で巣穴から追いだされているんだ。時間さえあれば、人間はこの船を完全に破壊しつくす。しまいにはあんたたちの秘密の隠れ処も見つかるだろう。なにが自分のためになるのかわかるなら、デイト、あの道具を使って、カーティスに両手をあげて出てこいといえ」

「わたしがそうしても、彼らはけっしてしたがわない」とザック・デイト。紙のように薄いその手が、衣擦れの音をたてて膝の上で組みあわされた。

「それはぼくが心配する」とコンプレイン。「〈小犬〉とやらはどこにいる？――あの惑星の表面にいるのか？」

ザック・デイトは無念そうにうなずいた。彼は咳払いをつづけた。緊張にさらされているのを明かす神経質な行動だった。

「立ちあがって、カーティスにいえ。いますぐ〈小犬〉と話をして、ぼくらのために船をここへ送らせろ、と」とコンプレイン。デーザーを抜き、しっかりとデイトに狙いをつける。

「デーザーをここで撃ってもいいのは、わしだけだ！」とマラッパーが叫んだ。「デイトはわしの捕虜だ」彼は跳びあがり、自分の武器をかまえてコンプレインのほうへやってきた。コンプレインは乱暴に司祭の手からデーザーを蹴りとばした。

「三つ巴で議論をやってる暇はないんだ、司祭。もしこの件に一枚嚙んでいたいなら、おとなしくしていろ。さもなければ、出ていけ。さあ、デイト、決心はついたか？」

ザック・デイトは力なく立ちあがった。その顔は迷いでゆがんでいた。

「どうしたものか。きみは状況がまったくわかっておらん」と彼はいった。「できるなら、本気できみたちを助けたい。きみは心底は理性的な人間のようだ、コンプレイン。せめてきみとわたしが――」

「ぼくは理性的じゃないぞ！」とコンプレインが叫んだ。「理性的なんて、とんでもない！　カーティスに連絡しろ！　さあ、この古狐め、さっさとしろ！　船をここへ寄越すんだ！」

「ヴィアン審問官、きみなら――」とザック・デイト。

「ええ、ロイ、お願いだから――」とヴィアンがいいかけた。

「だめだ！」とコンプレインは怒鳴った。だれもが、女さえもがみずからの意思を通そうとするとは。「ぼくらがみじめなのは、全部こいつらのせいだ。いまはぼくらをトラブルから助けだしてくれるのか、くれないのかだ」

本棚の片端をつかむと、彼は腹立たしげにそれを壁から引きはがした。通話機がそのくぼみに立っていた。中立で沈黙して。話しかけられるメッセージを伝える準備をして。

「こんどはデーザーを〝致命傷〟にセットするからな、デイト」とコンプレイン。

「三つ数えたら話しはじめろ。一……二……」

送話器をとりあげたとき、ザック・デイトの目には涙がにじんでいた。送話器を握った手が震えた。

「クレーン・カーティスにつないでくれないか？」回線の向こう側で声がしたとき、彼はいった。心を奪われたコンプレインは、この道具が船内にある秘密の要塞といまつながっているのだと思って、ゾクゾクする戦慄が全身を走りぬけるのを抑えられなかった。

カーティスが出たとき、部屋にいる四人全員の耳にその声がはっきりと届いた。懸念でうわずっていた。たいへんな早口だったので、巨人のように聞こえないほどだった。彼はただちに話しはじめ、老評議員は口をはさむ暇もなかった。

「デイトか？　どこへ雲隠れしていた。わたしは前からいっていた、あんたはこの仕事には年を食いすぎてるってな！　忌々しいめまい族どもが、あのレーザーを使ってるぞ。たしかあんたの手元にあるんじゃなかったのか？　連中はレーザーを持って猛り狂っている——まったく手がつけられん。うちの何人かが反撃を試みたが、失敗した。いま船はこっちの近くで火だるまになってる。あんたのせいだぞ！　この責任はとってもらうからな……」

この言葉の奔流がつづくあいだに、ザック・デイトは微妙に変化した。以前の威厳のようなものをとりもどしたのだ。送話器を握る手がしっかりした。

「カーティス！」その命令口調で、回線がいきなり静かになった。「カーティス、落ちつきたまえ。いまは責任のなすりつけ合いをしてるときじゃない。もっと大きなことがかかっているのだ。〈小犬〉に連絡して、彼らにこういってもらわないと——」

「〈小犬〉だと！」カーティスが叫んだ。ふたたび言葉がとめどなく流れだした。

「〈小犬〉と連絡はとれない。こっちの話を聞いたらどうだ。レーザーをもてあそんでいる頭のおかしいめまい族が、二十番デッキの中層、ここの真下で動力ケーブルを切断した。まわりの構造は無事だ。部下の四人がショックで気絶した。無線機、船内通話機、照明が吹っ飛んだ。こっちは袋のネズミだ。〈小犬〉とは連絡がつけられんし、出ていくこともできん……」

ザック・デイトがうめき声をあげた。電話から絶望的に顔をそむけ、コンプレインに身ぶりで伝える。

「おしまいだ。聞こえただろう」

コンプレインは彼の瘦せた肋にデーザーを突きつけた。

「静かにしろ」と声を殺し、「カーティスの話はまだ終わっていないぞ」

通話機はいまだに吼えていた。

「聞いているのか、デイト？　返事をしたらどうだ？」

「聞いている」とデイトが疲れた声で答えた。

「それなら返事くらいしろ。こっちが無駄話をしたがっていると思うのか？」と嚙みつくようにカーティス。「われわれ全員にとってひとつだけチャンスがある。十番デッキの人員用ハッチに、非常用の通信機がある。わかったか？　こっちは壺にはいったロブスターみたいにここに閉じこめられてる。ここから出られないんだ。あんたはそっちにいる。あんたがその通信機まで行き、〈小犬〉に助けを求めるしかない。できるか？」

デーザーはいまザック・デイトの肋にぐいぐい食いこんだ。

「やってみる」

「やってみるべきだ！　望みはそれしかないんだ。それと、デイト……」

「なんだ？」

「後生だから連中に武装してくるようにいってくれ——それに大至急と」

「わかった」

「点検用通路にはいって、トロリーに乗れ」

「わかった、カーティス」

「急いでくれよ。頼むから急いでくれ」

ザック・デイトがスイッチを切ると、つづいて長い沈黙が降りた。

「その無線機まで行かせてもらえるのかな？」とデイトがたずねた。

コンプレインはうなずいた。

「ぼくも行く。船を呼ばなければならない」ヴィアンに向きなおる。彼女は老評議員に水さしを持ってきていて、評議員がありがたそうに受けとった。

「ローア」とコンプレインはいった。「頼むからもどって、ロジャー・スコイトに伝えてくれ。いまごろは息を吹きかえしているはずだ。巨人族の隠れ処は、二十番デッキの上層のどこかにある、と。できるだけ早く連中を片づけるようにといってくれ。注意して行くように、と。そこにはなんらかの危険があるはずだ。彼に伝えてくれ——カーティスという名の特別な巨人がいて、そいつはたっぷりと時間をかけて〈長い旅〉へ送りだしてやるべきだ、と。気をつけてくれ、ローア。できるだけ早くもどって来る」

「かわりにマラッパーに行ってもらうわけには――」とヴィアン。

「伝言がじかに届くようにしたいんだ」とコンプレインがぶっきらぼうにいった。

「気をつけてね」

「この男ならだいじょうぶだ」とマラッパーが耳ざわりな声でいった。「侮辱されたとはいえ、わしがこの男といっしょに行く。わしの膀胱が教えるのだ、なにかえらく下劣なことが起ころうとしている、とな」

通廊では、四角い表示灯が彼らを出迎えた。その青い斑点がところどころにあっても、暗闇の不気味さはあまり変わらなかった。コンプレインは、去っていくローア・ヴィアンを心配顔で見送った。しぶしぶ、向きを変えて、マラッパーとザック・デイトのあとから水をはねかしていく。ザック・デイトはすでに開いている跳ねあげ戸を降りているところで、いっぽう司祭は不安げに彼を見おろしていた。

「待て！」とマラッパーがいった。「下でネズミはどうしておる？」

「あんたとコンプレインにはデーザーがある」と、おだやかな口調でザック・デイト。

その言葉がマラッパーの不安を払拭したとは、とうてい思えなかった。

「ああ、この跳ねあげ戸は小さすぎて、わしは潜りこめそうにない！」と彼は大声をあげた。「わしは大男だ、ロイ」

「あんたは大嘘つきだ」とコンプレイン。「さあ、降りろ。しっかり目をあけて、ネズミを見張らなけりゃならない。運がよければ、やつらはいま忙しすぎて、こっちまで気がまわらないだろう」

三人は点検用通路へ潜りこみ、二本のレールのところまで四つん這いで進んだ。この階層に属している背の低いトラックが、船の端から端まで移動するために敷かれたものだ。トラックはなかった。三人はレールにそって這っていき、デッキ間金属——ここでさえ、デッキとデッキとのあいだに立っていた——にあいた狭い開口部を抜けた。そして三番めのデッキにはいったところで、トラックが見つかった。ザック・デイトの指示のもとで、彼らはその平台に乗りこみ、仰向けになった。

操縦装置に触れると、トラックは動きだし、あっというまにスピードをあげた。デッキの交差点が、頭上すれすれのところを飛ぶように過ぎる。マラッパーは腹を引っこめようとしてうめいた。だが、ほどなくして十番デッキに到着しスピードが落ちた。評議員がトラックを停止させ、三人はトラックを降りた。

船の遠いこちら側には、ネズミのいた証拠がふんだんにあった。糞や布きれが床に散らばっているのだ。マラッパーは電灯を絶えず左右にふりつづけた。

デッキのすぐ内側でトラックを止めたので、立ちあがることができた。頭上と左右に広がる幅四フィートの点検用通路が、ここではふたつのデッキという輪にはさまれた座金になっていた。複雑怪奇にからみあった大梁、支柱、配管、ダクトがその幅いっぱいに渡されており、船の通廊が走る巨大なチューブもわたされていた。鋼鉄の梯子が頭上の暗闇の奥へのびている。

「もちろん、人員用エアロックは上層にある」とザック・デイト。梯子の横木を握り、登りはじめる。

あとについて登るコンプレインは、両側に多くの損傷の跡があるのに気づいた。まるでいま登っている梯子をはさむ上下の部屋のなかで、大むかしに爆発が起きたかのように。〝爆発〟という思考画像を脳裏に描いたまさにそのとき、ある野太い音が点検用通路を震わせて走りぬけ、さまざまな配管のなかで反響とうめきを引き起こした。ついにはその場所がオーケストラのように歌った。

「きみたちの仲間がまだ船を破壊しているようだな」とザック・デイトが冷ややかな声でいった。

「同時に巨人族の戦闘部隊をいくつか全滅させているよう祈ろう」とマラッパー。

「戦闘部隊だと！」デイトが大声でいった。「きみたちのいう〝巨人族〟が、いったい何人この船にいると思うんだね？」

司祭が返事をしないでいると、デイトが自分で答えた。

「正確には十二人だよ、哀れな連中だ。カーティスを入れれば十三人だ」

一瞬、コンプレインは会ったことのない男の目を通して、カーティスの目を通して状況を見ることができそうだった。心配顔の役人が、どこかのめちゃくちゃになった部屋のなかで暗闇に閉じこめられている。いっぽう、船内のほかのだれもが、彼の隠れている場所を血眼になって探している。華やかな絵ではなかった。

それ以上考えにふける時間はなかった。三人は上層に達し、最寄りの跳ねあげ戸までもういちど水平方向に這っていった。ザック・デイトが八角形の指輪をさしこみ、ハッチを頭上へ開いた。それを抜けだすと、ちっぽけな蛾がわっと彼らの肩にまとわりついたり、空中にとどまったりしてから、暗い通廊をヒラヒラと飛んでいった。コンプレインはすばやくデーザーを引きぬき、蛾めがけて発砲した。マラッパーの電灯の光を浴びて、その大部分がデッキへ落ちるのを目にして溜飲が下がった。

「逃げたやつがいないといいんだが」と彼はいった。「誓ってもいいが、あいつらはネズミの斥候を務めているんだ」

この区域の損傷は、コンプレインとマラッパーがこれまで目にしてきたものと同じくらい激しかった。どちらを見ても、まっすぐ立っている壁はないも同然。ガラスと残骸がいたるところに厚く積もっている。例外は狭い小道をつけるために払いのけてあるところだけ。五感を研ぎすまし、この小道を伝って彼らは歩いていった。

「この場所はなんだったんだ？」とコンプレインが好奇心に駆られてたずねた。「つまり、なにかに使われていたときは」

ザック・デイトは返事をせずに前へ歩きつづけた。その顔はいかめしく、なにかに没頭しているようだった。

「この場所はなんだったんだ、デイト？」コンプレインは重ねてたずねた。

「ああ……デッキの大半は医療研究室だった」と心ここにあらずといったふうにデイトがいった。「たしか、おろそかにされたコンピュータが最後に自爆してバラバラになったのだ。船の通常の昇降機や通廊経由ではこの区域へたどり着けない。完全に封印されているのだ。墳墓のなかの墳墓だよ」

コンプレインの身内に戦慄が走った。医療研究室だって！ ここは、二十三世代前に、ベスティンの発見者ジューン・ベスティが働いていた場所なのだ。彼女がベンチにかがみこむところを思い描こうとした。だが、脳裏に浮かぶのはローアの姿だけだった。

やがて三人は人員用エアロックに行きあたった。それは貨物用エアロックを小さくしたような外見をしていた。似たような見た目の輪と危険を警告する標識。ザック・デイトは片方の輪まで足を運んだ。あいかわらず、なにかに心を奪われている表情だ。

「待て！」マラッパーが切迫した声でいった。「ロイ、ずるさを案内としている者として誓うが、この恥知らずはなにか悪巧みを臭い袖に隠しておるぞ。わしらを危険に導こうとしておるのだ」

「もしだれかがここで待ち伏せしていたら、デイト」とコンプレイン。「そいつらとあんたは、すぐさま〈旅〉に出ることになる。警告しておくぞ」

デイトは彼らに向きなおった。その顔全体を締めつける耐えがたい緊張の表情は、もっと平穏な時期に、ほかの者が相手なら哀れみを誘ったとしても不思議はなかった。

「だれもいない」と咳払いして、彼はいった。「心配はいらん」

「その……無線機とやらはここにあるのか?」とコンプレイン。

「ある」

マラッパーは電灯でデイトの顔を照らしつづけながら、コンプレインの腕をつかんだ。

「本気でこの男に、その〈小犬〉とかいう場所と話をさせるんじゃないだろうな。武装してあがって来いというかもしれんぞ」

「たまたまぼくがあんたの教区で生まれたからといって」とコンプレイン。「ぼくを愚か者だと考えなくてもいい、司祭。デイトは、ぼくらがいえといったメッセージを伝えるだろう。あけるんだ、評議員!」

ドアがさっと開くと、エアロックが現れた。縦横ともに五歩くらい。六着の金属製宇宙服が、一方の壁ぎわに甲冑のように立っている。宇宙服をのぞけば、部屋にはほかにひとつしかものがなかった。無線機である。小型の携帯式で、運搬用のストラップと伸縮式のアンテナがついている。

貨物用エアロックと同様に、このエアロックにも窓があった。船のなかで舷窓があるのは、いまはシャッターの降りている〈司令室〉の展望室をべつにすれば、船の長軸にそって配置されている四つの人員用エアロックと、ふたつの貨物用エアロックだけだった。巨大な外殻のほかの部分とは膨張率が異なるので、当然ながら弱点となり、外を見なければ仕事にならない場所にだけ設けられているのだ。マラッパーにすれば、そのような光景を目にするのははじめてだった。

畏怖に打たれた点では、彼もほかの者たちと変わらなかった。息をするのも忘れて、彼は壮大な虚空に目をこらした。こんどばかりは、完全に言葉を失っていた。

いま惑星は、コンプレインがこの前見たときよりも幅広い三日月を見せていた。目もくらむほどまばゆい青に白と緑がまじり合い、大気というおおいの下で、これまでどんな色も見せたことがないようなきらめきを放っている。この心を揺さぶる三日月からすこし離れて、相対的には小さく見える太陽が、命そのものよりも明るく燃えていた。

マラッパーは恍惚としてそれを指さした。

「あれはなんだ？　太陽か？」

コンプレインはうなずいた。

「たまげた！」マラッパーが大声をあげて、よろめいた。「丸いぞ！　どういうわけか、太陽は四角いとばかり思っていた――大きな表示灯のようだと！」

ザック・デイトは無線機のところまで行っていた。震える手でとりあげると、ほかのふたりに向きなおり、

「いまとなってはきみたちが知ってもいい」といった。「なにが起きるにしろ、きみたちに教えてもいいだろう。あの惑星は――地球だ！」

「なんだって？」とコンプレイン。疑問がつぎつぎと湧きあがってきた。「嘘だ、デイト！　嘘に決まってる。地球のわけがない！　地球のわけがないのはわかってるぞ！」

ふと気がつくと、老人は嗚咽していた。長い塩辛い涙がその頰を伝い落ちている。涙をこらえようとするそぶりもない。

「きみたちは教えられてしかるべきだった。きみたちはたっぷりと辛酸をなめてきた……たっぷりと。あれは地球だよ――しかし、きみたちはあそこへ行けない。〈長い旅〉は……〈長い旅〉は永遠につづくしかない。それは残酷な仕打ちのひとつにすぎない」

コンプレインは彼の骨張った喉をわしづかみにした。

「よく聞け、デイト」彼は嚙みつくようにいった。「もしあれが地球なら、なぜぼくらは降りていないんだ。それにおまえたちは何者だ――〈よそ者〉は――それに巨人族は？　おまえたちは何者なんだ、ええ？　何者なんだ？」

「われわれは――地球からきた」とザック・デイトがかすれ声でいった。コンプレインのゆがんだ顔の前でむなしく手をふる。彼は根こぎにされたポニックの茎のように揺さぶられていた。マラッパーがコンプレインの耳もとで叫んだり、彼の肩をつかんだりしていた。三人とも絶叫していた。コンプレインが握る力を強めるにつれ、デイトの顔が真っ赤になっていく。彼らは宇宙服にぶつかった。けたたましい音をたてて二着が床に倒れ、ふたりは手足を広げてその上にころがった。ようやく司祭がコンプレインの指を評議員の喉からもぎ離した。

「気でも狂ったのか、ロイ！」彼はあえぎ声でいった。「頭がどうかしたんだな！　この男を絞め殺そうとしていたぞ」

「こいつのいったことが聞こえなかったのか？」とコンプレインは叫んだ。「ぼくらはなにか恐ろしい陰謀の犠牲者なんだ――」

「まずはこいつに〈小犬〉と話をさせろ――まずは話をさせるんだ――この無線機とやらを使えるのはこの男だけだぞ！　話をさせろ、ロイ。殺したり、尋問したりするのはあとまわしだ」

その言葉が徐々にコンプレインの頭に浸みこんできた。目もくらむほどの怒りと憤懣が、深紅の潮のように心から引いていく。みずからの安全がかかっている場面では、つねに抜け目のないマラッパーは、賢い説得をしたのだった。苦労して、コンプレインは自制心をとりもどした。立ちあがり、デイトを乱暴に引きずり立たせる。

「〈小犬〉とはなんだ？」と彼はたずねた。

「それは……惑星上にある施設の暗号名(コード・ネーム)だ。この船の住民を研究するために設けられた機関の」と喉をさすりながらザック・デイト。

「研究するためだって！……まあいい、すぐに彼らと連絡をとって、こういえ——おまえたちのなかに病人が出て、地球へ降ろすため、ただちに船を送ってもらわなければならない、と。ほかにはなにもいうな。さもないと、おまえを八つ裂きにして、ネズミどもの餌にしてやる。さっさとしろ！」

「よし！」マラッパーが手をこすり合わせて賞賛の念を表し、マントの背中を引っぱってととのえた。「真(まこと)の信者にふさわしい口ぶりだったぞ、ロイ。おぬしはわしのお気に入りの罪人だ。その船がここへ着いたら、乗組員を制圧して、それに乗って地球へ帰ろう。ひとり残らず行くんだ！　ひ、と、り、残らず！　ここから〈船尾階段〉までの男も、女も、ミュータントもひとり残らずだ！」

ザック・デイトが腕に無線機をかかえこみ、スイッチを入れた。と、ふたりの怒りをものともせず、勇気を奮い起こして、彼はふたりに向きなおった。

「きみたちふたりにこれだけはいわせてくれ」と威厳をこめていう。「なにが起きようと――この恐ろしい一件の結果をわたしは大いに恐れるが――わたしのいうことを忘れないでもらいたい。きみたちは騙されたと感じる、それはもっともだ。きみたちの人生は、この船の狭い壁によって苦しみのなかに閉じこめられている。しかし、どこで暮らそうと、どんな場所や時間に住もうと、きみたちの人生は苦痛を免れないだろう。宇宙のだれにとっても、人生は長く、つらい旅だ。もしきみたちが――」

「それくらいにしておけ、デイト」とコンプレインがいった。「ぼくらは楽園をくれといってるわけじゃない。苦しむ場所を選ばせろといってるんだ。〈小犬〉と話をはじめろ」

あきらめて、顔を真っ青にしたザック・デイトが呼びかけをはじめた。顔から一ヤードのところにあるデーザーを痛いほど意識して。たちまち、プラスチックの箱から明瞭な声がいった。

「ハロー、〈大犬〉。こちら〈小犬〉、そちらの声ははっきり聞こえます。どうぞ」

「ハロー、〈小犬〉」ザック・デイトはいい、そこで言葉を切った。苦しげに咳払いする。汗が額を流れ落ちた。彼が黙っていると、コンプレインの武器がその鼻の下へぐいっと突きだされ、彼はまたしゃべりだした。つかのま苦悶の表情で太陽を凝視する。

「ハロー、〈小犬〉」と彼はいった。「大至急、船を送ってもらえないだろうか——めまい族が野放しになってるぞ！　助けてくれ！　助けてくれ！　めまい族が野放しになってるぞ！　武装して来い！　めまい族が——あああぐっ！……」

彼はコンプレインのデーザーを口もとに、マラッパーのデーザーを腰に食らった。へなへなと崩れ落ち、わめいている無線機がその体とともに落下した。彼はぴくりともしなかった。デッキにぶつかる前に絶命していた。マラッパーが床から装置をつかみあげた。

「おい！」と、それに向かって吼える。「わしらをつかまえに来い、この鼻の曲がりそうに臭いかさぶた食いども！　わしらをつかまえに来い！」

腕をひとふりして、司祭は無線機を隔壁にたたきつけて壊した。それから、いかにも彼らしく気分を一変させて、ザック・デイトの死体の前にひざまずいた。平伏の最初の動作である。そして臨終の儀式をはじめた。

コンプレインはこぶしを固め、惑星を呆然と眺めた。司祭に加わる気にはなれなかった。死者に対して儀式をとり行いたいという衝動はなくなっていた。迷信を卒業したらしい。だが、彼を釘づけにしているのは、マラッパーには訪れなかったと思し(おぼ)い理解だった。すべての希望を打ち砕く理解だ。

遅ればせながらもいいところだが、地球が近くにあるとわかった。地球は彼らの真の故郷だ。そして地球は、ザック・デイトが認めたところでは、巨人族と〈よそ者〉に乗っとられてしまっているのだ。コンプレインがむなしく怒りを燃やしているのは、それが明らかになったことに対してだった。

5

ローア・ヴィアンは声もなく、二十番デッキでくり広げられる蛮行をなすすべもなく見まもっていた。彼女は壊れた戸口になんとか体をねじこんで立っていた。このデッキの重力線は、マスター・スコイトの突撃隊の攻撃で切断されていたのだ。三重同心円の階層における方向は、いまや狂ってしまっていた。これまで存在しなかった上下が存在し、船を設計したエンジニアたちが、どれほど巧みな仕事をしたのか、ヴィアンは生まれてはじめて悟った。この条件下では、デッキの半分は住めなくなる。個室は天井に設けられているからだ。

ヴィアンの近くに、同じように声を失って、〈前部〉の女たちが集まっていた。なかには子供を抱きしめている者もいた。その多くが、自分たちの故郷が破壊されるのを見つめていた。

スコイトはガス中毒から完全に回復し、鍋の底のように黒光りするショートパンツをはいただけで、以前二十五番デッキの分解をはじめたときと同じように、いまは全デッキを分解していた。ヴィアンからコンプレインの伝言を受けとるとすぐに、彼は見るも恐ろしい獰猛ぶりを発揮して、作業に没頭したのだ。

彼はまず、ふたりの女と四人の男を問答無用で処刑させた。〈よそ者〉のしるしである八角形の指輪をはめているところをパグワムが——〈生存チーム〉の何名かとともに——見つけた者たちである。コンプレインが予言したとおり、彼の非情な指示のもとで、ハウルと彼にしたがう山賊たちの暴力は抑制された——あるいは、むしろ、もっと組織的な破壊行為へと誘導された。顔と切断した腕に包帯を巻いたグレッグが脱落したので、ハウルがやすやすとその後釜にすわった。熱線銃をふるうとき、そのしなびた顔は喜びで輝いた。グレッグの暴徒の残りは、重力の欠如をものともせず、進んで彼と働いた。ハウルに服従したのではなく、彼の悪魔的な意思が彼らの意思でもあったからだ。

かつては通廊と居住設備から成る整然とした蜂の巣だったものが、いまは多くの電灯の光を浴びて、ブロンズで作られた幻想的な低湿地の情景のように見えた。片づけられた空間——片づけられているとはいえ、金属の多くは漏電した電気が通じており、五人の死者をだしていた——を貫いて、頑丈な船体金属の大梁、船の骨格そのものが四方八方に飛びだしている。その梁からもっと軽い金属やプラスチックのつらら状のものが突きだしていた。それらは溶けて、したたってから、ふたたび固まったのだった。そしてこの混沌を貫いて、破裂した本管から水が流れていた。

ひょっとしたら、荒れ果てた情景全体のなかで、その水の光景がいちばん異様だったかもしれない。無重力の空間へ噴きだした水は、勢いである程度前へ進むものの、どこへも行きたがらず、小球になろうとするのだ。しかし、二十三番デッキと二十四番デッキではじまった火災が、いまや地獄の業火となって両側の空気に波を起こしており、その寄せては返しが、小球を渦巻かせたり、狂ったガラスの魚のように引きのばしたりしていた。

「どうやら巨人族を追いつめたようだぞ、おまえら！」とハウルが叫んだ。「こんどの〈眠り〉でおまえらの晩飯のボウルをいっぱいにする血があるぞ」慣れた手つきでまたひとつ仕切りを切断する。周囲の男たちから興奮の叫びが湧きあがった。彼らは疲れ知らずに働き、鉄の骨組みのあいだを飛びまわった。

ヴィアンはスコイトを見ていられなかった。電灯と火事の光で恐ろしげに見えるその顔のしわは、重力がなくなっても、やわらいではいなかった。いまは前にもまして深く見えた。スコイトにすれば、自分がそのなかに住んでいる船体の解剖は、トラウマを残す経験なのだ。容赦なく敵を追求した結果、行きついた先がこれであり、凶暴な小男ハウルはそれを体現しているのである。

若い女は悲しくてたまらず視線をそらした。トレゴニンを探して、ちらっと周囲を見まわす。彼の姿はどこにも見当たらなかった。ひょっとしたら、自分の個室にひとりでいて、そわそわしているのかもしれない。真実を知りながら、それを伝えられない小男は。ロイ・コンプレインのもとへ行かなければならない――そのとき彼女はそう感じた。彼の顔だけがいまも人間性の仮面をかぶっている。破壊の喧噪のさなかで、彼女はコンプレインを愛している理由を静かに理解した。なぜなら（どちらも口にはしないものの、ふたりとも気づいていることだが）コンプレインが変わったからであり、ヴィアンはその目撃者であると同時に変化の要因でもあるからだ。この時期、多くの人々――たとえば、スコイト――が変わりつつある。コンプレインさえそうしたように、古い抑制の型から脱しつつある。しかし、彼らが前より低いものへ変化しつつあるのに対し、ロイ・コンプレインの変容は、彼を前より高い圏域に押しあげたのだ。

十九番デッキと十八番デッキは人々で立錐（りっすい）の余地もなかった。だれもが漠然としか感知できないクライマックスを不吉な思いで待っていた。先へ進むうちに、その向こう側に見捨てられた上層が見つかった。暗い〈眠りとめざめ〉は終わっていたけれど、船の照明――これまでは日の出とおなじくらい頼りになった――は二度とつかなかった。ヴィアンはベルトの電灯のスイッチを入れ、デーザーを握って進んだ。

十五番デッキで、足を止めた。

ほの明るい薔薇色の光が通廊にあふれていた。非常に淡く、やわらかな光だ。それはデッキに開いた跳ねあげ戸のひとつから発していた。ヴィアンが跳ねあげ戸を見ていると、一匹の生き物がゆっくりと、もがくようにして出てきた。ネズミだった。過去のいつかの時点で、そいつの背骨は折れたのだ。いまは、うしろ脚をのせる粗末な橇のようなものが、そいつの臀部にくくりつけられていた。そいつは前脚で体を引っぱった。橇のおかげで進むのに苦労はなかった。

ヴィアンは仰天した――（連中が車輪を発見するのも時間の問題ね）

ネズミが跳ねあげ戸から出てきた直後、光がまぶしいまでに強くなった。火柱が穴から噴きだし、下がったかと思うと、つぎはさらに高く立ちのぼった。怯えたヴィアンはそれを迂回し、先を急いだ。彼女をちらっと見たあと、興味を示さずに進みつづけたネズミに置いていかれないようにしながら。同じ苦しみを味わっているという胸にこたえる錯覚のおかげで、その生き物に対するヴィアンの身に染みついた嫌悪感はやわらいだ。

裸の火は、船の住人が関心を持つものではなかった。いま、生まれてはじめて、それが自分たちを完全に滅ぼせるのをヴィアンは悟った――そして、だれにもどうにもできないのだ、と。それは癌にかかった指のように、階層と階層とのあいだを広がっていた。船の住人が危険だと悟ったときには手遅れだろう。彼女は足どりを早めた。ふっくらした下唇を噛み、足もとに熱いデッキを感じながら。

不意に、二ヤード足らず前方で、足萎えのネズミが咳こみ、動かなくなった。

「ヴィアン！」背後で声がした。

彼女は驚いたシカのように、くるっとふり向いた。

グレッグがデーザーをしまうところだった。無言で彼女のあとを追ってきた彼は、ネズミを殺さずにはいられなかったのだ。頭に包帯をグルグル巻きにした彼は、ほとんど見分けがつかなかった。左腕のなごりにも包帯が巻かれ、シャツの前に吊られていた。赤みがかった闇のなかで、いっしょにいたい人物ではなかった。

ヴィアンは、彼の音もない登場ぶりに身震いを抑えられなかった。なにかの理由で助けを求めて叫びたいと思っても、この船の失われた一角ではだれの耳にも届かないだろう。

グレッグがやってきて、彼女の腕に触れた。包帯と包帯との隙間に彼の唇が見えた。

「いっしょに行きたい、審問官」と彼はいった。「あんたのあとを追って人ごみを抜けてきた――こんなざまじゃ、あっちにいても役に立たない」

「なぜあとをつけてきたの？」腕を引っこめながら彼女はたずねた。

布の覆面の下で彼が笑みを浮かべたような気がした。

「なにかがおかしくなってる」と、ひどく静かな声で彼がいった。彼女がわかっていないのを見てとって、こうつけ加える。「つまり、船のなかで。いまみんながそう思ってる。こいつは〈停電〉だ。骨の髄で感じられるだろう……。いっしょに行かせてくれ、ローア。あんたはとても……。ああ、ちくしょう、熱くなってきた」

彼女はものもいわずに歩きだした。どういうわけか、彼女の目は涙でヒリヒリした。けっきょく、自分たちは同じ船に乗りあわせているのだ。


マラッパーがザック・デイトの死体を前にして臨終の儀式をとり行っているあいだ、コンプレインはさまざまな可能性を探りながら、エアロック内を歩きまわった。もし巨人族が地球から大挙してやってきたら、この場所を死守しなければならない。まず心配するのはそれでなければならない。エアロック内の同一平面にある小部屋に通じるドアが、壁のひとつに設けられていた。コンプレインはそれを引きあけた。それはただの小さな部屋で、エアロック本体に出入りするものをそこから操作できる仕組みだった。いまは粗末な寝棚にひとりの男が横たわっていた。

ボブ・ファーモアーだ！

ファーモアーは元の仲間に恐怖の反応を示した。開いている空気ヴァルブを通して、ドアの反対側で起きたことは残らず聞こえていたのだ。彼を救出にきた巨人族のおかげですぐに中断したとはいえ、スコイトとその友人たちのやさしい尋問が、ファーモアーの背中から皮膚の大部分をはぎとっていたばかりか、ある程度の神経組織もはぎとっていた。彼を救出した者たちはカーティスのもとへもどり、いっぽう彼はここに置き去りにされ、救援船がやってきて、故郷へ連れもどしてくれるのをちぢこまって待つことになった。いま彼は、自分は〈長い旅〉に出ようとしているのだと確信していた。

「痛めつけないでくれ、ロイ」彼は懇願した。「おまえが知る必要のあることは洗いざらい教える――おまえが夢にも思わなかったことを。そうしたら、わたしを殺す気はなくなるはずだ！」

「聞くのが待ちきれないな」と、いかめしい声でコンプレイン。「だが、まっすぐ〈評議会〉のもとへ行って、彼らに話すんだ。ひとりでその告白を受けるのは危険だからな」

「船内にもどさないでくれ、ロイ、頼む、お願いだ。もうたくさんだ。あんな目にあうのは二度とご免だ」

「立て！」とコンプレインはいった。ファーモアーの手首をつかみ、彼を勢いよく引っぱり起こして、エアロックに押しこむ。それから祈りの言葉を唱えているマラッパーのゆたかな尻をそっと蹴った。

「そのやくたいもない儀式から卒業するべきだな、司祭。おまけに、無駄にしている時間がない。巨人族が到着したとき総攻撃をかけられるよう、スコイトとグレッグとみんなをここへ連れてこないといけない。望みがあるとしたら、連中の船がきたとき、それを乗っとることだけだろう」

司祭が顔を真っ赤にして立ちあがり、膝のほこりを払って、肩からふけをはたき落とした。彼はひらりと身をかわしたので、コンプレインが司祭とファーモアーとのあいだに立つ形になった。まるで幽霊であるかのようにファーモアーを避けたのだ。

「おぬしのいうとおりだろう」と彼はコンプレインにいった。「ただし、平和を愛する男として、流血沙汰は大いに残念だ。その血がわしらのものではなく、やつらのものであることを〈意識〉に祈ろう」

老評議員を倒れた場所に置き去りにして、彼らはファーモアーをこづいてエアロックから追いたてると、ものが散乱した通廊の跳ねあげ戸のほうへ引きかえした。進んでいくあいだに、聞き慣れない騒音が耳から離れなくなった。跳ねあげ戸のところで、危惧をおぼえて足を止めると、音の出所がわかった。足の下、点検用通路におびただしい数のネズミが群れているのだ。なかにはピンクの目をちらりとあげて、マラッパーの電灯を見るものもいた。船首への猪突猛進をやめるものはいなかった。茶色いネズミ、小さいネズミ、灰色のネズミ、黄褐色のネズミ——背中に持ち物をくくりつけているものもいる——が恐怖の配管へと急いでいた。

「あそこへは降りられない！」とコンプレイン。それを考えると、胃袋がねじれた。不気味なのは、なにがあっても道をそれないと決意しているかのように、群れが動いていることだった。彼らの足もとを永遠に流れつづけても不思議はないように見えた。

「なにか甚大な被害をもたらすことが、船内で起きているにちがいない！」とファーモアーが大声でいった。そのおぞましい毛皮の川を見て、彼はかつて友人だった者たちに対する恐れをついに捨て去った。こうして三人はふたたび団結した。

「エアロック内の小部屋に道具箱がある。とりに行ってくる。そのなかに鋸があるはずだ。それがあれば、船の主要部へもどる道を切り開ける」

彼はきた道を走って引きかえし、ガチャガチャ鳴るバッグを持ってもどってきた。それはぎこちない手つきでバッグをあけると、丸鋸式の原子力片手鋸をとりだした。それは彼らの目の前で壁の分子構造を細かく砕いた。かん高いうなりをあげて、その道具は金属をいびつな円の形に切りとった。三人はそれをくぐり抜け、本能にしたがうかのようにデッキの知っている区域へと進んでいった。エアロックのなかにいるあいだに、船がよみがえったかのようだった。かすかな打撃音が、不規則な心臓の鼓動さながら、いたるところに満ちていたのだ。歩くにつれ、空気は饐えていき、暗闇は煙で靄がかかった——そして耳慣れた声がコンプレインを呼んでいた。

つぎの瞬間、三人はある曲がり目を小走りにまわりこんだ。するとヴィアンとグレッグがいた。若い女はコンプレインの腕のなかに身を投げだした。

コンプレインは手短にニュースを彼女に伝えた。彼女は二十番台のデッキで行われている破壊について彼に教えた。彼女がしゃべっているうちに、周囲の照明がいきなり煌々と輝いたかと思うと、消えた。表示灯さえ完全に消えてしまった。同時に、重力が吹っ飛んだ。彼らは手足を広げて空中にふわふわと浮かんだ。

クジラの肺から噴きだしてくる——ように思える——うめき声が、船という閉ざされた空間にひびき渡った。はじめて、彼らは船がぐらりと揺れるのを感じた。

「この船はおしまいだ！」とファーモアーが叫んだ。「あの愚か者どもが船を破壊している！　もう巨人族を恐れるまでもない——ここへ着くころには、彼らは救助隊に早変わりして、残骸からひからびた死骸を回収するだろう」

「ロジャー・スコイトをいまやっている仕事から引きはがすのは無理よ」とヴィアンが陰気な声でいった。

「ちくしょう！」とコンプレイン。「この状況全体がまったく絶望的だ！」

「人間の苦境をべつにすれば」とマラッパー。「なにひとつ絶望的ではない。わしの見るところ、〈司令室〉がいちばん安全だ。せめて自分の足を意のままにできれば、そこへ行くのだが」

「名案だな、司祭」とグレッグ。「火事はもうたくさんだ。ヴィアンにとっても、そこがいちばん安全だろう」

「〈司令室〉か！」とファーモアーがいった。「もちろん、そうだ……」

コンプレインはなにもいわず、ファーモアーを〈評議会〉の面々の前へ連れていくという自分の計画を放棄した。もう遅すぎる。それに、この状況では、巨人族を追い払える望みもないようだ。

ぶざまな格好で、苦痛をおぼえるほどのろのろと、一行は自分たちと、めちゃめちゃになった操縦装置をおさめている展望室とのあいだに横たわる九つのデッキを越えていった。とうとう息をあえがせながら螺旋階段を登り、ヴィアンとコンプレインが前にうがった穴をくぐり抜けた。

「おかしな話だ」とマラッパーがいった。「わしらはこの場所にたどり着くため、五人で〈居住区〉から出発した。そのうち三人が、とうとうそろってやりとげたぞ！」

「できすぎかもしれないな」とコンプレイン。「なんであんたについてきたのかわからないよ、司祭」

「生まれながらのリーダーにしたがうのに理由はいらんのだ」とマラッパーが慎ましくいった。

「いや、ここがわれわれのいるべき場所だ」とファーモアーが興奮気味にいった。広大な部屋を電灯でぐるっと照らし、融解したパネルのかたまりに気づく。「この破壊しつくされた表面は見せかけで、裏の操縦装置はまだ無事なんだ。ここのどこかに、すべてのデッキ間ドアを閉鎖する装置がある。そのドアは船体と同じ金属でできているから、焼けるまでに長くかかるだろう。その装置が見つかれば……」

彼は原子力鋸をふって言葉を断ち切り、早速、目当ての制御盤の捜索にかかった。

「この船を救わなければ！」と彼はいった。「救えるチャンスはまだある。デッキの切り離しさえできれば」

「船なんぞ放っておけ！」とマラッパー。「いまとなっては、船から逃げだせるまで、バラバラにならずにいてくれたら、それでいい」

「逃げだせはしないぞ」とファーモアー。「事実を理解したほうがいい。あんたたちは、だれひとり地球にたどり着けない。あんたたちは船に属していて、船にとどまるんだ。これは無寄港(ノンストップ)の旅だ。〈旅路の果て〉はないんだ」

コンプレインは彼のほうにくるっとふり向いた。

「なぜそんなことをいう？」その声は感情がこもりすぎていて、平板に聞こえた。

「わたしのせいじゃない」トラブルのにおいを嗅ぎとって、ファーモアーがあわてていった。「この状況が、きみたちのだれにとっても手に負えないだけの話だ。この船は地球周回軌道にあり、そこにとどまらなければならない。それが、この船を制御するために〈小犬〉機関を設立した世界政府の決定なんだ」

コンプレインの動作は怒りに満ちていたが、ヴィアンの動作は哀願だった。

「なぜ？　なぜ船はここにとどまらなければならないの？　あまりにも残酷よ……。わたしたちは地球人。このプロキオンへの悲惨な往復の旅は——終わったのよ。そしていま、わたしたちはなんとか生きのびたらしい。それだったら——ああ、地球になにがあったのかは知らないけど、わたしたちが帰ったのを人々は喜ぶべきじゃない。うれしく思って、興奮するべきじゃ……」

「この船、通称〈大犬〉——行き先の小犬座にちなんでそう命名されたんだ——が、とうとう長旅から帰ってきて地球の望遠鏡に探知されたとき、地球のだれもが、きみのいうとおり——うれしく思い、興奮して、驚嘆した」ファーモアーはいったん言葉を切った。それは彼が生まれる前の出来事だった。しかし、その大事件のことは耳にたこができるほど聞かされていたのだ。「船に信号が送られた」と彼は言葉をつづけた。「返信はなかった。それでも船は地球へ向かって驀進しつづけた。どうにも説明がつかなかった。われわれの文明は科学技術的局面を過ぎていたが、にもかかわらず、すみやかに工場が建てられ、小型船の船団が〝大犬〟に向けて打ちあげられた。船でなにが起きているかを突き止める必要があったからだ。

彼らはこの巨船と速度を合わせ、この船に乗り移った。そして突き止めた——そう、なにもかも突き止めたんだ。大むかしの災厄の結果として、暗黒時代が船全体をおおいつくしているのを突き止めたんだ」

「〈九日硬直熱〉ね！」とヴィアンが小声でいった。

ファーモアーはうなずいた。彼女が知っているのに驚いたようすだ。

「船を進ませつづけるわけにはいかなかった。銀河の夜を永遠に走りつづけそうだったからだ。この操縦装置は、いまきみたちが見ている状態で発見された。めちゃめちゃになっていたんだ――おそらく、何世代も前の哀れな狂人の仕業だろう。それで〈推進機関（ドライヴ）〉が大本で切られ、船は小型船によって軌道へ引きこまれた。重力を引き綱がわりにして、タグボートの役割を果たしたわけだ」

「でも――なぜぼくらを船に乗せたままにしておくんだ？」とコンプレイン。「船が軌道に乗ったあと、なぜぼくらを降ろさなかったんだ？　ローアがいうとおり、それは残酷だ――非人間的だ！」

ファーモアーはしぶしぶ首をふった。

「非人間的なものは船内にあった。つまり、きみたちが知っているらしい例のウイルスを生きのびた乗組員は、わずかだが生理学的変化をとげていた。船内の生きている細胞という細胞に浸透した新しいタンパク質は、それらの新陳代謝の割合を増大させた。この増大は、最初のうちは気づかれなかったが、世代を重ねるたびに大きくなり、その結果、いまきみたちは、ひとり残らず本来の速度より四倍の速さで生きているんだ」

そう語りながら、彼は哀れみでおののいた――しかし、彼らの表情には不信の念しかなかった。

「おれたちを怖がらそうとして嘘をついてるんだ」とグレッグがいった。顔をおおう包帯の隙間で目がギラギラしていた。

「嘘じゃない」とファーモアー。「人間の平均寿命が八十年なのに対し、きみたちの寿命は二十年しかない。生長因子はきみたちの一生のあいだで一定しているわけじゃない。子供のころは成長が早く、かなり正常な成人期を送ったあと、いきなり老けこむんだ」

「この悪党のいうとおりだとしたら、わしらは気づいていたはずだ!」とマラッパーが怒鳴った。

「いや」とファーモアー。「気づかなかっただろう。きみたちのまわりにしるしはあっても、きみたちにはそれがわからない。比較する基準がないからだ。たとえば、四回に一回の〈眠りとめざめ〉が闇につつまれるという事実をきみたちは受け入れた。通常の割合の四倍で生きると、きみたちの四日、あるいは四回の〈眠りとめざめ〉は当然ながら通常の一日にしかならない。船が往路にあったとき――プロキオンへ向かう航宙をしていたとき――午前零時から六時まで、船全体で照明は自動的に落とされた。親しみやすい夜という幻影をもたらすためでもあり、必要な修理といった舞台裏の仕事ができるようにするためでもあった。その短い六時間循環がきみたちにとっては丸一日なんだ」

ようやく彼らも理解しはじめていた。なんとも奇妙なことに、それは内側から外側へ放出されたように思えた。まるで、なにか神秘的な方法で、ずっとむかしから彼らの内部に真実が閉じこめられていたかのようだった。彼ら――自分をさいなんだ者たち――に最悪の事態を知らせるというおぞましい快楽で、ファーモアーの心はいっぱいになった。自分たちがどれほど呪われているかを彼らに理解させたい――ファーモアーは急に熱心になって言葉をつづけた。

「だから、われわれ正常な地球人はきみたちを〝めまい族〟と呼ぶんだ。きみたちはあまりにもめまぐるしく生きるので、われわれはめまいがするんだ。しかし、きみたちのおかしな点はそれだけじゃない！　この巨大な船が、操縦する者がいないにもかかわらず、まだ自動的に機能しているところを想像したまえ。船はなにもかも供給してくれる。ただし、その性質上供給できないものはべつだ。新鮮なヴィタミン、新鮮な空気、新鮮な陽射し。きみたちは世代を重ねるごとに小さくなる。自然は生きのびられるやり方で生きのびる。必要な物質を削減すること、それが自然のやり方だった。近親相姦のようなほかの要因もきみたちを変えた。やがて――きみたちは実質的にべつの種族と判断されるまでになった。じっさい、きみたちはあまりにもうまく環境に適応してきたから、地球へ降ろしたとしても、生きのびられるかどうかは疑問だったんだ！」

とうとう彼らにも呑みこめた。胃袋の底までわかったのだ。ファーモアーは勝利を味わっている自分が恥ずかしくなり、彼らのこわばった顔から目をそらした。彼は目当てのパネルを探して順番にあたりをつつくのを再開した。その場所は見つかったが、四人ともおし黙ったままだった。彼は鋸を使って、焦げた外板を一心不乱に切りとりはじめた。

「それじゃあ、ぼくらは人類ではまったくないのか……」まるでひとりごとをいうかのように、コンプレインが大声でいった。「おまえはそういってるんだ。ぼくらが苦しんできたこと、いだいてきた希望、やりとげたこと、愛してきたもの。そのすべてが……本物じゃなかった。ぼくらはおかしな小さな機械的なものにすぎず、熱狂してピクピク動くだけだった。化学物質によって活動する人形だった……。ああ、なんてこった！」

その声が小さくなるのと入れ替わりに、騒音が聞こえてきた。人員用エアロックのわきで耳にした騒音、百万のネズミが、船という硬い蜂の巣をとめどなく流れていく騒音だった。

「ここへ向かっているぞ！」とファーモアーが叫んだ。「こちらへやって来る！　ここは行き止まりだ。われわれは袋のネズミだ！　八つ裂きにされてしまう！」

いま彼は外板を切断し、両手でそれを引きちぎって、背後に投げだしたところだった。その下に、トグルから分かれて、八十四個のトランジスタが二列に並んでいた。鋸の側面を使って、ファーモアーは死にもの狂いでトグルとトランジスタの組を乱打した。火花が散り——齧歯類の大群がだしぬけに切り離されるすさまじい音がした。デッキというデッキが隣のデッキから封鎖された。あらゆる階層で、すべてのデッキ間ドアがぴたりと閉まり、この先の連絡を途絶えさせたのだ。

ファーモアーはあえぎながら、よろよろとパネルにもたれかかった。かろうじて間にあったのだ。恐ろしい死を間一髪のところで避けたという思いがこみあげてきて、彼は気分が悪くなった。

「あいつを見ろ、ロイ！」と蔑みをこめていいほうの手で指さしながら、グレッグが叫んだ。「おれたちについて、おまえはまちがっていたぞ、ロイ！　おれたちはあいつと変わらん。いや、ましなくらいだ。あいつは臆病で……」

彼はいいほうのこぶしを固めてファーモアーのところへ向かった。マラッパーがナイフを抜きながら、そのあとにつづく。

「この重大な過ちの責任をとって、だれかが犠牲にならなければならん」と司祭がいって、歯を食いしばった。「それはおぬしだ、ファーモアー——辛酸をなめた二十三世代のために、おぬしが〈長い旅〉に出るのだ！　それは気高い行いになるだろう」

鋸を力なくとり落とし、身を守るそぶりも見せず、ファーモアーはそこに立ちつくしていた。身動きもせず、口を開きもしなかった。まるで司祭の視点でものを見ているかのようだった。マラッパーとグレッグは進みつづけた。コンプレインとヴィアンはその背後で動かずにいた。

マラッパーのナイフがふりかぶられたとき、予想外のガチャンガチャンという音が、彼らの集まっているドームにあふれた。なぜか、グレゴリー・コンプレイン船長の時代から閉まっていたシャッターがパッと開いて、細長い窓を露わにしたのだ。五人の四方に広がる巨大な球体の四分の三が、瞬時にして宇宙空間に向かって開けた。ガラス質のタングステンを通して、宇宙が彼らにささやいた。船の片側で、縦長の太陽がメラメラと燃えていた。反対側では、地球と月が光り輝く球体となっていた。

「どうしてこんなことが起きたの？」けたたましい金属音がやむと同時にヴィアンがたずねた。

彼らは不安げに周囲を見まわした。動くものはなかった。

マラッパーがおずおずとナイフをしまった。その光景は、血で汚すには荘厳すぎた。

グレッグもファーモアーから目をそらした。陽光が彼らを洗い、耳を聾するように思えた。とうとうファーモアーが口をきいた。

「だいじょうぶだ」と彼はおだやかな声でいった。「心配はいらない。〈小犬〉から船がきて、火事を消し、ネズミを殺し、あと片づけをしてくれる。そうしたら、またデッキを開くから、きみたちは前と同じ暮らしをつづけられる」

「いやよ！」とヴィアン。「この墓場から抜けだすために命を捧げた者だっているのよ。ここに残るくらいなら死ぬわ！」

「それを恐れていたんだ」と、ひとりごとのようにファーモアーがいった。「この日が来るかもしれない、とわれわれはつねに考えてきた。まったく準備ができていないわけではない——重大な秘密を探りだした者は、きみたちより前にもいたんだ。しかし、いつも手遅れにならないうちに黙らせてきた。いまは……。まあ、きみたちは地球でもだいじょうぶかもしれない。きみたちの赤ん坊の何人かをあっちへ連れていった。彼らは生きのびたよ。しかし、われわれはつねに——」

「われわれですって！」とヴィアンが声をはりあげる。「あなたはずっと〝われわれ〟といってるわね。でも、あなたは〈よそ者〉、巨人族の同盟者よ。あなたたちと真の地球人とはどういう関係にあるの？」

ファーモアーは苦笑した。

「〈よそ者〉と巨人族が真の地球人だ。〈大犬〉が軌道へ引きこまれたとき、われわれ

――地球――は、きみたち全員に対する重大な責任をいやというほど理解した。医師と教師がきみたちには特に必要だった。聖職者も必要とされた。〈教え〉という堕落した反宗教を無効にするためだ――だが、堕落しているとはいえ、〈教え〉がある程度はきみたちの生存を助けたのは疑いの余地がない。しかし、思わぬ障害があった。医師をはじめとする人々は、ただエアロックに忍びこみ、きみたちにまじるというわけにはいかなかったのだ。身を隠す点検用通路のシステムと水耕植物（ハイドロポニック）の繁みがあるから簡単だと思われたのだが。できるだけ速く動いたり、しゃべったり、細切れに眠ったり――要するに、めまい族のようにふるまう訓練を〈小犬〉の施設で受けなければならなかった。そして船内のすさまじい悪臭に耐えられるように。もちろん、異常なほど小柄な人間でなければならなかった。きみたちのなかに身長五フィートを超える者はいないのだから。

　危険な任務についている男たちのなかには、きみたちの知りあいで、きみたちに好かれている者もいる。医者のリンジーと画家のメラーは、ふたりとも〈居住区〉に駐在する地球人だった――〈よそ者〉だよ。だが、きみたちの友人だった」

「……で、おまえは」とコンプレイン。顔の前を掃くような仕草をする。そこで旋回していた蛾は、彼の手を逃れた。

「わたしは人類学者だ」とファーモアー。「もっとも、知識の光を広める手伝いもしたが。人類学者は何人か船に乗っている。閉ざされた環境が人間におよぼす影響を研究するのに、ここはうってつけなんだ。地球上で何百年もかけて学ぶよりも多くのことを、人間と社会について教えてくれた。

ザック・デイトは、きみたちが〈よそ者〉と呼ぶ船上にいる者たちの統轄者だった。船上でのフィールド・ワークの期間は、ふつう二年だ――わたしの期間はもうじき終わりだが、もうここにはいられない。帰郷して、〈よそ者〉であることに関して論文を書くことにするよ。フィールド・ワークには個人的な報酬があるんだ。スコイトのような有能な人間と衝突しないかぎり、とりたてて危険ではないとはいえ、困難な仕事だからな。ザック・デイトはめまい族を愛した――きみたちを愛していたんだ。彼は期間を大幅に超えて船にとどまり、状況を改善しようとし、〈前部〉の思考をもっと正常な回路にもどそうとした――彼はそれにたいへんな成功をおさめた。〈前部〉の状況を、〈居住区〉のような〈死道〉の部族の状況と比較すればわかるように。

彼はすばらしい男だった、ザック・デイトは。二十世紀のシュヴァイツァー、あるいは二十一世紀のターンボールのような人道主義者だった。論文を仕上げたら、彼の伝記をまとめてもいい」

これを聞いてコンプレインは居心地が悪くなった。自分とマラッパーが、良心の呵責をおぼえずに老評議員を撃ち殺したときのことを思いだしたのだ。

「それなら、巨人族は大柄な人間にすぎないんだな」と彼は話題をそらせた。

「彼らはふつうの大きさの人間にすぎない」とファーモアーがいった。「六フィート台の者たちだ。小柄な者を選ぶまでもなかった。彼らは保守要員であり、船が軌道にはいったとき姿を見られるはずではなかったからだ。彼らは保守要員であり、船が軌道にはいったときに乗船して、ここがきみたちにとってもっと住みやすく、快適な場所になるよう秘密裏に活動をはじめた。彼らはこの操縦装置を封印した。それを見つけた者が、あれこれ考えはじめないようにだ。というのも、自分たちが船のなかにいるという知識を――いつかきみたちが船を離れられる日が来る場合にそなえて――きみたち自身が育むように絶えず仕向けてきたものの、保守要員は直接的な証拠をつねに注意深く破壊してきたからだ。きみたちが独自に調べるようになれば、彼らの仕事が危険になるかもしれないのだから。

とはいえ、彼らの仕事はたいてい建設的なものだった。水と空気のダクトを修理した――憶えているだろう、ロイ、ジャック・ランドールとジョック・アンドリューズが水のあふれだした水泳プールを修理している現場に行きあたったのを。保守要員はたくさんのネズミを殺した――だが、ネズミたちは狡猾だった。やつらをはじめとする何種類かの生き物は、プロキオン第五惑星を発って以来変化してきた。いまその大部分を二十二番デッキに閉じこめたから、ひとまとめに抹殺できるかもしれない。

われわれと、きみたちのいう〝巨人族〟がはめている指輪は、船が出発したとき、初代の保守要員がはめていた指輪鍵（リング・キー）の複製だ。指輪と、指輪によって出入りする点検用通路のおかげで、われわれはきみたちと船上で共存することが可能になった。つまり船上に食料と浴室をそなえた秘密の司令部を——ときには避難先を——持てるということだ。おそらくカーティスは、いまごろそこで死にかけているのだろう。デッキ間ドアを閉じたおかげで命拾いしていないかぎりはね。

カーティスは仕事で成功をおさめるタイプじゃない。自信過剰なのだ。彼のもとで、過失が起こるようになり、規律がゆるんできた。グレッグに串刺しにされた哀れな男——これほどの損傷を引き起こしたレーザーを持っていた男——は、〈死道〉でひとりきりで働いていた。規則には複数で行動するように明記されているのだが。あれはカーティスの過ちのひとつだった。そうはいっても、彼には無事でいてほしい」

「じゃあ、おまえたちはおれたちの世話をしてただけなのか！　だれもおれたちを怖がらせたくなかったんだな？」とグレッグがたずねた。

「もちろん、そうだ」とファーモアーは答えた。「めまい族を殺してはならないと厳しく戒められていた。われわれは致命傷をあたえる武器を携行しない。〈よそ者〉がポニックの腐植土のなかで自然に発生するという伝説は、純粋にめまい族の迷信だ。われわれは恐怖をあたえるようなことはしなかった。一から十まで支援が目的だった」

グレッグがそっけなく笑い声をあげた。

「なるほど。涙もろい乳母の集団が、おれたち哀れなうすのろの面倒を見てくれるってわけか。おまえたちがおれたちを可愛がり、研究するあいだ、おれたちが地獄の苦しみを味わうかもしれないなんて考えは、おまえたち心の広いろくでなしの頭に浮かびもしないんだろう？　おれを見ろ！　おれの右腕のハウルを見ろ！　おれの手下になってる哀れな連中の半分を見ろ！　そして奇形がひどすぎて、〈死道〉で出くわしたとき、悲惨な境遇を終わらせてやるしかなかった連中を見ろ！　いいか、二十三引く七だ……。そう、おまえたちは十六世代をここで生きて死なせた。これほど地球に近いここで、おれたちのなめた辛酸をなめさせた。それなのに、それで勲章をもらえると思ってやがる！　そのナイフをくれ、マラッパー――この小さなろくでもない英雄の臓物が何色か見てみたい」

「それは誤解だ！」とファーモアーが叫んだ。「コンプレイン、彼に教えてやってくれ！　きみたちの人生がスピードアップしていると説明しただろう。きみたちの世代はあまりにも短いので、〈大犬〉がはじめて小型船に横づけされ、軌道に引きこまれる前に、二十世代が過ぎていたんだ。以来、〈小犬〉の研究室では主要な問題がずっと研究されている。誓って本当だ。きみたちに注射して、きみたちの細胞内の異質なペプシン連鎖を分解できる化学物質が、いつなんどき見つかっても不思議はない。そうなればきみたちは自由の身だ。いまでさえ――」

彼は不意に言葉をとぎれさせ、目をみはった。

彼らはファーモアーの視線をたどった。グレッグさえふり向いた。目もくらむほどまぶしい陽光に浸透してきた煙のようなものが、破壊されたパネルの一枚の裂け目から立ちのぼっていた。

「火事だ！」とファーモアーがいった。

「ばかをいうな！」とコンプレイン。彼は大きくなる雲に向かって体を進めた。それは何千という蛾でできていた。蛾はドームの高いところまで飛んでいき、はじめて見る太陽のほうへ旋回した。小さい蛾から成る第一陣のあと、もっと大きな蛾がやってきた。パネルの穴から出ようともがいている。それらの際限のない編隊は、齧歯類の同盟者に先駆けてブーンとうなりながら、ネズミがこのデッキに達する前に、なんとか操縦装置の裏の空間にたどり着いたのだ。蛾は数を増しながら続々とあふれだしてきた。マラッパーがデーザーを抜いて、出てくる端から蛾を撃ち落とした。

ぼんやりした感覚が全員の頭脳におおいかぶさった。突然変異した群れから発せられる、知覚できるかできないかのかすかな思考だ。めまいに襲われて、マラッパーが射撃をやめた。すると蛾がふたたびあふれだしてきた。高圧電流がパネルの裏でバチバチと音をたてる。ほかの蛾の群れが、そこでむきだしの接続部に殺到し、ショートさせたのだ。

「蛾は本当に損傷をあたえられるの？」とヴィアンがコンプレインに訊いた。

彼は不安げに首をふり、わからないということを示した。頭蓋にモスリン布を詰めこまれたような感覚を必死にふり払おうとする。

「船が来るぞ！」ファーモアーが安堵の声をもらし、きらめく暗黒の奥を指さした。

母なる惑星の巨体のかたわらに小さく浮かぶ光点は、こちらへ向かっているとは思えなかった。

頭をふらふらさせながら、ヴィアンが自分たちの船、〝大犬〟の巨体に目をこらした。ここ、この展望室のなかでは、その弓なりになった背中を一望の下におさめられた。衝動的に、彼女はもっとよく見渡せるドームのてっぺんまで飛びあがった。コンプレインがその隣まで宙を泳いでいき、ふたりはシャッターを巻きこんでいる細長い筒の一本にしがみついた。蛾が操縦装置の裏でもがいているとき、偶然シャッターを起動させたにちがいない、と不意に彼女は思いあたった。いま蛾はふたりの周囲をぐるぐるまわっており、一様に希望を放射していた。

ヴィアンは憧れのまなざしで外を見つめた。その惑星の眺めは歯痛のようだった。彼女は目をそらさねばならなかった。

「はるばる地球からここへやって来る人たちが、わたしたちを太陽から追い払って閉じこめるかと思うと……」

「そうはしない……するわけがない」とコンプレイン。「ファーモアーはただの愚か者だ。やつは知らないんだ。ほかの者たちがきたら、ローア、ぼくらが自由に値する、地球に住もうとする権利があると理解するだろう。彼らが残酷ではないのはたしかだ。さもなければ、これほど手間をかけてぼくらの世話をしなかっただろう。ここで生きるよりは、あそこで死んだほうがましだってことをわかってくれるだろう」

仰天するような爆発がふたりの下で起こった。プラスチック・パネルの破片が部屋に飛びこんできた。死んだ蛾や煙とまじり合っている。ヴィアンとコンプレインが見おろすと、グレッグとファーモアーが危険から遠ざかろうと、離れた隅へ飛んで逃げていくところだった。司祭はもっとゆっくりとふたりのあとを追った——マントが頭の上までめくれていた。またしても爆音がとどろき、さらに死んだ蛾を吹っ飛ばした。生きている蛾がそのあいだをヒラヒラと飛んでいた。まもなく、〈司令室〉は蛾でいっぱいになるだろう。この二度めの爆発とともに、遠く離れた船の中央部の内奥で轟音がはじまった。あいだにあるドアのすべてを通してさえ聞こえる轟音が。しだいに大きくなるそれは、長年にわたる苦悶のすべてを表しているように思えた。それはどんどん大きくなり、やがてコンプレインはそれに合わせて体が小刻みに震えるのを感じた。

　ものもいわずに、ヴィアンが船の外側を指さした。筋のような亀裂が船体一面に現れていた。四百五十年の時を経て、〈大犬〉は分解しつつあった。轟音はその断末魔の叫びであり、壮大であると同時に哀れを誘うものだった。

「〈緊急停止〉だ！」とファーモアーが叫んだ。その声は遠くから聞こえるように思えた。「蛾が〈最終的緊急停止〉を起動させてしまったんだ！　船はデッキごとに分かれつつあるぞ！」

　すべてが見えた。船の背中を形作る荘厳な弧に生じた亀裂がふくらんで峡谷になりつつあった。やがて峡谷は宇宙空間の深淵となった。そのあとは、もはや船はなかった。八十四の大きな硬貨があるだけだった。どんどん小さくなり、くるくるまわりながら離ればなれになっていく。目に見えない経路にそって永遠に落下していくのだ。それぞれの硬貨はデッキであり、人間、動物、あるいはポニックという不揃いの積み荷をのせて、丸みを帯びた地球から遠ざかっていく。底なしの海に浮かぶコルクのようにゆらゆらと。

　これは手のほどこしようのない分離だった。

「これでわたしたちを地球へ連れてもどるしかなくなったわね」と、か細い声でヴィアンがいった。彼女はコンプレインに目をやった。女らしく、自分たちを待ち受ける新しい関心ごとのすべてを推測しようとした。船のあらゆる住民を地球の崇高さに合わせようとする強烈な圧力を推測しようとした。まるでだれもが新しく生まれようとしているみたいだ、と彼女は思い、夢からさめたような顔のコンプレインにほほえみかけた。彼は自分の同類だ。ふたりとも自分がほしいものを本当にわかったためしがない。だからこそ、だれよりも先にそれを見つけるだろう。

訳者あとがき――オールディスの原点

ブライアン・オールディスといえば、泣く子も黙るイギリスＳＦ界の巨匠。代表作『地球の長い午後』（一九六二）はＳＦ名作リストの常連だし、その評論『十億年の宴』（一九七三）は、本格的ＳＦ通史として名著の誉（ほま）れが高い。一九六〇年代にＳＦの革新をめざす新しい波（ニュー・ウェーヴ）運動をＪ・Ｇ・バラードとともに牽引したことでも知られており、近年はスティーヴン・スピルバーグ監督の映画『Ａ.Ｉ.』（二〇〇一）の原作者として有名である。

だが、本書を読むに当たっては、そうした情報はいったん忘れてもらいたい。というのも、本書はそうした評価を確立する以前の若き新進作家が世に問うたものだからだ。

申し遅れたが、本書はオールディス初のＳＦ長篇 *Non-Stop*（1958）の全訳である。ちなみにアメリカ版は *Starship* と改題されており、書誌などでは二種類の題名が併記される。

まずは本書の成立にいたる経緯を記そう。その過程で本書の意義が、おのずと浮かびあがってくるはずだから（以下、本書の核心部分に触れるので、本文を未読の方は注意されたい）。

作者は一九二五年八月十八日、イングランド東部ノーフォーク州の商業都市、イースト・ディアラムに生まれた。八歳から十七歳まで寄宿学校で過ごし、第二次大戦中の四三年、陸軍に入隊。通信部隊に配属され、ビルマ（現在のミャンマー）で日本軍との戦闘に参加した。戦後はインド、スマトラ、シンガポール、香港と渡り歩き、四八年に帰国。オックスフォードで書店勤めのかたわら、架空の書店を舞台にした日常スケッチ風の小説を書きはじめた。同時に東南アジアでの体験を基にした長篇小説の構想も練っていた（ただし、執筆されずに終わった）。

そのいっぽう、少年時代から熱心なSF読者だったオールディスは、SFの創作にも手を染め、五四年に短篇 *"Criminal Record"* をSF誌〈サイエンス・ファンタシー〉七月号（第九号）に発表。SF作家としての活動をはじめる。

ちなみに同誌は、熱心なSFファンが創立した出版社ノヴァ・パブリケーションズの発行であり、先行する〈ニュー・ワールズ〉の姉妹誌という位置づけだった。両誌の編集長を務めていたテッド・カーネルは、イギリスSFのゴッド・ファーザーとも呼ぶべき存在であり、数多くの新人を育てあげた。オールディスもそのひとりであり、本書の献辞でカーネルに感謝を捧（ささ）げている。

作者本人が「架空の日記」と呼ぶ前記のスケッチ風小説は、業界紙〈ブックセラー〉に連載されたことから、大手出版社フェイバー&フェイバーの編集者の目にとまり、五五年に*The Brightfount Diaries*の題名で刊行された。同書が好評を博したため、次作を求められたオールディスはSF短篇集の企画を提出し、当時はSFに対する偏見が根強かったので紆余曲折があったものの、無事に刊行にこぎつけた。これが*Space, Time and Nathaniel*（1957）である。そして翌年、満を持して同社から上梓した長篇が本書というわけだ。

――正確を期すなら、本書には原型が存在する。〈サイエンス・ファンタシー〉五六年二月号（第十七号）に発表された中篇"*Non-Stop*"がそれだが、期日までに入手できず、比較対照はできなかった。誠に申し訳ない。では、話をもどして――

曇天つづきのイギリス、家庭から切り離された寄宿学校で、同年代の少年たちになじめなかったオールディスにとって、陽光まぶしい東南アジアのジャングルで、年齢も社会的階級もさまざまな戦友たちと生死をともにした経験は、その人生観を根底からひっくり返すものだった。閑静な文教都市に落ちついたオールディスは、平穏な市民生活に順応するため、東南アジアでの経験を忘れようと努めた。しかし、内心ではまばゆい熱帯の陽射しと熱気に恋い焦がれていたのだ。本書を執筆していた当時の心境を自伝*Bury My Heart at W. H. Smith's*（1990）から引いてみよう――

「わたしは人生のふたつの側面、そして意識と無意識のバランスをとる方法を見つけていた。ジャングルは、極東での自由に対するひそかな憧れを表していた。すべてをつつみこむ宇宙船は、当時のわたしが送らねばならなかった実生活を表していた。全体としては科学という方法に対するわたしの興味も表している――正確には、SFを通常の小説と区分する興味だ。通常の小説が、われわれの文化に不可欠な部分としての科学という概念にとり組むことはめったにない。

オックスフォードの家の二階にある寝室で執筆していた世捨て人同然のオールディスをかえりみると、日常生活に押し入り、すべてを呑みこむジャングルのイメージには驚かされる。廃墟と化した宇宙船は、鎖で縛られた未来というピラネージ風のヴィジョンにとり憑かれている」

この繁茂する植物と、息苦しい閉鎖空間としての未来というふたつのイメージは、のちの作品でも底流をなしている。その意味で本書はオールディスの原点といえるのだ。

こうして生まれた本書は発表当初から評価が高く、五十年以上がたったいまでも読みつがれている。その証拠に、二〇〇八年には英国SF協会賞の一九五八年度長篇部門が贈られた。これは同賞が存在しなかった時代に発表された作品をあらためて顕彰するという趣旨のものであり、当時のヒューゴー賞受賞作を抑えての栄誉だった。

このあたりですこしアプローチを変えてみよう。

本書は一般に世代宇宙船（ジェネレーション・スターシップ）テーマの古典ということになっている。世代宇宙船とは、光速を超えられない宇宙船で何十光年、何百光年にもおよぶ恒星間宇宙を渡るために考えだされたアイデアで、「自給自足式の巨大宇宙船を建造し、乗組員は世代を重ねて旅をつづける」というものだ。先例はいくつかあるが、この概念が一躍広まったのは、アメリカのSF作家ロバート・A・ハインラインが、一九四一年に中篇「常識」を発表したときだった。ハインラインは世代宇宙船を舞台に、SFの醍醐味である「認識の変革」を体現する物語を紡（つむ）ぎだした。つまり、みずからの出自を忘れた乗組員の子孫が、自分たちの住んでいる世界の真の姿を知るのである。五カ月後に続篇「大宇宙」（一九四一）が発表され、このテーマは多くのSF読者の心を引きつけるようになった（ちなみに前記二篇は一九六三年に『宇宙の孤児』として単行本化された）。

少年時代に筋金入りのアメリカSFファンだったオールディスも、ハインラインの「常識」に熱狂したひとりだった。しかし、その欠点にも気づいていた。そこで「常識」の設定を踏襲したうえで、自分なりの作品を書こうとしたと思われる。その証拠に、本書の第一部第一章には「常識」へのさりげない言及があるのだ（ある子供の発言という形で）。

おそらくハインラインが、ずばぬけた知性に恵まれた若者を主人公としたところに納得がいかなかったのだろう。H・G・ウェルズ、オラフ・ステープルドン、E・M・フォスター、G・K・チェスタトン、オルダス・ハックスリー、ジョージ・オーウェルといったイギリス人作家のSFに親しんでいたオールディスにすれば、異常な環境で生きる平凡な人々に焦点を合わせるべきだと思われたにちがいない。この創作姿勢は、当然ながらアメリカSF批判に通じ、のちのニュー・ウェーヴ運動につながっていく。

もうひとつ触れておきたいのは、本書が「環境の変化に合わせて変貌していく人類の姿」を描いていることだ。この進化論的な認識は、イギリスSF（あるいは英国科学ロマンス）に連綿と受けつがれてきたものであり、オールディスの全作品を貫くテーマでもある。その意味でも、本書はオールディスの原点なのである。

ともあれ、本書の刊行を機にオールディスは作家専業となった。本人の言葉を借りれば、「へその緒を切った」のだ。その後の活躍については、またの機会に語りたい。

最後に、翻訳について少々。

テキストには二〇〇〇年にミレニアム社から刊行された改訂版を使用した。もっとも、改訂は語句の訂正にとどまっており、ストーリーなどに変化はない。同書は誤植が散見するので、パン・ブックス版のペーパーバック（一九七六）を適宜参照した。

オールディスといえば言語実験でも有名だが、本書にもその萌芽がある。たとえば、キリスト教が廃れている世界なので、「地獄」を意味する"hell"が「船体」を意味する"hull"にとって代わられており、"to the hull with"のような悪態が多用される。これらは場合に応じて「こんちくしょう」とか「なんてこった」と訳すしかなく、出てくるたびに「トゥ・ザ・ハル・ウィズ」とルビをふっても煩雑なだけで、「地獄」から「船体」への変化は表現できない。ほかにも「神」を意味する"God"が変形して、"Gord's guts"や"Gawd's blood"となっている例、"for his sake"が"for hem's sake"になっている例、"Holy Mother"が"holy smother"になっている例など枚挙に暇がない。残念ながら、この手の言葉遊びの訳出はあきらめざるを得なかった。

主人公の姓はComplainと綴り、「不平をいう」と訳せる。寓意がこめられている名前はほかにも出てくるが、これも訳出は断念した。力不足を痛感するしだいである。

二〇〇五年五月

寄港地のない船

2015年7月9日　初版第一刷発行

著　者　　ブライアン・オールディス
訳　者　　中村融
デザイン　坂野公一(welle design)
編　集　　水上志郎

発行人　　後藤明信
発行所　　株式会社 竹書房
〒102-0072
東京都千代田区飯田橋2-7-3
電話03-3264-1576(代表)
03-3234-6383(編集)
http://www.takeshobo.co.jp
振　替　　00170-2-179210
印刷所　　凸版印刷株式会社

ISBN978-4-8019-0355-5　C0197
Printed in Japan